월요병 컴퍼니

이 시대의 잠 못 드는
직장인을 위한
회복탄력 솔루션

월요병 컴퍼니

발 행 | 2024년 1월 23일
저 자 | 노정진
펴낸이 | 한건희
펴낸곳 | 주식회사 부크크
출판사등록 | 2024.07.15.(제2014-16호)
주 소 | 서울특별시 금천구 가산디지털1로 119 SK트윈타워 A동 305호
전 화 | 1670-8316
이메일 | info@bookk.co.kr

ISBN | 979-11-410-6844-8

www.bookk.co.kr

월요병 컴퍼니

노정진 지음

in(프롤로그)

'웃음을 잃어가는 공화국', '앵그리 직장인', '천재천하의 재수 없는 동료', '이사도라24시간 돌아이 상사' 등 대한민국 노동 현장에는 많은 별명들이 등장하고 있다. OECD 회원국 중에서 최장의 근로시간, 최고의 산업재해 사망률을 나타내는 현실이며, 열악한 현실 속에서 직장 스트레스 때문에 미소를 띄는 동료는 찾아볼 수가 없고, 웃고 있는 것은 목에 걸려있는 사원증의 내 얼굴뿐이라고 표현하기도 한다. 그나마 조직 내에서 간간이 웃음을 보이는 직원이 눈에 띄는 날은 금요일이며, 출근 전날인 일요일 저녁은 직장인 모두가 싫어한다.

대한민국의 많은 직장인들이 '월요병'을 앓고 있다. '월요병'이란 한 주가 시작 되는 월요일 아침에 신체나 정신 상태가 특히나 피곤한 상태를 말한다. 특히 권태감과 무력감이 주요 증상이다. 주말에 개인적인 휴식을 취하고 월요일에 다시 출근하거나 공적인 일을 시작하는 근로자, 자영업자 또는 학생들에게 주로 나타난다. 의학적으로 주말에 흐트러진 생체리듬 때문에 평일의 리듬으로 몸이 적응해 가는데 나타나는 현상이다.

내 몸과 정신이 주말 동안의 휴식에 대한 미련이 남아 있기 때문에 한주를 시작하는 월요일이 심리적 긴장감과 육체적 피로감으로 두통이나 우울증 등이 올 수 있는데, 사실 월요일뿐만 아니라 연휴 또는 긴 휴가기간 후 에도 비슷한 증상이 나타난다. '월요병'이라는 단어 자체가 병病을 의미하는 뜻을 담고 있지만 실제로 치료가 필요한 의학적 질병이 아니며 정신 질환 따위는 역시 아니다.

월요병의 숙주가 되는 육체적 피로예방을 위해 적당한 휴식과 평상시와 같은 수면시간을 유지하면서 영양분이 고르게 섞인 음식물을 섭취하는 것으로 권장하는 의사의 피드백이 어느 정도 도움이 될 수 있다고 생각한다. 하지만 어디까지나 육체적 피로 예방법이며 월요병의 근본적 원인이 되는 심리적 스트레

스 해소에는 그다지 도움이 되기 어렵다고 생각한다.

우리는 왜 이렇게 심리적으로 스트레스를 받으며 살고 있을까? 우리 사회는 해외 어느 나라보다 치열하고 고된 경쟁상황에 시달리고 있다. 학생이든, 직장 근로자든, 자영업자이든, 대부분의 많은 사람들이 경쟁이라는 스트레스에 시달리면서 살아오다보니 휴식을 취해도 쉰 것 같지 않게 피로감을 느끼고 학교나 일터로 걸어가는 발걸음은 학년, 연차가 올라가고 나이가 들수록 더욱 무겁게 느껴지고 있다.

예전부터 우리 주변에는 상식적으로 이해할 수 없는 행동을 일삼는 사람들이 드문드문 있었지만 최근에는 그런 사람들이 부쩍 더 늘어난 것 같다. 개인의 인성이나 성향, 인격, 가치관의 문제로 해석하기보다는 혼란한 사회가 이들을 더 많이 배출하고 있다고 생각한다. 사람들이 자라오고 생활해온 사회 환경이 요즘 들어서 혼란스러울 정도로 많은 변화를 겪고 있다. 필자는 90년대 말 IMF 이후로 '혼란의 시작'이라고 말하고 싶다. 무책임하게 일자리를 잃은 사람들이 또다시 실업이라는 아픔을 느끼고 싶지 않기 때문에 살아남기 위해 온갖 자신만의 노하우를 개발하고 자신의 능력을 PR하는 분위기를 만들면서 이제껏 사회적 본분을 유지해 온 것이다. 그것이 부정적이든 긍정적이든 여러 가지 행태로 나타난 것이라고 볼 수 있다.

일을 하는 사람들은 어떤 고민을 하면서 살아가고 있을까? 본인이 맡고 있는 직무, 일강도 때문에 힘든 것은 참을 수 있어도 사람 때문에 힘든 건 참기 어렵다는 것이 직장인들의 공통된 생각이다. 사회 통념적으로 상식적인 사람이 정도를 넘어선 사람들에게 매번 부당하다고 느끼는 감정을 받으면서 직장을 다닌다면 일의 진도는커녕 업무 능률 저하라는 결과를 만들어낸다. 매사에 거짓말만 늘여놓는 사람, 모르면서 아는 척 하는 사람, 후배 직원에게 막 대하는 사람, 하청직원에게 갑질을 하는 사람, 패거리 짓는 사람, 회사정치에 심취해서 일은 하지 않는 사람 등 그 유형은 셀 수 없을 정도로 다양하다. 이런 유형

의 사람들을 방치해 두면 그 기업조직은 망조의 길로 걷게 될 수 있다(이 책에서 '기업'과 '조직' 단어를 혼용해서 사용하니 같은 뜻으로 해석해주길 바란다).

　그럼 이 지긋지긋하고 꼴 보기 싫은 사람 때문에 직장을 그만 둬야 내가 원하는 세상이 올 것인가? 당장 이직해서 내가 원하는 파라다이스를 찾아야 행복이 올까? 하지만 다른 직장을 찾아도 이런 부류의 사람들을 만나지 않는다는 보장이 없다. 위에서 말한 유형의 사람들은 어디에서나 살아 숨 쉬며 존재하고 있다는 것이 현실이다. 차라리 그들을 바꾸어 내가 다니는 회사를 더 편하게 다닐 수 있는 환경으로 만들어 볼 것인가? 절대적으로 힘든 일이다. 곁에 있는 배우자나 자식의 성격도 못 바꿀 판인데 어떻게 직장의 빌런Villain들을 바꿀 수 있을까? 그들을 바꾸기보다는 내가 변화하는 편이 빠르고 쉽다. 객관적인 현실보다는 자신의 비합리적인 생각과 감정에 더 치중할 때 사람들은 비상식적이거나 타인에게 불편을 제공하는 행동을 한다. 이런 현상을 이해하고, 이해관계를 더 깊이 바라볼 때 그 사람을 충분히 이해할 수는 없어도 최소한의 상대는 할 수 있다.

　먼저 어떤 대화나 색다른 전략이 있는 전투적인 방법으로 그 사람들 상대하고 바꾸어보겠다는 생각은 버려야 한다. 이것이 이 문제를 해결하기 위해 당신이 첫 번째 취해야 할 마음가짐이다. 사춘기를 겪고 있는 당신의 아이들을 생각해 보자. 예전이든 지금이든 늘 고집불통이며, 내가 이해하기 힘든 행동과 말을 일삼고 있어서 벌써 포기했지 않은가. 사람의 성향은 쉽게 변하지 않기 때문이다. 다만 상황은 바꿀 수 있다. 그런 사람이 다른 사람들에게 계속 문제의 행동을 일삼아도 나에게만은 못하게 할 수 있는 방법을 찾는 것이 가장 좋은 전략이다. 그러려면 그 사람의 인격, 인간성 자체를 판단하거나 내 기준에서 점수를 매기는 평가 따위는 깨끗하게 접고, 나를 기분 나쁘게 할 때의 그 사람 행동에 대해 초점을 맞추는 방법을 하루

빨리 강구해야 한다.

근로기준법이나 민법으로 상대해서 지긋지긋한 상대를 내 눈 앞에서 처분해 버리는 생각도 할 수 있을 것이다. 하지만 정도의 수준이 약하다면 법적으로 행동하겠다는 생각은 버리는 것이 조직 분위기와 나를 위해서라도 도움이 된다. 직장생활에서 부딪치는 여러 가지 갈등은 절대 선이나 절대 악으로 단번에 선을 긋기가 어렵기 때문이다. 다른 사람들은 무난하게 참아 넘기는 일도 내 입장에서는 훨씬 힘들고, 괴롭고, 고달플 수도 있다. 하지만 빠른 시간 내에 개선하고 상황을 바꿔야 한다. 스트레스를 받아 '월요병'이라는 무덤에 누워있는 직장인들이 많고, 비상식적인 사람들로부터 피해 아닌 피해를 받아 직장을 떠나려는 직장인들로 가득한 조직은 쉽게 무너진다. 조직문화나 기업 환경을 물론이고 그 직장을 운영하는 경영층까지도 나쁜 바이러스를 전파해서 일종의 '월요병 컴퍼니'로 만들어 버린다.

이 시대에 더 이상의 '월요병 컴퍼니'가 생기지 않길 바라는 마음에서 조금이나마 도움이 되고 싶어 집필을 했다. 내용은 월요병에 힘들어하는 직장인 3명(홍지혜 대리, 구병희 반장, 김강덕 팀장)이 유능한 경영컨설턴트를 만나면서 조언을 얻고 쉽게 해결해 나가는 일종의 소설이자 경영의 기반이 되는 MBA 전략과 심리학을 충분히 녹인 자기계발서이다. 우리는 교과서가 이해되지 않을 때 8~90년대에 주로 봤던 '전과'와 같은 교과서 풀이집을 펼쳐 보듯 대한민국의 직장인, 자영업자, 전문경영인 등 모든 사람들의 직장생활 풀이집이라는 취지로 글을 썼다. 필자의 20년 가까이 연구한 조직관리 전략 스킬과 기업 경영 전문가 다수의 자문을 근거하여 추려낸 민감하고 중요한 소재로 엮었으며 쉽게 읽을 수 있도록 대화형식으로 기술했다.

글은 작가와의 소통이므로 독자의 눈높이와 생각에 맞춰야 진정하게 글이라고 생각하며 이해하기 쉽게 글을 썼으니 편안하게 읽었으면 한다.

CONTENT

PART 2. 구병회 반장 이야기.

PART 3. 김강덕 팀장 이야기

out(에필로그)

인용 및 참고문헌

Prequel Story

세포를 따갑게 하는 햇볕에 밀려 흐르는 땀방울이 이마 깊숙이 파인 주름 사이에 맺혔고, 3일 차 쟁의활동에 참여한 구병희 반장의 표정은 지칠 때로 지친 상태였다. 두풍기계 하청지회는 (주)두풍기계의 간접 생산 공정 업무를 수행하는 2차 사내 협력업체 소속 근로자의 직접 고용해야 한다는 판결에도 불구하고 직접 고용을 촉구하지 않는 두풍기계 본사를 상대로 확성기의 볼륨을 최고 높이로 올렸다.

구 반장은 사실 법원 판결에 따른 직접 고용 대상 인물은 아니었다. 두풍기계의 목적 사업인 건설장비 제조의 초기 공정에서 간접적인 기술을 제공하는 협력사 엔지니어들만 대상이었고 공장 실내외 조경과 환경을 담당하는 협력업체 소속인 그는 두풍기계 하청지회에서 한 명이라도 더 참가해서 목소리를 높여달라는 때 묻은 전단지를 통해 도움이 되고자 참가했는데 벌써 3일이 흘렀던 것이다.

더 이상 이 시간, 이 공간, 이 자리는 쥐꼬리 수준의 월급을 받고 있는 그의 상황에서 아이를 둘씩이나 키우는 본인의 처우에 큰 도움은커녕 확성기를 통해 울려 퍼지는 굉음들이 귓속에 있는 두 고막만 괴롭히게 할 뿐이었다. 구 반장의 왼쪽 손목에 차고 있는, 언제 구입했는지 기억조차 없는 전자시계를 통해 오전 11시 40분이라는 것을 알아챘을 때, 많은 노조원들 사이에서 빠져나가 구내식당으로 달려가고 싶을 정도로 배가 고팠다. 그 순간 작업 조끼 안에서 가벼운 진동을 느꼈고 휴대폰 액정은 같은 팀에서 근무하는 '김강덕 팀장'이라고 친절하게 알려주었다.

"구 반장님. 김강덕입니다. 혹시 지금 사무실로 오실 수 있나

요? 사장님께서 오늘 점심 식사를 함께 하자고 하십니다. 반장님 오늘 생일이시잖아요."

김 팀장은 그의 직속상관이지만 늘 존칭을 해준다. 하지만 속마음을 알 수 없는 사람이다. 구 반장은 재빨리 휴대폰을 끄고 각종 기름때가 묻은 조끼에 휴대폰을 쑤셔 넣으며 붉은 머리띠 군단에서 빠져나왔다. 누가 불렀는지, 작사, 작곡은 누구인지 알 수가 없는 민중가요가 귀에서 멀어져 가고 있을 때 '(주)그린테크GreenTeck'라는 입간판 밑에서 그를 기다리고 있는 회사 사람들 3명이 구 반장의 눈동자에 들어왔다. 참으로 알 수 없는 조합인 것은 분명했다.

회사 공용차인 흙이 잔뜩 묻은 포터 더블캡을 타고 한식당으로 갔고 김강덕 팀장은 구 반장이 좋아하는 청국장찌개를 주문했다. 그들은 아무 말 없이 식사를 했고 사장은 조용히 그에게 노조활동에 대해 불만인 뉘앙스의 말을 건넸지만, 배가 너무 고팠던 그는 대꾸 없이 각종 반찬을 입가에 갖다 댔다. 사실 대꾸를 하지 않은 이유는 15년간 점심을 구내식당에서 먹다가 일반 음식점에서 오랜만에 먹었더니 그 맛이 꿀맛이라 별명이 '손타쿠'인 사장의 말이 귀에 들어오지 않았던 게 맞는 것 같았다. '손타쿠'는 평소 직원들로부터 접대 받는 것을 좋아하는 성격 때문에 붙은 별명이다.

식당 입구에서 먼저 걸어 나와 주차장 앞에서 서성이고 있을 때 지방에서는 흔히 볼 수 없는 하얀색 고급 세단에서 광이 나는 검정빛 구두를 신은 한 중년의 여성이 주위 사람들의 시선을 받은 채로 내리는 것을 구 반장은 우연히 목격했고 그 자리에서 '손연주' 박사라는 것을 순식간 알아챘다.
TV에 자주 출연하는 사람이라 모를 수가 없었다. 그의 두 눈속 검은자는 손 박사의 동선을 살피며 따라갔다. 당연한 듯 그

들이 점심을 먹고 나온 한정식당에 유유히 걸어갔고, 카운터에서 법인카드로 결제를 하고 있는 사장과 공교롭게도 마주친 이후 둘은 아주 짧은 시간 대화를 나누었다. 두 사람은 꽤 오랜만에, 우연한 듯, 불편해 보이는 듯한 모양새였다. 구 반장은 '저 유명인이 사장과는 무슨 관계일까?' 하고 궁금해 하던 찰나에 누군가가 불렀다.

"구 반장님. 얼른 안타시고 뭐 하세요?"

평소에도 구 반장을 무시하는 말투를 쓰는 민대열 대리는 새똥이 묻은 포터의 조수석 창문을 내려 그에게 소리쳤고 구 반장은 정신을 차린 듯 안전화를 신은 발로 담뱃불을 비볐으며 불이 꺼진지 확인도 하지 않은 채 급히 차에 올라탔다. 잠시 뒤 사장이 조수석 문을 힘껏 열고 올라탔다.

포터 더블캡 뒷좌석의 바닥은 물론이고 진회색을 띠는 직물 시트까지 누가 언제 묻혔는지 모를 온갖 흙이 잔뜩 묻어있었다. 구 반장은 '새 차 좀 하고 다녀'라고 말을 던지고 싶었지만 민 대리가 기분 나쁘게 대꾸할 것 같아서 말을 아꼈고 굵은 입술을 굳게 다물어버렸다. 자동차 엔진 소리만 우렁차게 유입됐을 뿐 실내는 아무 말 없이 조용했다.

포터가 술집, 식당이 한껏 모여 있는 율촌 시내 한가운데에 설치된 빨간불 신호등 밑에 얌전히 섰을 때, 조수석에서 짧은 수염이 난 턱을 만지작거리며 밖을 보고 있는 사장에게 구 반장은 조용히 말을 걸었다.

"사장님. 조금 전에 그분은 손연주 박사 맞죠?"

"알고 있네? 아... 손 박사가 요즘 TV에 자주 출연하지? 15년

전 두풍기계 인사기획실에서 근무할 때 나와 같이 HR제도 개선 프로젝트를 함께 진행했었던 컨설팅 회사 매니저였는데, 지금은 <미래경영컨설팅> 대표이사로 있다고 하네. 해외 법인까지 포함하면 직원들이 300명 가까이 된다고 하더라고. 호주에 법인을 세운 것으로 알고 있어. 최근 미국에서 2년 정도 유학하다가 작년에 왔다네. 이번에 두풍기계의 골치 아픈 협력사들 대상으로 진단 의뢰가 예정되어 있어 컨설턴트 역할을 한다고 사전 분위기 조사 차원에서 방문했다고 하더라고"

구 반장은 속으로 생각한다. '미래경영컨설팅? 그것도 대표이사? 미국 유학?' 하늘을 찌르듯 멀리 있는 사람인 듯했다. 우리 회사 같이 체계도 없고 비전이 없는 곳에 유명인이 와서 진단해줬으면 좋겠다는 생각뿐이었다. 대한민국 굴지의 대형기업 '(주)두풍기계'의 협력사만 50개가 가까이 되는데 그래도 희망은 갖고 싶었다.

기어를 변속할 때마다 '텅텅'하며 알 수 없는 소리를 내는 포터는 회사에 다다랐고 페인트인지 시트지인지 구분이 안 될 정도로 벗겨져 글씨가 희미해진 회사의 입간판이 보였다. '(주)그린테크' 입간판 글씨가 오늘따라 더 초라해 보였다. 회사는 현재 45명 정도 인원을 가진 중소기업으로 원청회사인 (주)두풍기계의 협력회사로 계약되어 있다. 사장은 두풍기계에서 정년퇴직을 하고, 운이 좋은 케이스인지 (주)그린테크의 대표 보직을 맡았다.

저근속 직원 중에 퇴직하는 직원이 많이 있어서 수시로 채용하고 있으며, 워낙 짧게 일하고 그만두는 직원들 때문에 예전과 달리 직원들에게 개인적인 마음을 열어 시간을 내어주거나 개인사나 본인의 치부를 들추는 말 또는 행동은 잘 하지 않는다.

상시근로자가 30명 이상이라 노사협의회가 있는데, 위원들은 회사와 사이가 좋지 않다. 노사관계도 안 좋은데다가 기업문화는 수준이 많이 떨어진다. 부서는 임원실, 총무과, 현장부서인 클리닝 1팀, 2팀 총 4개가 있다. 구 반장은 클리닝 1팀 소속으로 두풍기계 2공장 바닥 담당이다.

다들 급여수준은 부끄러워서 노출하기 싫어한다. 다른 사람들의 귀에 들어 갈까봐 일부러 말을 아끼는 것일 수도 있다. 보너스도 1년에 한번 나온다. 설도 아닌 추석에. 그 이유는 직원들 모두 모른다. 원청회사와 매년 협력 계약을 통해 노임비를 포함한 운영재원을 받고 있으며, 영내 환경정화 및 재경업무를 통해 회사를 운영한다. 쉽게 말하면 바닥청소차를 타고 먼지를 쓸고, 공장 주변에 심어진 나무에 세척물을 뿌려서 돈을 버는 회사인데, 남들에게 말할 때 용어를 고급스럽게 바꿔 거창하게 표현하는 게 습관이 되어있다.

회사 현관 입구 모서리에는 각종 캔 음료와 싸구려 커피를 뽑아내는 자판기가 놓여있다. 카드 결제가 되는 기능이 있는 자판기인데 이상하게도 구 반장은 별로 뽑아먹을 생각도 없으면서 캔 음료가 어떤 것들이 들어있는지 꼭 들여다본다. 현관에서 오른쪽 복도를 지나면 총무과가 있다. 매달 한 번 또는 두 번 정도 들리는데 급여 명세표를 받으러 한번 가고, 급여에 대해 뭔가 궁금한 점이 있으면 또 들린다. 전화로 물어봐도 되는데 직접 만나서 물어보는 게 속이 시원한 것 같아 '구병희' 이름이 새겨진 새까만 안전화로 발걸음 소리를 내며 들어간다.

4월 30일은 구 반장 생일이자 회사 월급날이다. 총무과에는 4년 전에 입사해 줄곧 경리업무만 하는 홍지혜 대리가 앉아있었고 책상 위에는 물이 거의 말라버린 가습기와 계란껍질, 귤껍질이 덩그러니 놓여있었다. 앞머리에 분홍색 롤을 말고 있는

홍 대리는 사람을 만나면 예의상 한다는 그 흔한 인사도 없었고, 약속이나 한 듯 자연스럽게 빳빳하고 새하얀 급여 명세표를 뽑아서 그에게 건넸다.

구 반장은 급여 명세표를 한 손으로 잡은 채 눈은 명세표의 왼쪽 가장 아래쪽으로 먼저 시선을 고정했다. [실지급액 1,947,164원] 분명 월급이 잘못된 것이라고 믿고 싶어 하는 표정을 지었다. 그리고 마지막 숫자 4원은 어떻게 나온 줄도 몰라 한다. 홍 대리에게 다급히 '이번 달 급여가 잘못된 거 아니냐?' 하며 물었고, 그녀는 뾰로통한 표정으로 침을 삼키며 차근차근 대답해 주었다. 그러고는 얇은 금반지를 낀 손으로 책상 맨 위 서랍을 열었고, 고이 숨겨놓았던 무지갯빛 청첩장을 고이 건넸다.

"구 반장님. 이번 달은 건강보험료와 고용보험 연말정산이라서 보험료가 추가공제나 환급이 되는 4월이에요. 작년에 연장근로가 꽤나 발생되셔서 보수총액이 올라 건강보험료를 더 납부하셔야 된다고요. 그리고 이거는 제 청첩장이랍니다. 이제 남자친구와 결혼해요. 다음 달이에요."

"어... 홍 대리 답변 고마워. 그리고 축하해. 꼭 결혼식은 참석할게"

'젠장...'

매년 최저임금 수준만큼 받지만 평소에 아무리 급여야 적어도 앞자리가 '2'는 됐었는데 '급여가 적네, 비자금 만드는 거 아니냐?' 라는 구 반장 아내의 잔소리를 벌써부터 환청으로 듣고 있다. 어디서부터 인지 모르지만 아마도 배 깊숙한 곳에서부터 시작된 진한 한숨부터 내쉬었는데 각종 유틸리티며, 자식들 학

원비, 집 담보 대출이자 등등 그의 머릿속을 복잡하게 만들었다.

올해부터 정부가 부동산 가격 상승을 잡는답시고 대출 이자율이 급격히 올려놓은지라 이자 내고, 뭐 내고 남는 돈은커녕 마이너스가 될까 벌써부터 괴로워했다.

원청의 본사 앞 집결 장소에 가서 누굴 위한 건지도 모를 투쟁이나 할까 잠시 고민하다가 내 코가 석 자인 마냥 그냥 집으로 돌아가기로 결심했다. 구 반장은 손에 들고 있는 굵은 종이로 만들어진 홍 대리의 청첩장을 오늘따라 무겁게 느꼈다. 시계를 보려고 휴대폰을 들어 봤는데 메시지가 한통 와있었다.

[두풍기계 협력사 대상 직장인 행복지수 설문조사가 5월 첫째 주까지이오니, 그린테크 재직자께서는 반드시 참여바랍니다. -총무과-]

"안녕하세요. 저는 <미래경영컨설팅>의 대표 '손연주' 입니다. 이렇게 그린테크 임직원들을 직접 만나게 되어 진심으로 반갑습니다. 이번 주부터 여러분들과 편안한 분위기 속에서 일대일 인터뷰를 통해 많은 조언과 피드백을 드리려고 합니다. 직원분들 개별적으로 직장생활을 하시는데 도움을 드리고자 해요. 나아가 그린테크의 기업문화 성장과 발전 그리고 도약을 위해 여러분들과 함께 진솔한 이야기를 나누도록 하겠습니다."

PART 1. 홍지혜 따라 이야기

◆ 출근이 아니라 하루하루 견디고 있는 것 같아요.

[Trouble]

저는 총무과에서 근무하고 있는 홍지혜 대리입니다. 저는 현재 급여와 4대 보험 업무를 하고 있습니다. 현재 4년 차로 접어들었고 <그린테크>에 입사하기 전에는 대학 전공을 살리기 위해 경기도에 있는 마케팅회사에서 근무했었습니다. 하지만 부모님과 함께 살고 싶은 마음이 큰 나머지 고향에 있는 회사를 알아보다가 기회가 되어서 입사를 했습니다.

우선 저의 직장생활 상황을 말씀드린다면 아직 막내생활에서 벗어나지 못한 상황이기에 많이 힘이 드는 것은 사실입니다. 저를 이끌어주는 '조력자'나 '멘토Mentor'가 될 상사분이 없어 더 힘든 것 같습니다. 정신적으로 힘들고 누구나 하기 싫은 일은 저에게 맡기는 상사가 대부분이라서 조직과 괴리감을 느낀 적이 한두 번이 아닙니다.

일에 대한 의욕은 점점 떨어지고 있는 상황이며, 작년부터 지금 하고 있는 업무로 변경해보았지만 크게 달라지지 않았습니다.

아침에 일어날 때마다 '가기 싫다. 가기 싫다. 가기 싫다'이러면서 계속 다녔습니다. 특히 월요일 전날인 일요일은 잠이 들지 않습니다. 퇴사하고 싶다는 생각밖에 없었는데, '여기서 나가면 어디를 가겠느냐?' 하는 생각에 억지로 다니고 있는 것 같습니다. 회사도 예전보다 더 재정상태가 어려워지고 있고, 직원들이 가져야 하는 꿈과 비전이 없어지는 것을 보면 안타깝습니다.

우리는 이미 '대퇴사의 시대'를 걷고 있는 중이다.

처음 마주하는 저에게 홍 대리님께서 허심탄회하게 고민을 말

해줘서 먼저 고맙다는 말을 하고 싶습니다. 그렇다고 대리님께서 부끄러워하거나, 괜한 말을 했다고 후회하지는 않았으면 합니다. 그 동안 젊은 2~30대의 많은 근로자분들과 인터뷰를 했을 때 많이 이야기 나왔던 부분입니다. 유명한 잡 서치job search 온라인 기업에서 리서치를 한 결과 회사원 10명 중 9명이 이직을 고려하거나 퇴사를 생각하고 있는 것으로 나왔습니다. 우리는 현재 대퇴사의 시대에서 지금과 같이 회사생활을 하고 있습니다.

홍 대리님은 월요병이 생겨 일요일 밤은 잠이 오질 않는 구체적인 이유를 아직 저에게 말해주지는 않았지만, 비슷한 사례가 있는데 이야기해 드리겠습니다.

육체적, 정신적 상태가 소진되어 갈 때 스트레스는 작동된다.

약 5년 전 수도권에 소재한 전산 개발업체를 컨설팅을 할 때 있었던 사례입니다. 그 당시에 만났던 오연지 씨는 웹디자이너로 활동하고 있었습니다. 연지 씨는 원래 대학에서 통계학과를 전공하고, 은행에서 인턴 경력이 있었습니다. 은행 근무 이후 스타트업Start up 회사에 들어갔고 비록 전공은 달랐지만 경력을 쌓으며 성장할 수 있기를 기대했었습니다.

다른 스타트업 회사에 비해 근무 여건도 좋았습니다. 오전 10시에 출근해서 오후 7시에 퇴근했고, 분기마다 나오는 상여금도 나쁘지 않았습니다. 하지만 웹 디자인 업무가 익숙하지 않은 연지 씨에게 주어진 일은 정해진 시간 내에 해결할 수 없는 것이었죠.

연지 씨가 들어갈 당시 선배 개발자가 퇴사했고, 함께 일하던 동료도 갓 개발 분야에 뛰어든 학습 단계 수준이었습니다. 일터에서 성과를 내지 못하고, 능력이 없다고 느낄수록 퇴근 후에 공부와 업무를 이어나갔습니다. 일을 직접적으로 가르쳐주는 '사수 역할'을 하는 선배가 없어 두려웠지만, 성장하는 길은

스스로 공부하는 길 밖에 없다고 생각했었습니다. 하지만 이끌어줄 사람이 없는 상황에서 스스로 해결해야 하는 업무가 가중됨을 느꼈습니다. 시간이 지나도 노력이 성과로 이어지지 않았고, 답답함만 커졌습니다. 이런 생활이 반복되다 보니, 결국 연지 씨는 몸과 마음이 크게 소진되고 있다는 상태를 경험하게 되었고, 그 상황이 또 스트레스로 지속적으로 이어졌습니다.

'멘토' 역할을 하는 관리자는 반드시 필요한 존재다.

기업에서 일을 하는 젊은 세대들이 퇴사를 고민할 때, 중요하게 여긴 요소 중의 하나는 '선배의 존재와 역할'인 것은 분명합니다. 선배의 삶이 자신이 희망했던 삶과 일치하지 않은 이유로 비전을 보지 못하거나, 지금의 선배처럼 직장생활을 하기 싫어서 일터를 떠나기도 합니다. 하지만, 대부분 업무의 내외적으로 조언자의 역할을 해주는 선배, 즉, 멘토가 없어서 퇴사하는 경우가 많습니다.

멘토가 없다고 생각되는 지구상에서 가장 성공한 사람들도 멘토가 존재합니다. 세계적인 전기자동차 개발 및 판매기업 <테슬라Tesla>의 CEO '일론머스크Elon Musk' 역시 멘토가 있습니다. 바로 '로버트 주브린Robert Zubrin' 화성학 회장입니다.

주브린 회장은 <NASA>를 비롯해 미군과 민간산업을 위한 연구개발 프로그램 70개 이상을 성공적으로 이끌었다는 평가를 받았고 일론 머스크로부터 충분히 귀감이 되는 인물이었습니다.

지금 저와 홍 대리님이 이야기를 주고받은 사례는 우리나라의 노동 현장이 어떠한 방식으로 구성되고, 유지되고 있는지 보여주는 대목이기도 합니다.

특히 입 퇴사자가 잦은 IT 기업이나 서비스업종에 종사하는 젊은 세대들은 대부분 선배 대신 최고 관리자급 상사와 일했고, 직급과 나이에 따른 권력 관계로 인해 일을 배우기보다는

일방적으로 던져진 업무를 혼자서 배우고 터득하며 해결하는 방식으로 일을 하고 있다는 것이 현실입니다. 기업의 허리역할을 하는 '중간관리자'에 해당하는 30대 중후반~40대를 일터에서 찾아보기 힘들다는 점은 정말 기이할 정도입니다.

중간 관리자가 부재중이면 퇴사가 이어질 수밖에 없다.

다시 말해서 회사에 다니는 젊은 신입 사원들은 중간다리 역할을 해주는 선배를 필요로 하고 의지를 많이 하게 됩니다. 하지만 일터에서 찾기 힘든 경우가 많습니다. 멘토가 되어주는 선배를 경험해보지 못한 경우, 자신이 선배 역할을 해야 하는 시기에 어떻게 해야 할지 모르는 경우가 태반입니다. 과거의 경험도 없고 배우지 못했기 때문입니다.

이것은 선배의 유무 문제만이 아닙니다. 조직이 지속 가능하기 위해서는 다양한 연차와 역할이 분배되어야 하는데, 청년들이 일터에서 경험하는 모습은 '지시하는 자'와 그저 '수행하는 자'만 있는 꼴입니다.

결론적으로 나이가 많은 고위 상사나 최고 관리자를 롤 모델로 삼아 쫓기에는 간극이 너무나도 크고, 커리어를 쌓기에는 자신의 성장 가능성이 차단되어 있다고 느끼게 됩니다.

자연스럽게 기업에 갓 입사한 신입사원들은 빠른 시간 내에 육체와 정신이 피로함을 느끼게 되고, 소진된 상태에서 더 일할 활동력을 잃어버리며, 자연스럽게 퇴사를 하게 됩니다.

홍 대리님도 현재 몸과 마음이 소진되고 있다고 느껴지면 마음을 단단히 먹었으면 합니다. 저 역시 오랜 시간 직장생활을 하며 살아오면서 몇 번의 소진을 경험했습니다. 소진된다는 느낌이란 정확히 말씀드린다면, 감정을 포함한 모든 신경이 바닥을 친다거나, 뭔가 주위에 있는 아주 중요한 존재를 과감히 포기해야겠다는 생각이 드는 것으로 표현이 됩니다.

소진이 되는 이유는 간단합니다. 예를 들면 입시라든지 자격,

임용에 관련된 시험은 통과해야 하는 상황이기 때문에 극도의 긴장감을 느끼게 합니다. 마음의 안식이 되는 환경이나 육체가 쉬어가는 시간도 없이 단기간에 잘해야 한다는 마음은 에너지를 고갈시키고, 앞서 말한 소진으로 이어지게 됩니다.

회사 밖에서 방법을 찾는 것도 하나의 방법이다.

어떤 기업에서 신입사원을 포함한 많은 직원들의 퇴사가 늘어나고 있다면, 역으로 그 집단에서 근로자를 어떻게 길러내고, 어떤 환경에서 일을 하고 있는지 질문을 던져볼 수 있어야 합니다. 회사가 아무런 액션을 취하지 않는 것은 잘못된 상황을 방치하고 있는 것이나 마찬가지입니다.

노동시간이 다른 나라에 비해 유달리 긴 우리나라에서 근로자는 하루의 대부분을 일터에서 보내고 있습니다. 매일 출퇴근하고, 일하는 것을 당연한 숙명이라고 여기는 '일 중심 사회'입니다. 그 과정에서 개인의 맥락이나 환경은 별로 중요하지 않게 되고, 조직을 중심으로 생활이 배치되고 있습니다.

많은 기업들은 '직원 성장이 곧 기업의 성장이고 나라의 성장이다.', '내가 잘 산다는 것은 우리 회사와 나라가 곧 잘 산다는 것이다.' 등의 슬로건과 비전을 제시하고 프로세스를 구축하는 과정을 기대하고 있습니다.

그러나 현실에서는 직장 내에서 직원의 안녕을 뒤로한 채 사람을 톱니바퀴를 쓰듯 썼고, 슬로건과 비전은 그냥 영혼 없이 보여주기 식이거나, 투자자와 대주주의 기대에만 부흥하는 기업들의 잘못된 가치관으로 새로 입사한 직원들에게 성장 가능성을 똑바로 제시하고 있지 못하는 현실을 보면 많이 안타깝습니다. 이렇게 허무맹랑한 경험이 누적되면 아무리 자신이 좋아하고 입사를 기대했던 직장이라도 그것이 꼭 행복으로 이어지지 않는다는 것을 자각하게 됩니다.

소진을 느끼는 직원들 중 처음에는 그만두고 싶은 마음이 목

구멍까지 차올랐지만 회사를 당장 그만두는 사람은 없습니다. 특히나 간절하고 어렵게 입사한 신입 직원들은 어떻게든 해소 방법을 찾으면서 어떻게든 버텨보려 합니다. 일터에서 무기력 감이 이어지고, 성과를 내고 싶어도 조언이나 조력자의 역할을 해주는 멘토가 없어서 더 이상의 에너지를 낼 수 없을 때, 외부의 요소를 찾는 것도 하나의 방법이라고 생각합니다.

예를 들면 책을 읽는 독서 모임에 나가서 북 리뷰Book review를 즐기며, 글을 쓰는 연습을 통해 보고서 작성 수준을 올린다든지, 악기를 배우는 강습으로 스트레스를 해소하고, 마음을 정리하는 시간을 보내는 것도 중요합니다.

하지만 직장에서 근본적인 원인이 해결되지 않는 상황에서 일터 바깥에서 취미나 또 다른 의미를 찾더라도, 퇴사까지 생각하는 현재 심정이 완전히 해소되는 것은 아닙니다. 우리는 '회복'과 '격려'와 '에너지'를 얻을 수 있는 리프레시refresh와 같은 멘토를 만나기에는 충분한 시간이 있습니다. 젊기 때문입니다.

우리는 적절하게 내 몸과 정신을 위해 휴식을 주어야 합니다. 시공간의 제약이 덜한 방법을 찾는 것이 가장 탁월할 수도 있습니다. 지금 내가 다니는 회사에 중간관리자가 없다고 해서 바로 퇴사를 결정할 필요가 없습니다. 다른 방법을 찾고 방안을 강구하면서 돌파구를 찾아내야 합니다. 자신이 상황과 원하는 것이 무엇인지는 본인이 가장 잘 알고 있습니다. '방치'만 하지 않으면 됩니다.

좋은 결말을 원한다면 어떻게든 지금의 문제점을 정확하게 파악 후 해소해야 합니다. 주위를 둘러보고 나에게 맞는 적절하고, 멋진 방법을 통해서 직장생활과 개인적인 삶 모든 부분을 행복하게 개선해야 합니다.

중간 관리자가 없어서 지금의 회사를 그만두고, 다른 회사에 이직을 하려고 준비 중이면 다시 한 번 생각해 볼 필요가 있습니다. 안타깝게도 이직을 하려는 회사도 중간 관리자가 없을 수 있습니다.

《Summary》

● 우리는 현재 '대퇴사의 시대'에서 직장 생활을 하고 있는 것이므로 이직과 퇴사를 고려하고 있는 직장인은 나뿐만 아니라 대부분이다.

● 이끌어줄 사람이 없는 상황에서 스스로 해결해야 하는 업무가 가중됨을 느끼고 시간이 지나도 노력이 성과로 이어지지 않는 생활이 반복되다 보면 몸과 마음이 '소진'되고 있다는 상태를 경험하게 된다.

● 회사에 다니는 신입 사원들은 '중간다리 역할'을 해주는 선배를 필요로 하고, 업무 내외적으로 의지를 많이 할 수 있는 롤 모델을 쫓아간다.

● 일터에서 멘토를 찾기 어렵다면 바깥에서 '회복'과 '격려'와 '에너지'를 얻을 수 있는 멘토를 만날 수 있도록 해보자.

● 자신의 상황에 문제가 있다면 방치하지 말고 방법을 찾아 문제점을 반드시 해소하라.

◆ 회사 선배님들이 일을 제대로 가르쳐주지 않습니다.

《Trouble》

정확하게 저의 부서 상황을 말씀드리자면 중간 관리자의 역할을 하는 사람이 완전하게 없는 것은 아닙니다. 제 업무를 했었던 선배도 있고, 많은 선배님들이 제가 하고 있는 업무에 대해서는 조언과 가이드라인 제시 정도는 해줄 수 있는 역량은 갖고 계신다고 봅니다.

하지만 디테일하게 업무를 가르쳐주거나, 저의 성장을 생각해주고, 더군다나 박사님이 말씀하셨던 '멘토'라고 불릴 만한 사람이 존재하지 않아서 저 역시 육체적, 정신적으로 소진되고 있는 상황인 것 같다는 것이 정확한 문제인 것 같습니다.

다들 본인 업무가 바쁘다는 핑계로 일을 제대로 가르쳐주지도 않고, 심지어 물어보면 건성으로 대답하는 것 같아서, 직접 물어보기도 괜히 미안하게 되는 분위기입니다. 처음 입사한 이후로 대부분의 업무를 혼자서 공부하고, 터득하면서 배웠다 해도 과언이 아닙니다.

처음 일을 시작할 때 배우는 직무교육은 아주 중요하다.

회사에 처음 입사를 하면, 일을 잘 시작하기 위해 'OJT on the job training'라고 불리는 교육을 받습니다. 'OJT'는 회사에 최초 입사하는 신입사원 대상으로 이루어지는데, 업무의 기본을 알려줌과 동시에 앞으로 어떤 일을 하는지 파악하게 되며, 회사에 대한 전반적인 분위기와 사업에 대해 이해할 수 있는 시간이 되기도 합니다. 하지만 좀처럼 지속적이며, 체계적인 직무교육을 진행하는 곳은 많지 않습니다.

규모가 작은 중소기업은 더욱 심각합니다. 대부분 퇴사를 앞

둔 선배에게 인수인계를 받지만, 그 기간은 넉넉하지 않습니다. 1~2시간 정도 짧은 설명을 듣고 무작정 현장에 투입되거나, 자신이 무슨 일을 해야 하는지 모르는 상태에서 막무가내식으로 상사의 명령이 내려질 때까지 대기하는 경우도 있습니다. 후임자가 채용되기도 전에 퇴직을 해서 업무의 질이 시간이 갈수록 떨어지는 사례가 허다합니다. 업무 프로세스가 기록된 문서도 찾기 힘듭니다.

처음 일을 시작할 때 배우는 교육은 본인의 가치관을 세우며 비전을 만들 때 아주 중요한 역할을 하지만 현실이 따라주지 않습니다. 가슴 설레며 처음 입사를 한 직원의 마음에 상처가 되는 꼴입니다.

후배가 일을 모르는 상황에서 혼을 내는 것은 사라져야 할 나쁜 문화이다.

우리나라를 대표하는 지방 소재의 대형 조선소에서 조직문화 컨설팅을 맡았을 때 겪었던 사례입니다. 한효진 씨와 김지영 씨는 대학을 졸업하고 정기 공채로 입사한 동기였습니다. 효진 씨는 '수주 예산팀'으로, 지혜 씨는 '선박 설계팀'으로 발령을 받았습니다.

효진 씨는 일을 부여받으면서 그 일을 해결하기 위해 스스로 방법을 찾거나, 모르는 것을 하나하나 물어봐야 했습니다. 특히 세금 신고를 할 때는 하지 말아야 할 사항을 옆 동료에게 간접적으로 들었는데, 국세청에서 제공한 전산 프로그램의 버튼을 누르더라도 그 버튼을 왜 실수 없이 조심해야 하고, 어떤 원리에 의해 진행되는지 전체 프로세스를 배우고 싶었지만, 그런 기회는 제공받을 수 있는 환경이 아니었습니다.

세무와 관련된 학과를 졸업하고 세법에 능했지만, 막상 실무를 접하다 보니 도통 무슨 일을 하고 있는지 알 수 없었습니다. 그러다 보니 일을 하면서 실수를 하면 안 되고, 전산 버튼

을 잘못 눌러서 혼나지 않아야 일을 잘하는 것이라고 본인이 정의를 세울 수밖에 없었습니다. 업무에 대한 매뉴얼도 없었고 선배들에게 직접 물어 볼 때면 '네가 직접 공부하고, 알아서 해라.'는 식의 말투를 앞세워서 무섭기만 했습니다.

어쩔 수 없이 업무 실수할 때면 직원들이 많이 있는 사무실 한가운데서 엄청나게 혼나기만 했을 때 자괴감이 많이 들었다고 했습니다. 입사하고 1년간 동안 효신 씨는 엄청 혼이 났는데 왜 혼나는지를 모를뿐더러 무너지는 자존감 때문에 어렵에 입사한 회사를 관두려는 마음 생겨 깊은 고민에 빠지기도 했습니다.

선배의 직무에는 후배의 역량을 키워줄 수 있는 조언자조력자 역할을 포함한다.

이와 달리, 선박설계팀으로 배치 받은 지영 씨는 일을 체계적으로 알려주는 친절한 선배인 오 과장과 김 대리를 만났습니다. 김 대리는 실무의 디테일을 알려주는 사람이었고, 오 과장은 직장 생활에 잘 적응 할 수 있도록 사무실 분위기를 잘 설명해주었으며, 설계 담당자로서 역량을 키우기 위해 직무에 관련된 시야의 폭을 넓일 수 있도록 업무의 큰 그림을 그려주는 친절한 선배 역할을 했습니다.

업무와 관련된 직무 전문교육도 권장하고, 지영 씨가 잘 성장할 수 있도록 업무 프로세스를 외울 수 있게 꼼꼼히 설명해주었습니다. 가끔 실수를 하더라도 '누구나 신입 사원 때는 다들 실수도 하고 그랬다.'면서 짜증을 내거나, 화를 내는 일이 한 번도 없었다고 했습니다. 각자의 선배들은 지혜 씨가 팀의 일원으로서 충분히 성장할 수 있도록 조언자의 역할을 했습니다.

교육이 생략되면 직원은 혼란을 겪으며 과로를 하게 된다.

저 역시 많은 조직문화를 접하고, 기업의 환경과 분위기를 파악하며 연구를 했지만 지영 씨와 같은 사례는 드물었던 것은 사실입니다.

많은 기업의 신입사원들은 제대로 된 교육이나 업무 인수를 하기 어려운 것은 참으로 안타까운 현실입니다. 입·퇴사자가 잦은 중소기업의 경우, 앞서 말한 것처럼 퇴직자가 업무를 인계하지 않고 떠나는 경우도 많고, 인력이 넉넉하지 않기에 남아있던 선배는 자신의 업무를 처리하면서 신입을 교육하는 일에 대해 부담을 크게 느끼게 됩니다.

선배 또한 제대로 된 직무교육을 받아본 적이 없었을 것입니다. 일은 직접 혼자서 공부하며 터득하는 것이 더 이해하기 쉽고, 배우기 편리하다면서 자연스럽게 업무를 가르쳐주는 행위를 당당하게 회피해 버리고, 직무 교육은 자연스럽게 생략하게 되고 있습니다.

하지만 후배가 알아서 업무를 파악하고, 실력을 쌓아가는 것보다 더 큰 문제는 따로 있습니다. 전쟁터와 같은 삭막한 사무실은 신입사원이 업무가 익숙해질 때까지 기다려주지 않습니다. 결과물에 대한 빠른 회신을 요구하고, 심지어 성과까지 내기를 요청합니다.

높은 성과를 기대하는 과정에서 신입 사원은 실수를 하고, 업무를 제대로 처리하지 못했다는 이유로 상사로부터 혼나거나 꾸지람과 같은 언사를 듣고 있는 상황입니다. 체계적인 직무교육이 생략된 상태에서 결과물을 요구하는 분위기에 심각한 피로를 느끼게 됩니다.

그뿐만 아닙니다. 업무 시스템이 제대로 갖춰지지 않거나 업무 분담이 제대로 이루어지지 않는 회사에서 자신의 역할에 대해 혼란을 겪게 되고, 자연스레 직무로 인한 과로를 하게 됩니다. 일에 대해 마무리가 되지 않아 퇴근 후에도 집에 일감을 가져가는 일이 생활이 되고, 피로가 누적되어 젊은 나이에도 불구하고 건강을 잃는 경우도 많습니다.

해결할 수 있는 방법 중의 하나로써 선배 직원들의 인식 개선부터가 시급한데 개개인의 성향을 개선하는 부분이므로 결코 쉽지가 않습니다. 하지만 분위기 개선은 반드시 필요합니다.

후배들을 위한 직무교육과 올바른 업무전달이 이루어지지 않았을 때 나타나는 문제점을 선배들이 느끼고, 직시할 수 있는 분위기를 만들어야 합니다. 방향이 잘못되고 엉터리 같은 결과물이 쌓이다보면 기업의 성장성과 생존력 또한 낮아지게 됩니다. 직원들은 과로하고 소진이 되면서 기업 분위기 자체가 빛을 잃어갑니다. 활력이 있고 에너지가 넘치는 직원들의 모습이 서서히 감춰질 수밖에 없습니다.

선배 직원들 대상으로 지금의 현실을 직시하고 반성할 수 있는 커뮤니티 타임을 직접 준비해 보겠습니다. 지금 당장 고민을 하고 있는 홍 대리님부터 후배가 생기면 조언자의 역할을 해주세요. 좋은 문화는 꼭 지켜서 세습될 수 있도록 노력하셔야 합니다.

《Summary》
● 회사에 입사해서 처음으로 직무교육은 업무의 성격을 떠나 회사에 관련된 전반적인 분위기를 이해하는 시간이기 때문에 중요하다.
● 후배에게 일을 가르쳐주지 않은 상황에서 일을 모르는 이유로 막무가내 혼내는 것은 사라져야 할 직장 갑질 문화이다.
● 신입사원이 충분히 성장하고 역량을 키울 수 있도록 선배 직원들은 조언자의 역할을 해야 한다.
● 업무 시스템과 업무 분담이 제대로 이루어지지 않을 경우 신입 사원들은 자신의 역할에 대해 혼란을 겪으며 자연스럽게 직무 과로로 이어지게 된다.
● 지금의 나부터 후배들에게 조언자의 역할을 해서 좋은 문화가 세습될 수 있도록 해보자.

◆ 후배를 억압하려고 하는 김 과장님이 무서워요

《Trouble》

한주가 시작되는 월요일 아침이면 힘이 없습니다. 전날인 일요일부터 기분이 가라앉는 것 같습니다. 머릿속에 두려움이라는 스트레스가 있습니다. 작은 사무실에서 함께 있는 직장 선배님들이 가끔 이해할 수 없는 말을 하거나 억압하는 행동이 두려워서인 것 같습니다. 일은 힘들지 않지만 사람과의 관계가 가장 힘든 것 같습니다.

예를 들어 보겠습니다. 지난 달 제가 주로 사용하는 전산 매크로 프로그램을 통해서 전표생성을 쉽고 간편하게 하는 방법을 독학했습니다. 하지만 김 과장님은 저에게 "게으르고 일을 부지런하게 하기 싫어서 그런 작업 방식을 터득하느냐?"하고 말하시면서 오히려 심하게 혼을 내셨습니다.

더더욱 이해가 가지 않는 것은 저보고는 하지 말라고 하시면서 다른 동료들에게 매크로 방법을 소개하고 추천을 할 때 정말 화가 났습니다. 주말 내내 스트레스를 받아서 컨디션이 엉망이었어요. 후배들을 억압하기로 유명하다는 것은 알고 있었지만 시간이 지날수록 더 심각해지는 것 같습니다.

후배를 억압하려는 상사는 대부분 도둑 근성을 갖고 있다.

홍 대리님의 고민을 숨기지 않고 솔직하게 말씀해주셔서 고맙습니다. 회사생활의 대부분은 '일'보다는 '사람'때문에 고민에 쌓이고 스트레스를 받는 사례가 많습니다. 물론 일 때문에 힘이 든다고 표현하는 사람도 있겠지만 저와 이야기를 나눴던 대부분의 고객사 직원 분들은 직장 동료와의 고충 사유가 많았습니다.

그리고 현재의 상황을 개선하지 않고 방치한다면 일의 몰입은 커녕 생산성도 덩달아 저하가 되어 나아가서는 회사의 발전에도 나쁜 영향을 미치게 됩니다. 김 과장님은 후배직원들을 정신적으로 억압하고 모든 것을 자신의 공으로 돌리는 유형에 가깝다고 말할 수 있어요. 홍 대리님은 김 과장님과는 지금과 같은 상태로 오랫동안 일할 수는 없을 것이라고 말할 수 있습니다.

직원들이 회사에서 일을 하다보면 많이 개선할 부분이 보이고 아이디어를 내게 됩니다. 시대가 변하고, 업무 방식과 트렌드 trend가 변하며, 전반적으로 회사에서 시간을 보내는 방식도 변하고 있습니다.

개선을 한다는 것은 단점이 있고, 불편하다고 느끼는 존재에 대해 편리하고, 대다수의 편의를 위해 바꾸는 행동입니다. 그런 활동을 상사가 부정적으로 말을 하거나 간섭을 하고, 억압을 할 때 직원은 사기가 꺾이다 못해 있는 그대로만 행하는 비적극적, 냉소적인 사람이 될 수 있습니다.

더 나은 방법과 더 개선된 환경에서 일할 수 있는 방법을 찾는 것은 당연한 것입니다. 저는 홍 대리님의 개선 취지는 굉장히 미래지향적이라고 생각합니다. 회사에 꼭 필요한 상황을 공유하고, 소통하는 것 같아서 높게 평가하고 싶습니다.

억압하는 상사의 문제점을 공개적으로 노출하지 마라.

후배 직원을 억압하는 김 과장님에 대해 불평하거나 김 과장님과 관련한 문제를 공개적으로 이야기한다면, 분명히 김 과장님은 홍 대리님이 회사 내에서 업무 내외적으로 영향력 있는 사람들과 접촉하는 것을 방해하거나 금지할 것입니다.

그러면 홍 대리님에게 도움을 줄 사람을 만날 수 없을 것이고, 김 과장님을 피할 수 있는 길도 줄어들 것으로 생각을 합니다. 또한 김 과장님이 더 치밀하다면, 홍 대리님이 진행하던

중요한 업무나 과제들을 대부분 빼앗을 것이며, 중요하지 않은 과제를 맡길 것입니다. 속셈은 홍 대리님이 지루한 나머지 회사를 스스로 그만두게 만들려 할 수도 있다는 것입니다.

또는 홍 대리님의 능력과 권한으로는 힘에 부치는 과제를 맡기고는 비공식적으로 업무를 수행하는 데 필요한 인적, 물적, 지식자원을 사용하지 못하도록 조치합니다. 제대로 수행하지 못하게 하려는 속셈을 꾸밉니다. 전형적인 억압형 상사의 특징입니다.

이런 유형의 상사는 후배가 자신에게 불만이 있다는 것을 알면, 자기보다 윗사람에게 당신이 불평을 해올 수 있다고 미리 경고해 두는 행동을 합니다.

그럴 경우 윗사람들은 홍 대리님의 어떤 말을 듣던 간에 돌아가서 직속 선배와 직접 얘기해 보라거나, "회사에 무슨 불만이 이렇게 많은가?" 하며 엉뚱한 피드백을 남깁니다. 다시 말해서, 김 과장님과 같은 인물은 홍 대리님이 상사와의 관계에 대해 불평하거나 상사와의 관계를 바꿔보려고 할 경우, 아무도 당신 말을 듣지 않도록 확실하게 조치를 취해놓을 수 있는 인물입니다.

따라서 홍 대리님의 직장생활을 더욱 힘들게 만들게 할 수도 있는 것입니다. 이것은 일종의 못되고 엉터리 같은 사내 정치활동과 같습니다.

조용히 일하되 당신이 발전하고 있다는 점을 알려라.

후배직원을 억압하고, 못되고 엉터리 같은 사내 정치활동을 하는 상사를 효과적으로 개선하기 위해서 후배직원이 적극적으로 할 수 있는 일은 사실 많이 없습니다.

그런 상황에도 불구하고 개인적으로나 조직의 성과를 거두기 위해서는 본인이 과소평가를 받거나, 오해를 쌓고 무시당하는 것을 참아야 합니다. 감정을 절대 드러내지 않고 참아야 하는

것이 가장 중요하고, 잠재력을 다 발휘하지 못하면서 일하는 것을 받아들여야 합니다. 또한 상사가 별것 아닌 일을 해도 과장되게 칭찬해 줄 수 있어야 합니다.

즉 존재감 없는 '아웃사이더Outsider형 직원'이 되어야 하는 것입니다. 늘 뒤에서 묵묵히 일하며 자신이 한 일에 대해 인정받거나, 칭찬이나 금전과 같은 보상을 받으려는 기대를 갖지 않는 것이 좋습니다.

하지만 이 시기는 아주 잠깐입니다. 여기서 가장 중요한 점이 있는데 상사에게 당신이 발전하고 있다는 점을 느낄 수 있도록 조금씩 계속 알려야 합니다. 실질적으로도 홍 대리님은 계속적으로 내외부분이 발전하고 있습니다.

훌륭한 제안을 도둑당해도 회사에 기여한 것으로 만족하라.

상사가 홍 대리님의 제안을 무시하거나, 아이디어를 자기 것인 양 이용하는 현실을 기분 나쁘더라도 처음에는 받아들여야 합니다. 홍 대리님의 아이디어가 채택되어 빛을 바라기만 한다면, '누구의 것으로 인정받았는가?' 하는 데에는 신경 쓰지 말고 '자신이 회사에 무언가 크게 기여했다.'는 사실에 만족해야 한다는 말과 같습니다.

우선 상사보다 아는 것도 많지 않고, 업무 능력도 떨어지며, 덜 똑똑한 척하면서 주위의 직원들 앞에서 자신을 억압하는 김 과장님을 지속적으로 칭찬해 보시길 바랍니다.

당신이 해낸 일도 상사의 공으로 돌린다면 무조건 좋은 대응 방법입니다. 부서에서 해낸 일에 대해서 그 공을 상사에게 돌리는 것은 당연하다고 스스로를 설득해보면서 마인드 컨트롤하는 것이 바람직합니다.

그리고 김 과장님의 지시를 따른 결과로 문제가 발생했을 때가 생기면 상사의 지시가 잘못된 것이 아니라 홍 대리님이 상사의 말을 잘못 이해한 척해보시길 바랍니다. 후배 직원을 억

압하는 상사들은 자신이 틀렸다거나 오판했다는 것을 절대로 인정하지 않습니다. 문제가 발생했는데 그 문제가 홍 대리님의 일과 직접적이든 간접적이든 조금이라도 관계가 있다면, 홍 대리님의 잘못이 아니라 해도 비난을 기꺼이 받아들이는 자세 역시 좋은 대응법이라고 할 수 있습니다.

상사의 잘못된 우월감을 찾아내되 나의 욕구 역시 억눌러라.

후배 직원을 억압하는 김 과장님의 밑에서 잘 대처하며 일을 하려면, 김 과장님이 갖고 있는 잘못된 우월감이 무엇인지 찾아내야 합니다. 억압하는 상사들은 '우월의식'이 겉으로 잘 드러납니다. 따라서 누구나 쉽게 찾을 수 있습니다.

우월감을 긍정적으로 자극하는 말과 행동을 보일 때면 김 과장님과 같은 부류들의 직원들은 쉽게 기분이 좋아지고 마음을 열게 됩니다. 쉽게 내편으로 만들 수 있다는 것입니다.

중요한 것은 홍 대리님의 직장생활과 관련된 욕망과 욕구를 억눌러야 합니다. 홍 대리님이 직장생활 기간이 길어질수록 그것은 쉬운 일이 아니며, 오랜 기간 그런 상태를 참아내는 것은 심리적인 건강에도 좋지 않습니다.

일을 하면서 과소평가 받고 무시당하는 것을 계속해서 참아내다 보면, 개인적인 인간관계에도 부정적인 영향을 받을 수도 있습니다. 그래서 욕구를 억누르는 습관을 들여야 합니다. 이후에 김 과장님을 완전한 내 편으로 만들어 다른 방법으로 이용을 해보는 생각도 할 수 있습니다.

사실 후배를 억압하는 좋지 않은 상사 밑에 계속 남아 있어야만 하는 이유 같은 건 없습니다. 하지만 그런 상사 밑에 남아 있는 쪽을 어쩔 수 없이 선택해서 참고 견디고 있는 사례가 많을 것입니다. 자신이 내린 결정과 그렇게 결정을 내릴 수밖에 없는 이유를 솔직하게 자신에게 물어보세요. 후배직원을 억압하는 상사 밑에 남아 있어야 한다면 철저히 대응해서 많은 주

위 환경들을 계획적으로 개선해야 합니다.

　또한 다른 부서로 옮기거나 장기간 휴가 또는 휴직이 사용이 가능하다면 내면을 좀 더 쉽게 하면서 그 상황을 좀 더 수월하게 참아낼 수 있도록 계획을 세우는 것도 방법입니다. 복귀했을 때 억압형 상사가 다른 부서에 발령이 나있는 정말 기쁜 소식이 있을 수도 있습니다.

《Summary》
● 억압형 상사를 대응하기 위해서는 그 상사보다 많은 분야에 아는 것도 적고, 업무 능력도 떨어지며, 덜 똑똑한 척하되 내가 조금씩 발전하고 있음을 주위에게 상기시켜라.
● 자신뿐만 아니라 팀원이 함께 해낸 일을 상사의 공으로 돌리고, 어차피 회사가 잘되는 것이 목표이기에 당연한 듯 상사를 칭찬한다.
● 후배 직원들은 억압하는 상사들은 자신이 틀렸다는 것을 절대로 인정하지 않는 성향을 가진 사람들이 많기 때문에 문제가 발생했을 때라도 상사의 말을 잘못 이해한 내 책임으로 돌릴 줄 아는 자세가 필요하며, 내 잘못이 아니라 해도 비난을 받아들일 마인드를 갖춘다.
● 후배를 억압하는 상사를 잘 대처하려면, 나의 직장 생활과 관련한 욕망과 욕구를 억누르되 상사의 잘못된 우월감을 찾아내어 적절한 대응 계획을 찾아 스트레스를 줄인다.

◆ 막말하는 송 차장님 때문에 괴롭습니다.

《Trouble》

　제가 업무를 보는 자리 건너편에 송 차장님이 계십니다. 가끔 저에게 커피도 사주시고, 제 기분이 우울해 보일 때면 기분 전환 해 주시려고 가끔 농담도 하십니다.

　하지만 송 차장님 때문에 속상할 때가 많습니다. 저를 항상 '야!'라고 부릅니다. 제 몸을 툭툭 칠 때도 있습니다. 부서의 막 내라서 그런지 잡일도 많이 시킵니다. 탕비실 청소, 복사, 화분 에 물주기, 택배 받기 등 허드렛일을 많이 합니다. 물론 그런 것 들은 크게 문제가 되지 않는다고 생각했습니다.

　시대가 변했기 때문에 요즘 직장에서 '여성의 일'과 '남성의 일' 을 구분하지 않는다고 하지만 여전히 "커피는 여직원이 타야 맛 있지."라는 말을 하거나, 심지어 저의 머리색깔과 화장, 옷차림 에 대해 너무 관심을 가지셔서 부담스럽기도 합니다. 계속적으로 상처를 받을 것 같아서 송 차장님과 대화를 하기가 이제는 굉장 히 부담스럽습니다.

후배에게 막말하는 것 역시 '직장 내 괴롭힘'에 해당한다.

　최근에 서울 소재의 작은 웨딩컨설팅업체에서 조직진단을 한 사례가 있습니다. 거기에서 신입사원으로 일하는 웨딩 플래너 Wedding planner 김 솔 씨와 인터뷰한 내용을 하나 이야기 해드리 겠습니다.

　김 솔 씨는 선배에게 직장 막내이면서 일이 서툴다는 이유로 지속적인 괴롭힘을 당하고 있었습니다. 선배는 단지 친해지기 위해 장난을 친 것이라고 했지만, 매일 '야', '너', '꼴통'이라고 부르고 손가락으로 머리나 어깨를 치는 등 나날이 수위가 높아

졌습니다.

김 솔 씨는 갓 입사를 한 상태라서, '왜 자꾸 그러세요?'와 같은 그런 말을 못하는 상황이었습니다. 그렇게 매일 넘어갔더니 선배는 다음에 또 그러는 행동을 했습니다.

어떤 날은 선배가 고객관리 장부로 김 솔 씨의 어깨를 때렸습니다. 그러자 더 이상은 참지 못해서 "선배님, 사장님과 경찰에 신고할 거예요. 사장님께 모든 일을 말씀 드릴 것이고, 이번 폭행으로 경찰에 신고 할 겁니다." 라고 했습니다. 그랬더니 선배는 사무실 밑으로 내려오라고 했습니다.

그 당시 김 솔 씨는 너무 무섭고 혹시나 폭행이라도 당할까봐 두려워서 다리가 후들후들 거렸지만 당당하게 맞서자는 생각으로 아무렇지 않은 척 따라갔습니다. 선배는 "너 뭐라고 그랬냐?"고 되물어서 "선배님이 제 어깨를 때렸잖아요. 신고할 거예요."라고 했더니 "너도 이제 더 이상 나한테 장난치지 마."라며 통명스럽게 말을 했습니다.

무섭고 경적인 상황에서 "어이없다."하며, "신고하려면 하고 다신 나한테 말 걸지 마라."고 말하는 선배를 보고 김 솔 씨는 더욱 황당했습니다. 당시 김 솔 씨를 괴롭히던 선배는 회사 내에서 고객관리와 관련된 중요한 직책을 맡고 있었습니다.

실적까지 동료들에 비해 월등히 높아서 다른 사람들도 쉽게 건드리지 못하는 사람이었던 것입니다. 또한 나이로 보거나 근속연수를 봐도 장난을 칠 수 있는 상대가 아니었습니다. 두 사람 사이에는 엄연히 '권력 관계'가 존재하고, 이러한 관계에서 후배 직원의 장난은 성립되기 어렵습니다.

김 솔 씨는 선배의 행동을 '정신적 괴롭힘 및 신체 폭행'이라고 인식하고, 그 행동을 멈추라고 말했지만 폭력을 행한 선배는 역으로 김 솔 씨를 친근한 장난도 못 받아주는 버릇없는 후배 취급을 하면서 문제의 원인을 반대로 돌리기 바빴습니다. 황당하고, 어이가 없는 사례였지만 직장 내에서 절대 발생해서는 안 될 일로 볼 수 있습니다.

대부분의 직장에서 막말은 '장난' 또는 '친근함'으로 둔갑한다.

직장에서 괴롭힘은 '장난' 혹은 '친근함'과 같은 애정으로 둔갑해서 버젓이 현재 진행형인 현실입니다. 상사 입장에서는 그것이 장난이라고 할지라도, 상대방이 정신적, 신체적 폭력으로 인식하면 더 이상 장난이 아닌 것입니다. 우리는 직장생활을 하면서 일터는 평등하고, 비폭력적인 조직문화를 당연하게 생각하고 있습니다.

하지만 아직도 우리나라의 일터는 나이와 연공에 기반한 위계구조에서 모든 일이 상호존중이 아닌 일방적으로 결정되고, 암묵적으로 '상사의 명령이 곧 철칙'이라는 절대적인 분위기를 갖고 있습니다.

가장 이해하기 어려운 부분은 상사가 후배에게 막말을 하고 심리적 폭력을 행사하면서, '이게 다 조직 내에서 네가 잘되라고 그런 거야.'라고 받아들이기를 강요하는 부분입니다. 또한 상사의 직급이 상대적으로 과하게 높을 경우, 상사는 자신이 부정확하게 지시하거나 추상적으로 말하더라도 신입직원이 그 뜻을 바로 알아차리고 원하는 바를 실행하기를 원하기도 합니다.

커뮤니케이션communication 방식에 문제가 있음에도 불구하고 제대로 의견이 전달되지 않을 때 오히려 화를 내거나 말을 번복하는 쪽은 상사입니다. 책임은 후배가 지게 되고, 상황을 이해할 수 없지만 억울하게 혼나는 위치에 서게 되는 것입니다.

이 시대가 지향하고 합리적인 비전을 바라는 평등한 조직문화에서는 혼내고, 혼나는 관계가 성립될 수 없습니다. 하지만 위계적인 곳에서는 누가 가르쳐주지 않아도 상사가 후배를 혼낼 수 있는 특권적 지위를 갖게 됩니다. 업무를 위해서 지시를 하고, 지도를 한다는 명분이라며 혼내거나 훈육하는 것으로 왜곡해서 생각하는 직원들이 아직도 많기 때문입니다.

신입 직원을 대하는 잘못된 직장문화는 사라져야 한다.

일터에서 '막내'라는 위치는 일터에 가장 나중에 들어온 사람이기도 하고, 모든 것이 생소하고 처음인 사람입니다. 그런 사람이 보기에 일터는 친숙하거나 친절한 공간이 아닙니다.

안타깝게도 빨리 직원들과 직장문화에 동화되거나 친해지기 위해 장난을 감수해야 하는 곳이자, 복장과 행실 등의 규율을 몸으로 익혀야 하는 곳으로 되어있습니다. 이 곳은 부당한 일을 모두 감내하며, 상사의 지시에 따라 눈치를 보며 가르쳐주지 않아도 알아서 척척 일하는 사람을 좋은 신입의 상으로 여기고 있습니다.

직장에서 일어나는 상사의 막말이라든지 심리적, 신체적 폭력은 신입의 적응은커녕 퇴사를 고려하는 계기가 됩니다. 직장 트라우마trauma를 갖게 할 수 있습니다. 상사와 신입 사이의 역할은 직급에 따라 비대칭적입니다. 이들의 관계는 나이, 업적과 경력, 또는 성별에 따른 권력이 개입된 관계라고 할 수 있습니다.

상사는 자기들만이 원하는 규율이나 개인이 생각하는 규범을 회사의 규범이라고 말하며 막내를 훈육합니다. 훈육하는 과정에 성적수치심을 받거나 심리적, 신체적 폭행을 받아도 친밀감과 업무의 단계로 정당화되고 있습니다. 이런 정당화는 개인들이 속한 사회 구성원 사이에서 암묵적으로 승인된 문화 혹은 이를 규제할 법이 없는 상황에서 만들어지고 있습니다.

그래서 언어폭력과 같은 막말이나, 성희롱, 신체적 폭행 등을 당하고도 막내라는 위치 때문에 이 상황을 감수하고 있는 것이 대한민국 기업들의 현실입니다.

회사 내 외적으로 도움을 줄 수 있는 곳을 찾아라.

직장 상사로부터 폭언이나 인격 모독적인 말을 듣는 것, 동료들과 비교 대상이 되면서 자신의 의사와 관계없이 자연스럽게 경쟁 구도에 놓이게 되는 것 모두가 부당한 사례입니다. 또한 신입다움을 강요받거나 판단하기 어려운 모호한 업무 지시, 회식과 같은 술자리에서 음주 강요 등은 개인적으로 잘못된 직장생활이 원인이 아닌 회사 내부에서 자라고 있는 부당함이라고 할 수 있습니다.

쉽게 말하자면, 직장 내 괴롭힘은 주로 개인 대 개인 관계에서 발생하는 것이 아니라, 직장 내 권력 관계에서 발생하고 있다고 말하고 있습니다. 직장에서 발생하는 괴롭힘 문제가 공론화되고, 2019년 본격적으로 『직장 내 괴롭힘 금지법』이 시행되면서 괴롭힘의 사례와 직장문화에 대한 관심도 높아진 것은 사실입니다. 많은 기업들이 이와 관련된 예방교육을 받고 취업규칙을 개정했습니다.

따라서 직장에서 발생하는 폭력과 괴롭힘을 예방하거나 공식적으로 문제 제기를 할 창구가 생겼다는 것입니다. 직장동료에게 고민상담을 해서 회사로 연결고리를 만들어도 되며 직접 회사에 문제를 알려도 상관없습니다.

직원의 피해 신고에도 불구하고 기업이 별도의 이행이 없거나 피해신고를 했다는 이유로 당사자에게 불이익을 줄 경우 3년 이하의 징역 또는 3,000만 원 이하의 벌금에 처하는 벌칙 규정을 두고 있어서 보복에 대한 문제도 일정 부분 해결할 수 있게 되었습니다.

직장 내 괴롭힘의 가장 중요한 요점은 혼자 고민하거나 괴로워하지 않는 것입니다. 자칫 감추고 혼자서 해결하려고 하다보면 괴로움에 쌓여 더 나쁜 미래를 만들 뿐입니다.

나와 옆에 있는 동료를 위해서, 더 멋진 직장문화를 위해서라도 노출을 하셔야 합니다. 우리는 회사 내 외적인 곳에서 충분히 찾을 수 있습니다. 고용노동부에서는 직장 내 괴롭힘에 관련된 가이드라인과 매뉴얼을 배포하고 있으니 쉽게 참고하셔서

도움을 받을 수 있도록 해보세요.

《Summary》
● 후배에게 막말을 하고 신체적 폭행, 책임 전가, 막내다움을 강요하거나 회식 강요 등 사회통념상 부당하다고 판단되는 모든 것들은 '직장 내 괴롭힘'이다.
● 상사로부터 부당한 행동을 당연하듯 받아들이는 분위기가 지속되거나, 신입 사원을 다루는 잘못되고 오래된 조직문화가 있는 기업은 쇠퇴할 수밖에 없다.
● 여성 직원에게 커피를 타는 것을 강요하거나, 성차별, 성적수치심을 느끼게 하는 것은 성희롱이므로 기업은 이를 방지하고 처벌하기 위해 교육과 징계라는 절차를 반드시 이행해야 된다.
● 『직장 내 괴롭힘 금지법』이 시행되면서 많은 기업들이 관련된 교육을 받고 취업규칙을 개정했기 때문에 직장동료에게 고민 상담을 해서 회사로 연결고리를 만들거나 직접 회사에 문제 제기를 할 수 있다.
● 혼자 괴로워하지 말고 내 외적으로 노출을 해서 고민을 털고, 피드백을 받아야 한다.

◆ 직장 내 괴롭힘을 당해도 상담할 곳이 없습니다.

《Trouble》
 너무 극단적으로 표현하는 것 일수도 있지만 제가 겪었던 상황들이 손 박사님께서 하신 말씀처럼 '직장 내 괴롭힘'에 가깝다고 생각이 듭니다. 직장 내에서의 지위를 이용해 저에게 신체적으로든, 정신적으로든 고통을 주는 사람이 있다고 분명히 말할 수 있습니다.
 하지만 저의 고통을 누구에게 말하거나 하소연할 때가 없습니다. 생각하지 못한 더 큰 문제가 발생되거나 오히려 저에게 피해가 될까 두렵기도 합니다. 회사는 직원에게 안전하고 편하게 근무할 수 있도록 배려해 줘야 하는 것이 아닌가요? 회사가 너무 무책임하다고 생각합니다.

'직장 내 괴롭힘'을 대수롭게 생각해서는 안 된다.

 '직장 내 괴롭힘'을 방치하거나 조장하는 방식으로 사람을 내쫓기도 하는 회사가 분명 존재합니다. 국가인권위원회는 '직장 내 괴롭힘'을 '직장 내에서 노동자의 신체적·정신적 건강을 침해하여 노동자의 인간으로서의 존엄성을 훼손하는 행위'라고 정의하고 있습니다.
 또한 마찬가지로 『직장 내 괴롭힘 금지법』에서 '직장 내 괴롭힘'을 '사용자 또는 근로자가 직장에서의 지위 또는 관계 등의 우위를 이용하여 업무상 적정범위를 넘어 다른 근로자에게 신체적·정신적 고통을 주거나 근무환경을 악화시키는 행위'라고 말하고 있습니다.
 이처럼 '직장 내 괴롭힘'은 개인에게 심각한 고통을 야기하고 있을 뿐더러, 괴롭힘의 행위자가 직책, 나이, 성별, 경력, 평가

권 등의 권력을 지니는 경우가 많습니다.

그러나 이제껏 우리나라의 크고 작은 기업들은 대수롭지 않게 여기거나, 잘 드러나지 않는다는 이유로 은폐되어왔습니다. '직장 내 괴롭힘'을 대수롭게 여기는 생각과 사회적 분위기는 잘못된 환경입니다. 그것이 괴롭힘인지 인지하지 못하고, 개인의 탓으로 돌리거나 본인의 스트레스라고 생각해서는 안 되는 것입니다.

지속되는 괴롭힘 때문에 정신질환에 시달리는 직원이 많다.

예전 지방의 대학병원에서 기업문화 개선 프로그램을 기획해서 연구과제로 참여했던 적이 있었습니다. 저와 인터뷰를 함께 했었던 간호사 최명화 씨는 같은 소속 간호부장에게 지속적인 괴롭힘을 받고 있었습니다.

간호부장은 기안서 승인을 미루면서 계속 수정을 요구하거나, 업무에 대해 평가 절하하는 발언을 자주 했습니다. 또 외부 일정을 마음대로 결정한 후에 통보하지 않아서 회의에 불참하게 만들고, 그 원인을 최명화 씨에게 떠넘기는 등 미묘하게 괴롭히는 상황이 반복되었습니다. 매일 월요병에 시달려 결국 스트레스가 누적되면서 수면 장애가 왔고 우울증 예방약까지 처방받기도 했습니다.

최명화 씨 외에도 나이가 어리거나 직급이 낮은 간호사들이 주로 직장 내 괴롭힘에 시달렸습니다. 상사로부터 지속적인 고성과 폭언에 시달리거나, 따돌림을 당했습니다. 이들은 입사한 지 얼마 안 된 신입직원이었고, 조직에서 나이가 어린 막내 위치에 있었습니다. 반대로 괴롭힘 행위자들은 수간호사나 간호부장이라는 직책이 있었고 연령대도 높았습니다. 이러한 권력 차이는 부당한 요구를 거부할 수 없게 하거나 사소한 실수도 큰 잘못으로 만들어버리는 위력이 된 꼴이었습니다.

기업은 관심으로 두어야 할 사항을 함부로 넘겨짚어서는 안 된다.

 회사는 직원에 대한 '안전 배려의무'가 있습니다. 이곳 그린테크에서는 최명화 간호사와 같은 케이스가 발생되지 않도록 직원이 안전하고 건강한 환경에서 근무할 수 있도록 노동환경을 조성하고 정비해야 합니다. 년 간 계획을 수립해서 주기적으로 직원들의 상황을 체크할 수 있는 리서치Research 활동도 방법이 될 수 있습니다. 많은 대기업들은 모바일 설문조사를 통해 직원들의 근로환경을 수시로 조사하고 있습니다.

 그러나 '직장 내 괴롭힘'에 대한 인식이 부족할 뿐만 아니라, 괴롭힘 행위자를 처벌할 수 있는 법이 현재로써는 부족한 상황입니다. 아직도 많은 피해자들이 수면장애를 겪거나 직장인 우울증에 시달리면서도 회사에 다니거나, 울면서 또래 동료와 문제를 공유할 뿐인 안타까운 상황입니다. 회사에 공식적으로 도움을 요청하지 못하고 참는 일만 반복될 경우 심각한 상황이 벌어 질 수 있습니다. 제가 직접 그린테크 경영진들과 함께 배경을 설명하고 피해 직원들이 발생하고 있는 경우 철저히 보안이 유지된 상황에서 피해 상황을 알리고 적절하게 해결할 수 있는 창구를 만들어 드리도록 하겠습니다.

《Summary》
● 괴롭힘의 행위자가 직책, 연차 등 권력을 지닌 경우가 많다.
● 진행되고 있는 일들이 직장 내 괴롭힘인지 인지하지 못하고, 본인 탓으로 돌리거나 개인의 스트레스라고 생각해서는 안 된다.
● 권력을 악용하게 되면 부당한 요구를 거부할 수 없게 하거나 사소한 실수도 큰 잘못으로 만들어버리는 위력이 된다.
● 직원이 회사로부터 공식적으로 도움을 요청하지 못하고 무분별하게 참는 일만 반복될 경우 심각한 상황이 벌어질 수 있으며, 회사는 빠르게 인지해서 대처해야 한다.

◆ 회사가 대놓고 성차별을 하는 것 같습니다.

《Trouble》

 손 박사님께서도 보시다시피 저희 회사는 남자 직원들이 대부분입니다. 몇몇 남자 선배님들은 제가 결혼을 하거나 아이를 낳게 되면 회사를 그만둘 것으로 알고 있습니다. 제가 결혼을 앞두고는 있지만 그 이유로 퇴사를 생각한 경우는 전혀 없습니다.

 요즘 들어 업무를 할 때도 비중이 있거나 책임이 큰 프로젝트에는 제가 참여해 본 적이 없습니다. 가끔 함께 참여해서 큰 성과를 내는데 도움이 되고 싶지만, 배제되는 경우가 많아서 지금은 당연시 받아들이고 있는 상황입니다.

 저도 경력을 쌓고 인정받아서 높은 직급으로 올라가고 싶은데 유리천장이 워낙 탄탄하게 존재하는 회사라서 사실 건의할 자신이 없는 상황입니다. 성차별을 받고 있다는 생각이 큰 요즘입니다.

대한민국의 남녀 임금격차는 세계 1위이다.

 대한민국의 성차별적 문화가 직장 내에도 존재합니다. '아직도 존재하고 있다'는 것이 알맞은 표현인 것 같습니다. OECD 홈페이지에 들어가면 여성 노동자와 관련된 재미있는 통계 하나를 살펴볼 수 있습니다. 바로 남녀의 임금격차입니다.

 막대기 하나가 다른 나라보다 압도적으로 높은 것을 확인할 수 있는데 놀랍게도 주인공이 바로 '대한민국'입니다. 이 점은 한국 특유의 성차별적 문화와 연관이 있다고 봅니다.

 진보와 보수를 막론하고 아직도 많은 사람들이 한 가정의 생계를 책임지는 건 남성이라고 생각하고 있습니다. 이러한 차별적인 인식은 여성들이 일터에서 하는 노동을 용돈벌이나 부차

적인 노동으로 격하시켜버립니다.

　유리천장과 경력 단절로 인한 문제 또한 심각한 상황입니다. 임신, 출산과 육아, 가사노동이 여성에게 전가되고 있는 상황에서 대부분의 여성들은 20~30대에 일하다가 결혼, 출산과 동시에 퇴사한 뒤 자녀가 다 큰 50대 이후에 다시 노동시장으로 나옵니다.

　하지만 약 20년간의 공백 동안 경력 단절이 일어나고, 이 공백은 여성들이 최저임금 수준의 저임금 일자리를 강요받는 원인이 되고 있습니다.

정부가 도입하는 제도의 취지를 기업은 잘 이해해야 한다.

　저 역시 <미래경영컨설팅>을 설립하기 전 다른 기업에서 근무할 때 많은 성차별로 고민을 많이 했었던 사람 중 한 명이었습니다. 그 당시 회사에서는 출산으로 인하여 육아 휴직이 잦거나 자녀 돌봄으로 인해 휴가, 조퇴를 자주 신청하는 여성들을 승진시키려고 하지 않고 중요한 프로젝트에서 제외하는 일이 많았습니다.

　또한 다른 계열사에서는 여성 사원 자체를 뽑지 않는 관행까지 있었습니다. 특유의 권위적인 문화 속에서 육아나 가사를 위한 정해진 시간에 퇴근하는 직원들이 겪어야 할 인적 차별도 존재했습니다.

　'근로시간단축제도', '가족돌봄휴가', '시간선택근로제' 등 정부 산하 기관에서 기획하고, 근로의 불편함을 해소하기 위해 발의된 많은 법과 제도들의 취지를 기업들은 정확하게 알고 직원들의 불편함 없이 이행해야 됩니다.

　여성노동자 대부분이 성차별을 받고 낮은 임금의 영향을 받고 있는 상황에서 기업은 성별에 따른 조직문화를 개선하기 위해 관심을 갖고 귀를 기울여야 합니다. 이번 진단에서 개선이 꼭 필요한 항목인 것 같다고 생각합니다.

《Summary》
● 우리나라는 남녀 임금격차가 다른 나라보다 압도적으로 높은데 이 점은 대한민국 특유의 성차별적 문화와 연관이 있다.
● 우리나라가 갖고 있는 사회적 인식 중 여성들의 노동에 대하여 용돈벌이나 부차적인 노동인 것으로 격하하는 것이 있다.
● 경력 단절 여성근로자는 저임금 일자리를 강요받고 있으며, 단절되기 전의 경력을 인정받지 못한 사례가 지속되고 있다.
● 기업은 '근로시간단축제도', '가족돌봄휴가', '시간선택근로제' 등 정부 산하 기관에서 기획하고, 근로의 불편함을 해소하기 위해 발의된 많은 법, 제도들의 취지를 정확하게 알고 이행해야 된다.

◆ 뒷돈을 받는 상사를 어떻게 대해야 하나요?

《Trouble》

　같은 팀에서 근무하고 계시는 '모 선배님'은 제가 여자라고 해서 비중이 있는 업무에서 제외하거나 잡일만 맡기는 분은 아니셨습니다. 일단 저도 말씀드리기가 불편해서 '모 선배님'이라고 칭하는 점 이해바랍니다. '모 선배님'은 저를 함께하는 동료라고 생각하고 많이 챙겨주시려고 하는 모습이 보이는 분이십니다.

　하지만 회사에서 오래 근무하신 분이라 본인의 업무에 대해 꾀차고 계신 것은 당연한데 최근 몇 년간 공급사와 같은 거래처 사람들과 밖에서 만나거나, 알 수 없는 물건들과 금품을 주고받는 것을 목격한 적이 많이 있습니다.

　심지어 지난 달 저에게 거래처로부터 받은 고가의 선물을 나눠주시려고 했습니다. 윤리적인 문제인 것은 분명히 아는데 저에게 다정하고 친절한 분이라 말 못하고 숨기고 있는 상황입니다.

비윤리적인 사람의 속마음은 누구도 알 수 없다.

　'모 선배'라는 분은 비윤리적이자, 사회적 범죄를 지르고 있다는 것은 알고 계신 것 같습니다. 분명히 알아야 할 점은 비윤리적인 행동을 일삼는 사람의 속마음은 누구도 알 수 없다는 것이 중요합니다.

　홍 대리님에게 친절을 베풀고 따뜻한 마음을 주는 사람이 아이러니하게 남몰래 나쁜 짓을 하고 있다는 것은 남에게 비추어질 때만 진실 된 사람으로 보이려고 하는 범죄인의 일반적인 행동입니다. 겉으로 드러나는 것에 쉽게 속아서는 안 된다는 것입니다. 평소에는 나쁜 행동을 지시하는 범죄본능이 내부에 잠재되어 있다가 범행을 통하여서만 밖으로 드러나기 때문에

사람들이 알아차리지 못하는 것이 특징입니다. 절대 가깝게 지내거나 믿어서는 안 될 사람이라고 말씀드리고 싶습니다.

범죄사실을 알고도 혼자 숨긴다는 것은 바람직하지 않다.

상사의 비윤리적 행동을 참는 것은 그의 부적절한 행동을 인정하는 셋이며, 그것은 당신이 '공범'이 되고 있다는 뜻입니다. 아니, 공범이나 마찬가지입니다. 모 선배의 행동과 공범을 지르는 행동은 합리화 할 수는 없습니다. 그런 행동을 보고도 가만히 있는 것은 상사가 회사 투자자들이나 소유주의 재산을 훔치는 것을 보고도 가만히 있는 것이나 마찬가지입니다.

홍 대리님은 현재 어떤 생각이 드시나요? 누설해야 할지, 아니면 못 본 척 무시할지 고민이 되고 있으신가요? 결과적으로만 말씀드린다면 그럼 홍 대리님의 상황은 점점 더 나빠지기만 할 것으로 예상이 됩니다.

비윤리적인 상사들은 자기가 처한 환경과 그 안에 있는 사람들을 지배합니다. 극단적으로 표현하는 것인지는 모르겠지만 얼마 안 가서 홍 대리님은 상사의 그런 행동에 좀 더 적극적으로 가담하도록 강요받을 수도 있습니다. 그런 상사 밑에 오래 남아있을수록 그의 압력에 저항하기는 점점 더 힘들어질 뿐입니다.

상사의 부정한 행동들이 끝내 발각된다면, 상사에게 협조한 직원들이나 그의 부정을 폭로하지 않은 직원들도 그 상사와 함께 의심을 받을 것입니다. 당신의 가치관은 '안 돼'라고 말하는데, 행동은 '그래'라고 말하고 있다면, 그런 긴장감은 건강과 인간관계 등 당신 삶의 모든 영역에 나쁜 영향을 끼칠 것입니다.

오히려 범죄사실을 당신에게 뒤집어씌울 수 있다.

'모 선배'라는 상사가 거래처로부터 무엇인가를 받고 있다는

것은 분명 회사의 재산을 유용하고 있다는 것과 같은 뜻입니다. 거래처는 실무자에게 현금이던지 고가의 선물을 지급하는 것은 분명 어떤 대가를 바라는 목적이 있기 때문에 행동하는 것입니다.

하지만 홍 대리님이 비윤리적인 행동을 일삼는 모 선배와 공범이 되고 싶지 않다면, 상사의 잘못된 행동 때문에 당신이 처벌받는 일이 없도록 스스로를 보호해야 합니다.

언젠가 상사의 범죄행위가 발각될 경우 그 책임을 당신에게 뒤집어씌울 가능성이 있다는 것을 각오해야 합니다. 하지만 스스로를 보호하기 위해 홍 대리님이 목격하고 들었던 모든 행동을 증빙할 수 있는 자료를 수집하고, 부지런하게 작성해 두어야 합니다. 직원은 회사의 자산을 주의 깊게 감시하고, 그 자산이 모두 정당하게 사용되며 집행되고 있는지 감독할 필요가 있습니다.

상사와 함께 있었던 거래처 사람이 누구인지, 언제 만났고 무엇을 주고받았는지 기록을 해두어야 합니다. 물론 사건을 신뢰를 높일 수 있는 사진까지 갖춘다면 금상첨화錦上添花입니다. 홍 대리님이 기록하고 수집한 자료들은 모두 인쇄와 복사를 해서 안전한 장소에 보관해 두는 것 또한 좋은 방법입니다.

더욱 중요한 것이 있는데 혹시 상사가 준 고가의 선물을 건냈을 때 받았었나요? 절대 받아서는 안됩니다. 이해관계자로부터 받은 현금이나 고가의 선물을 주면 정중하게 거절해야 합니다.

단, 거절하는 이유로 윤리적인 문제를 거론하지 않아야 합니다. 해야 할 일을 하는 것뿐이니 굳이 선물 같은 것은 필요 없다고 기분 상하지 않게 말하는 정도의 행동만 하면 됩니다. 비윤리적인 행위로 받은 선물을 직원들에게 공유한다는 것은 숨은 의도가 있을 수 있습니다.

비윤리적인 상사가 오랜 직장 생활을 하고 있다면 윗물도 썩은

것이다.

　상사가 회사자산을 부당하게 사용하고도 오랫동안 아무런 문제없이 회사생활을 계속한다면, 상사의 윗사람도 똑같을 수 있다는 점으로 의심해야 합니다. 따라서 상사의 문제점을 그 윗사람에게 가서 얘기하는 것 때문에 홍 대리님이 더 위험한 상황에 저하게 될 수 있습니다.
　만약 과거에 상사의 행동을 상사의 윗사람들에게 보고했음에도 불구하고 회사는 적정한 대응을 하지 않거나 모 선배 자신의 잘못된 행동들을 별로 숨기려고 하지 않는 경우에는 특히 그러할 것입니다.
　회사의 윗자리까지 부패가 만연해 있을 가능성이 높다는 뜻입니다. 더해서 상사들이 부당하게 회사자산과 거래처로부터 특권을 취하는 것을 폭로하겠다고 공개적으로 위협하는 직원들은 조직적인 괴롭힘을 당할 수 있다는 가능성까지 열어두셔야 합니다.

정도 업무를 수행하는 부서에 도움을 청하되 본인의 노출이 안되도록 하라

　우선 홍 대리님은 상사가 거래하는 외부업체 사람들과 친하게 지내지 않아야 합니다. 철저하게 일적인 이야기만 나누고 공적인 관계를 유지하는 것이 바람직합니다.
　비윤리적인 범죄행위를 일삼는 직원이 한 두 명이 아니라고 판단이 되면 회사는 계속적으로 절망의 길로 가는 것이나 다름 없습니다. 그렇다고 해서 총대를 메고 단번에 칼을 휘두르는 역할까지는 굳이 할 필요가 없습니다. 워낙 위험하고, 알 수 없는 부작용이 어떻게 생길지 모르기 때문입니다.
　모 선배와 같은 상사에게 그의 행동이 가져올 결과에 대해 설명하는 것 또한 아무런 소용이 없는 일입니다. 상사는 자기가

하는 잘못된 행동의 대가를 누가 치를 것인지 잘 알고 있습니다. 사내에 일종의 '보험'을 만들어 놓고 범죄 행위를 하기 때문입니다. 그들은 가져도 될 만한 것들을 가진 것이고, 누릴 수 있는 것을 누렸다고 합리화할 것입니다.

그런 그들의 생각을 바꿀 수는 없습니다. 아주 오래전부터 지속되어 왔을 수 있기 때문입니다. 따라서 부서 내부에서 해결하지 말고, 윤리적 가치관이 맞는 동료가 있다면 함께 방법을 찾은 후 정도, 윤리 업무를 수행하는 부서나 사내 기구에 도움을 청하는 것이 바람직합니다. 하지만 제보하는 행동에 있어서 본인의 노출이 되지 않도록 주의하는 것이 좋습니다.

《Summary》
● 비윤리적인 행동을 일삼는 사람과 가깝게 지내거나, 믿어서는 안 될 직장 동료라고 생각하라.
● 상사의 비윤리적 행동을 참는 것은 그의 부적절한 행동을 인정하는 것이며, 당신의 상황은 점점 더 나빠지기만 할 것이다.
● 직원은 회사의 자산을 주의 깊게 감시하고, 그 자산이 모두 정당하게 사용되며 집행되고 있는지 감독할 필요가 있다.
● 상사가 회사자산을 부당하게 사용하고도 아무런 문제없이 회사생활을 계속한다면, 상사의 윗사람도 똑같을 수 있다
● 상사의 행동을 상사의 윗사람들에게 직접 보고하는 것은 위험할 수 있으므로 기업 윤리와 정도 기준을 수립, 운영하는 부서와 상담하라.

◆ 온통 거짓말만 늘여놓는 동료 때문에 힘들어요.

《Trouble》

　클리닝 1팀에서 행정업무를 하는 동료가 있습니다. 저와 입사시기가 비슷해서 퇴근 후에 저녁식사를 함께하며, 사생활을 공유하면서 서로 친구처럼 지내고 있습니다. 하지만 업무적으로 대할 때는 많은 고민이 따릅니다. 평소에 서짓밀을 자주하기 때문입니다.

　예를 들면 메일을 수신했음에도 불구하고 확인하지 못했다고 하거나, 원청회사인 두풍기계와 지키지 못할 약속을 하고는 발주 취소로 실적이 깎일까 봐 무조건 계약을 이행해 놓는 등 나중에 생각하지도 못할 대형 사고를 치르기도 했습니다. 저희 총무과에서 사고 수습을 한다고 혼이 난적이 한두 번이 아녔습니다.

　매년 좋은 성과를 받아서 높은 금액의 보너스를 받았다고 자랑하기도 했지만 다 거짓말이었습니다. 업무 이야기를 한마디, 한마디 할 때면 진실인지 거짓인지부터 파악해야하는 꼴입니다. 업무 외적으로는 좋은 동료라고 생각하지만 업무적으로 온통 거짓말만 늘여놓아서 힘듭니다.

거짓말이 잦은 사람들은 의사소통에 대한 생각이 보통사람과는 다르다.

　거짓말쟁이들은 다른 사람들과 이야기를 할 때면 커뮤니티에 대한 방법이나 의미에 대한 생각이 보통 사람들과 다릅니다. 대부분의 사람들에게 말은 올바른 정보를 전하는 수단이지만 병적인 거짓말쟁이들에게는 과시를 위한 겉치레로 생각합니다.

　몇 년 전 제가 운영하는 회사에도 비슷한 사례가 있었습니다. 인턴으로 근무했던 여직원인데 수수한 외모에 친절한 말투로

첫인상이 좋았습니다. 하지만 여러 차례 대화를 나누면서 거짓말을 일삼고 있다는 것을 알았습니다. 유명인과 친하다거나 현재 부유한 재벌과 사귄다며 얼마 전 고가의 자동차를 선물로 받았다고 떠벌리며 자기가 대단한 사람이라는 걸 과시하려는 태도가 보였습니다. 그 뿐만 아니라 고객사 계약 건에 대해서도 실적 부풀리는 행위를 두 차례나 적발 당하기도 했습니다.

이런 부류의 사람들과 커뮤니티를 하게 되면 '과연 저 사람이 하는 말이 진실일까?'하는 의문이 들지만 입 밖으로는 내지 않는 것이 좋습니다. 말의 의심이 드는 사람들과는 구체적으로 일을 하는 것이 중요합니다.

쉽게 말하자면 전화 통화나 대면으로 이뤄지는 구두상의 업무 커뮤니케이션 보다는 메일과 서면으로 정보를 주고받도록 해야 합니다. 그것이 거짓말쟁이로부터 자기 자신 스스로를 지키는 가장 좋은 방법입니다.

병적으로 거짓말을 하는 이유를 낮은 자존감 탓으로 돌리기 쉽지만 그것이 많은 것을 대변해 주지는 않습니다. 낮은 자존감은 대부분의 심리적 장애를 설명해주기 때문입니다. 이런 사람들을 상대할 때에는 왜냐고 묻기보다는 그들이 무엇을 어떻게 생각하고 행동하는지 파악하는 것이 훨씬 더 합리적입니다.

거짓말쟁이들은 회사 운영에 있어 위험한 존재이다.

거짓말쟁이들을 대할 때 가장 명심해야 하는 사실은 그들에게는 자신의 말이 일으킬 '순간적인 파장'만이 중요하다는 점입니다. 정직한 사람들에게는 거짓과 진실이 의미 있는 도덕적 개념이지만, 거짓말쟁이들에게는 그렇지 않습니다. 나중의 파장까지는 생각하지 않기 때문입니다. 바로 그것 때문에 거짓말쟁이들이 회사에서 위험한 것입니다.

우리는 거짓말을 하면 그 거짓말의 수준과 정도에 따라 죄책감을 느낍니다. 모두에게 해를 끼치는 큰 거짓말보다는 아무에

게도 해가 없는 작은 거짓말이 그나마 낫다고 생각합니다.

하지만 병적인 거짓말쟁이들은 그런 구분을 하지 않을 뿐더러 죄책감을 느끼지도 않기 때문에 위험한 존재입니다. 홍 대리님이 언급하신 클리닝 1팀에서 근무하고 있다는 거짓말을 일삼는 동료가 하는 말들이 의심스럽다면 사실 모든 상황을 의심해봐야 하는 것이 맞습니다. 하지만 거짓말과 핑계는 엄연히 다르다는 점을 명시해야 됩니다.

터무니없는 핑계를 대는 사람들에게는 의심을 적용할 필요는 없습니다. 핑계는 결과가 나타난 사건이 발생되었던 과정에 대해 진실 또는 거짓을 보태서 명분을 만드는 것이지만, 거짓말은 과정과 결과까지 조작되어 버리기 때문에 그 파장은 회사 전체에 심각한 상황이 될 수 있기 때문입니다.

거짓말쟁이의 말에 의심이 든다면 실제로 거짓일 수 있다.

거짓말을 일삼는 동료의 얘기를 듣다가 뭔가 이상하다는 느낌이 들었을 때 거짓말이 아닌지 일단 의심하게 된다는 말은 자연스러운 현상입니다. 여기서 알아두어야 할 것은 상대방의 말에 무의식적으로 반응해서 떠오르는 그런 느낌에 주의를 기울여야 한다는 것입니다.

'저 사람의 말이 과연 진실일까?' 하는 의심이 든다면 그 말은 실제로 진실이 아닐 확률이 높습니다. 진실을 말하는 사람들은 말하는 내용, 방식, 몸짓에 일관성이 있습니다. 반대로 거짓말을 하는 사람들은 어느 한 부분이라도 어색한 경우가 많습니다. 생각보다 판단하기 쉽습니다. 슬픈 이야기를 하면서 알 수 없는 미소를 짓는다거나, 감동이 있는 말을 하면서 얼굴을 찌푸린다거나 하는 식으로 말입니다.

물론 거짓말쟁이들 중에 표정 연기가 뛰어난 경우도 있습니다. 상대방과 말을 할 때 거짓말을 내뱉을 때 눈을 똑바로 쳐다보지 못한다고 하지만 그건 전적으로 틀린 말입니다. 병적인

거짓말쟁이들은 눈 하나 깜박이지 않고 상대의 눈을 빤히 쳐다보기도 합니다. 오히려 너무 오랫동안 똑바로 쳐다본다면 그가 거짓말을 하는 것은 아닌지 의심해볼 필요가 있습니다.

거짓말을 꼬집어내는 데는 표정보다 다른 신체의 움직임을 주시하는 것이 더 효과적일 수도 있습니다. 사람들은 거짓말을 할 때 팔짱을 끼거나, 특히 다리를 이상하게 움직입니다. 다리는 심하게 떤다든지 발을 바닥에 비빌 수 있습니다.

하지만 누군가가 거짓말을 하고 있다고 100% 확실하게 알려주는 단서는 없습니다. 그래서 거짓말을 감지하는 데에는 전문적인 분석보다는 상대방과 오랫동안 지내온 자신의 직감에 더 신뢰를 더할 필요가 있습니다.

거짓말쟁이는 결과만 집중하며, 과정에 대해 세심하게 꾸미지 못한다.

거짓말로 의심이 된다면 거짓말쟁이들의 심리상태를 알 필요성이 있습니다. 회사에서 통상적인 거짓말쟁이들은 우리가 듣고 싶어 하는 말이 무엇인지 기가 막히게 알아챈다는 것입니다. 예를 들자면 누구나 따내기 힘든 계약을 단 며칠사이에 이루어냈다거나, 평소에 업무 성과가 좋지 않음에도 불구하고 본인이 모범사원 대상자에 올라갔다거나, 고액연봉으로 협상이 잘됐다는 내용과 같은 것들입니다. 진실이라고 믿기 힘들 정도로 자신을 과시하며, 달콤하게 들리는 말은 거짓말이라고 생각해도 좋습니다.

회사생활을 하는 거짓말쟁이들은 본인의 업무성과나 능력 차원에서 자존감이 낮은 상태일 가능성이 큽니다. 그래서 현실을 부정하며 자신의 만족스러운 자아를 만들기 위해 사실을 조작하고 만들어진 환경을 '팩트fact'로 인식합니다. 많은 실패, 좌절과 같은 사례와 나쁜 결과가 존재했었어도 자신과 자신의 행동이 뒤떨어진다는 사실을 받아들이지 못합니다.

결과적으로 비현실적으로 조작해서 높은 자존감을 가진 상태로 만들어버립니다. 본인들은 인위적으로 만들어진 높은 자존감으로 인해 행복하고 심리적으로 건강하다고 생각을 하지만 자연적인 감정에 상관없이 행복하다고 말했을 가능성이 크며, 실제 그들의 심리상태는 많이 불안정한 편입니다.

여기서 알아야 할 것은 거짓말쟁이들은 불안정한 심리상태이기 때문에 세상 완벽한 거짓을 만들어 내기는 어렵습니다. 세세한 부분보다는 사건의 달콤한 결과에 집중하는 경우가 많습니다. 처음부터 끝까지 완전히 꾸며낸 이야기일 때 더욱 그렇습니다. 얘기를 되풀이하면서 '누가, 언제, 어디서, 무엇을, 왜'와 같은 항목에 대해서는 얼렁뚱땅 조작해 버립니다. 결과가 '어떻게' 되었다만 세심하고 과장되게 꾸밀 뿐입니다.

따라서 회사 업무를 하다 공적인 사건으로부터 거짓말쟁이에게서 진실을 알아내야 한다면 내용을 묻고 또 묻는 것이 좋은 방법일 수 있습니다. 같은 일을 여러 번 캐물어 앞뒤가 안 맞는 부분을 찾아내는 것이 방법입니다.

터무니없는 말들은 무시하되 회사에 큰 해가 된다면 반드시 조치하라.

거짓말쟁이들이 하는 말은 거의 다 믿을 수 없지만, 지극히 사적인 부분이거나, 대부분 그다지 대수롭지 않은 것들이면 차라리 다행입니다. 거짓말쟁이들은 애초에 진실과 거짓에 대해 생각하지 않고 막 말을 내뱉습니다. 큰 파장이 생긴다거나 누군가에게 피해를 줄 가능성이 있는 거짓말이 아니라면 아무리 터무니없어도 무시해버려야 합니다. 홍 대리님께서 동료의 거짓말에만 신경 쓰다 보면 스트레스만 받고 정작 중요한 업무는 소홀히 할 수 있기 때문입니다.

하지만 회사에 해를 끼치고 있거나 해를 끼쳤다면, 조치를 취할 수 있는 권한을 가진 책임자에게 상황을 반드시 알려야 합

니다. 사실을 확인해보라고 부추기면 나머지는 조치를 취할 책임이 있는 직원이 알아서 할 것입니다. 거짓말을 일삼지만 홍 대리님이 그 동료분을 아낀다면 그분의 인식을 넓혀주거나 자기 평가를 고쳐주기보다는, 행동을 바꾸는 데 주력해야 합니다. 거짓말을 지적해서는 안됩니다. 다시 거짓말에 거짓말을 만들어서 거짓이 들통이 나지 않도록 미꾸라지처럼 요리조리 피해만 다닐 뿐입니다.

또한 처음부터 '당신은 신뢰성이 없어!'하며 흠을 잡는다면 그 동료는 아예 귀를 막아버릴 것입니다. 거짓말을 일삼는 행위 자체가 낮은 자존감에서부터 시작되거나 마찬가지기 때문에 회사생활과 연관된 지적 체면을 세워주면서, 그 동료분이 다른 사람들의 말에 귀 기울이게 하는 행동을 갖도록 바꿔주는 것이 핵심입니다.

《Summary》
● 회사 내에서 거짓말쟁이들은 대부분 낮은 자존감을 들키지 않기 위해 능력을 과시를 할 수 있는 소재를 만들어 낸다.
● 거짓말쟁이들은 본인의 거짓말로 인한 부정적 파장에 대해 생각하지 않을뿐더러 죄책감을 느끼지도 않기 때문에 회사에서 위험한 존재이다.
● 거짓인지 진실인지 감지하는 데에는 전문적인 이론으로 분석하는 것보다는 거짓말쟁이와 오래 지내온 자신의 직감이 더 잘 맞을 수 있다.
● 거짓말로 인해 회사에 해를 끼치고 있다고 판단되면 조치를 취할 수 있는 직원에게 알려야 한다.
● 거짓말을 일삼는 동료의 회사생활과 연관된 지적 체면을 세워주면서, 다른 사람들의 말에 귀를 잘 기울이는 자세를 갖도록 변화에 도움을 준다.

◆ 엉뚱한 피드백 때문에 방향을 잡을 수 없습니다.

《Trouble》

저희 팀장님 체제로 총무과가 움직이고 있습니다. 총무과의 업무를 대부분 파악하고 계셔서 여기 있는 직원들 대부분이 올바른 피드백과 업무의 방향성을 제시받기를 바라고 있습니다.

하지만 잘 모르는 부분을 물어보거나 조언을 기대했을 때 엉뚱한 대답을 해주거나 평범하지 않은 피드백을 줄 때가 있어서 업무를 재빨리 진행하지 못했던 적이 한 두 번이 아닙니다.

가끔 팀장님이 저희 업무를 모르면서 '아는 척'을 하고 있다는 느낌까지 들었습니다. 저뿐만 아니라 다른 동료들도 느껴본 감정이라 팀장님의 능력이 의심될 때도 있습니다.

팀장의 전문지식이 부족하거나, 피드백의 질이 낮더라도 받아들인다.

상사들의 심리상태는 후배들에게 존경을 받고 싶어 하고 귀감이 되는 행동과 말을 하거나, 그렇게 되도록 노력을 하는 사람들이 대부분입니다. 많은 상사들이 '전문가 행세'를 하고 있다고 해도 과언이 아닙니다.

하지만 본인이 다른 부서로 발령이 나거나, 지금의 회사를 그만두기 전까지는 상사가 '전문가 행세'를 해도 모른 척해야 합니다. 그것은 홍 대리님 자신을 속이라는 얘기와 같습니다. 자칫 마인드를 잘못 지니게 되면 상사와의 관계 때문에 장기간에 걸쳐 스트레스로 받을 수도 있는 상황입니다.

단기, 중장기적인 전략으로 자신의 마인드를 개선하자.

후배라면 누구나 좋은 상사를 만나서 업무 내외적으로 배울 수 있는 환경을 갖기를 바랍니다. 하지만 현실적으로 세상의 모든 상사들이 그렇지 못합니다. 단번에 빠르고 정확한 피드백을 제공하는 팀장으로 바꿀 수는 없습니다. 차라리 본인 스스로 팀장을 존경하는 마인드로 바꾸는 것이 스트레스를 적게 받을 수 있습니다.

단기간의 전략으로 홍 대리님이 팀장의 능력을 존경한다고 생각하게 만들려면 업무에 대한 전문지식이 부족한 팀장의 약점을 드러내지 않으면서 담당자로서 디테일한 전문지식을 상사에게 가르쳐주도록 합니다.

사실 팀장의 자리는 매일 피드백 제공의 연속이며 하루에도 판단해야 될 항목들이 한 두 개가 아닙니다. 그런 환경에서 많은 팀원들의 업무를 전부 파악하고 있어야 되니 한편으로는 고달픔의 연속입니다. 팀원들의 머릿속에 있는 업무에 관한 전문지식을 팀장에게 수시로 공유할 때 팀장 역시 한층 더 높은 역량을 갖출 수 있습니다.

중장기간의 전략은 팀장의 장점을 파악하는 습관을 만드는 것입니다. 본받을 점을 찾아 본인에게 귀감이 되도록 만들고, 무능함이 보이더라고 이해할 수 있는 감정을 갖도록 자신을 달래야 합니다.

팀장의 무능함을 주위에 떠벌릴 필요는 없다.

리더라면 누구나 팀원들에게 지속적으로 인정을 받고 싶어 합니다. 인본주의 심리학의 창시자인 '에이브러햄 매슬로우Abraham H. Maslow'가 말한 <인간욕구 5단계> 이론에서 '3단계'를 '인정받을 욕구'로 정할 만큼 소속된 집단 내에서 누구나 인정을 받고 싶어 합니다.

이런 인간의 본능을 갖고 있는 상태에서 팀장이 부서의 전문성을 잘 대표하지 못하거나 전문지식이 부족해서 홍 대리님이

내린 결정을 뒤집고 일을 비효율적으로 진행하게 만들더라도 그의 무능함을 다른 부서까지 소문이 날 정도로 떠벌릴 필요는 없습니다.

팀장이 자신의 무능함이 들통 날 것과 같은 위협적인 상황을 경험하거나, 과제를 이해하지 못해서 횡설수설 하는 상황이 나타났을 때 홍 대리님이 알고 있는 팀장에 대한 아쉬운 정보들을 동료들 앞에서 모두 발설하지 않는 태도를 보이는 것 역시 중요합니다.

팀장도 사람이기 때문에 본인을 무시하는 후배를 존중하거나 좋아하지는 않습니다. 자신의 무능함 때문에 평판이 나빠질 경우 홍 대리님을 의심하거나, 홍 대리님의 평판까지 나쁘게 만들 수 있기 때문에 겸손하고 이해하는 마음을 가져야 합니다.

사실 리더가 진짜 무능하다는 것을 증명하기는 어렵다.

실제 리더가 무능하다고 가정했을 시 '모르면서 아는 척하는 성향'을 아랫사람이던 윗사람이던 모든 사람들에게 그런 식으로 행동을 보여주기 때문에 리더의 윗사람은 리더가 유능하다고 믿을 수 있습니다. 아니면 유능하든 무능하든 신경 쓰지 않을 수도 있습니다.

따라서 팀장의 윗사람이나 비슷한 계급 또는 연배의 직원에게 팀장에 대한 불만을 표현하는 것은 그 윗사람에게 불만을 표출하고, 권위에 도전하는 것이나 마찬가지입니다. 그 윗사람이 팀장을 고용했고, 홍 대리님보다 더 오랜 시간 같이 일 해왔기 때문입니다.

또 다른 상황을 보자면, 팀장의 윗사람이 팀장이 능력이 있든 없든 신경 쓰지 않는 사람일 경우, 당신이 팀장에 대해 불만을 토로하는 것을 귀찮아 할 것이고, 아무런 조치도 취하지 않을 것입니다. 그리고 그 불평은 부메랑이 되어 돌아와 홍 대리님이 회사의 상사에 대해 불만이 많은 사람으로 나쁘게 평가될

결과로 나타날 수도 있습니다.

당신보다 높은 자리에 있는 사람의 '무능함'을 증명하기란 매우 어려운 일입니다. 아무리 다면평가가 확산되고 있지만 그것은 평가기간에만 허용될 뿐, 후배 직원이 윗사람을 평가할 수 있다고 생각하는 관리자는 거의 없기 때문입니다.

만약, 그럴 수 있다고 생각하는 사람이라도 자신의 이미지에 흠이 갈 위험을 무릅쓰고 홍 대리님을 도와서 팀장의 무능함을 증명하려 하지는 않을 것입니다.

홍 대리님과 다른 동료들도 마찬가지입니다. 모든 상사들이 조직의 일원이며, 팀장을 옹호해야만 조직을 보호할 수 있다고 생각할 수 있기 때문에 팀장의 무능함을 노출시키지 않으려고 노력하거나, 무능하지 않다는 것을 증명하려고 할 것입니다.

나를 힘들게 하는 것은 무능한 상사가 아니라 '내 자신'이다.

일하는 동안 계속해서 팀장의 무능함 때문에 스트레스를 받았다면 유능한 팀장을 모셨을 때의 상황을 가정해 보는 것도 좋은 방법입니다. 유능한 팀장은 피드백도 빠르며, 쓸모 있는 아이디어를 제공하면서 정확한 방향으로 업무를 진행할 수 있도록 도와줍니다.

하지만 그런 피드백을 받기 전에 실무자들은 정확하고 꼼꼼하게 검증된 데이터를 포함한 보고서를 팀장에게 재빨리 회신해야 되며, 정확한 방향으로 인도받았으면 누구보다 성과가 뚜렷한 결과물을 선보여야 합니다.

자신이 회사나 상사에 대해 불만을 토로하는 모습을 발견한다면 그 원인이 과연 어디서부터 시작되고 있는지 파악할 필요성이 있습니다. 대부분 유토피아와 같은 직장 환경에서 솔로몬과 같은 상사와 일을 하고 싶어 하는 환상이 있습니다. 바로 그런 환상이 자신의 희망사항과 충돌하게 되고 충돌의 원인이 된 요소를 비난하게 되는 것입니다.

그런 내면의 갈등 때문에 스트레스를 받으면 신체 및 정신 건강뿐만 아니라 인간관계에도 나쁜 영향을 끼칠 수 있습니다. 자신이 갖고 있는 바램, 희망과 계속 타협하면서 좋은 환경과 분위기를 느끼기란 참으로 어려운 일입니다.

상사를 나와 동등한 동료 관계로 생각해볼 필요가 있습니다. 서로 도와주고 이끌어주며 서로의 단점을 보완해 나가면서 좋은 결과물을 창조해 낼 때 조직의 분위기는 물론이고 회사도 덩달아 발전할 수 있습니다. 무능한 상사를 만들어 내는 것은 '상사의 능력' 때문이 아니라 '자신의 마음' 때문입니다.

《Summary》
● 상사라면 누구나 후배들에게 존경을 받고 싶어 하고, 구성원들에게 귀감이 되는 행동과 말을 하려고 노력한다.
● 후배가 상사에 대해 불평을 할 때 언젠가 부메랑이 되어 돌아와 본인의 평판까지 나빠질 수 있다.
● 무능한 상사 때문에 스트레스를 받았다면 굉장히 엄격하고, 꼼꼼한 보고서를 재빠르게 요구하는 유능한 상사와 함께 일하는 모습을 상상해보자.
● 모든 것이 완벽한 회사생활을 하는 환상이 자신의 희망사항과 충돌하게 될 때 충돌의 원인이 된 요소를 비난하게 된다.
● 상사도 동료이므로 서로 도와주고 이끌어주며, 단점을 보완해 나가야 할 대상자이다.

◆ 팀장과 친한 직원은 늘 높은 고과를 받습니다.

《Trouble》

　매년 연말이 되면 개인별로 해당 연도 업적을 적어 제출합니다. 팀장이 평가를 하고 결과물을 임원에게 결재를 올리면 인사고과가 적용이 됩니다. 내년도 연봉에 일부 반영 될 뿐더러 승진에 직접적인 영향을 미치는 부분이라서 신경이 많이 쓰입니다.

　저희 회사는 연봉 수준이 많이 낮다고 생각되는 사람들이 대부분이라서 승진에 목숨을 거는 편입니다. 승진해서 직급이 올라가면 수당의 일부분이 상향되기 때문입니다. 하지만 저는 매년 높은 성적의 인사고과를 받은 적이 없습니다.

　열심히 일했고 꾸준히 성과를 만들었다고 생각하지만 저와 팀장님과의 사이가 썩 좋은 편은 아니기 때문인 것 같습니다. 팀장님과 친하게 지내는 사람들이 좋은 평가를 받고 쉽게 승진했던 것은 사실입니다. 다른 회사들도 이런 문화가 존재한다고 생각하지만, 저는 한편으로는 억울하기도 하고 마음의 상처만 받게 되는 평가 시즌이 다가오는 게 두렵습니다.

다면평가가 등장하고 활성화되는 이유를 알아야 한다.

　기업에서 능력주의를 시스템으로 구축한 것이 바로 인사고과 제도입니다. 기본적인 근태부터 업무 성과까지 평가의 대상이 됩니다. 그러나 모든 일의 성과를 수치화할 수 없을뿐더러 수치화되지 않는 질적인 측정은 대부분 상급자의 평가에 좌우가 됩니다. 상급자의 권한이 커지는 만큼, 상사의 비위를 얼마나 잘 맞추느냐에 따라 인사고과에서 좋은 고과를 받을 수 있는지 없는지가 결정됩니다.

　최근에는 상향평가, 동료평가가 이루어지는 다면평가를 도입

하는 기업이 차츰 늘어나고 있는 추세입니다. 팀원이 팀장을 평가하기도 하고 동료들끼리 서로 평가를 하기도 합니다. 하지만 일부 대기업에 채택되어 있는 제도일 뿐 대부분의 중소기업에서는 상사인 관리책임자나 직속 선배 직원에 의해 평가가 이루어지고 있습니다.

평가하는 사람은 합리적인 방법으로 평가를 한다고 생각할 수 있겠으나, 평가를 받는 사람의 입장에서는 홍 대리님의 고민과 같이 말한 것처럼, 기업의 인사고과란 부당함과 부조리를 평가 시스템으로 바꾼 꼴이라고 생각하기도 합니다.

특히, 신뢰 관계가 부족한 조직일수록 인사고과제도는 불공정한 것으로 인식하고 있습니다. 장시간 일을 하며 회사에 헌신했는데 인사고과에 자신의 노력과 헌신이 공정하게 반영되지 않았다는 것에 좌절감을 느끼는 직원이 많은 것은 사실입니다.

기업을 운영하는데 있어서 가장 합리적이고 객관적으로 진행되어야 하는 HR제도인 인사고과가 평가권자의 최측근과 같은 친한 사람에게 높은 평가를 주는 비합리적이고 주관적으로 진행되고 있다는 것을 느낄 때 분노는 말로 표현이 안 될 거라 생각이 듭니다.

평가를 악용하는 직원이 있어서는 안 된다.

기업의 경영 컨설팅 목적으로 고객사의 직원들과 인터뷰를 하면 가장 많이 나오는 이야기 중의 하나가 바로 '평가'입니다. 여기저기 말도 많고 근로자라면 가장 예민하게 생각하는 부분이기 때문이지요.

자동차 부품을 만드는 중소기업 M사의 본사에서 근무하는 직원과의 인터뷰가 생각이 납니다. 송 사원이라고 있었는데 공채로 입사하고 해외영업부서에서 2년을 근무하고 있었습니다. 2번을 경험했었던 인사고과에 대해 많이 실망이 크다고 표현했습니다.

본인이 속한 조직의 인사고과란 얼마나 팀장의 비위를 잘 맞추는지에 달린 것이라고 했습니다. 팀장과 코드가 맞지 않거나, 술을 같이 마시지 않을 때 선배와 동기들은 낮은 고과를 받는 것을 직접 보았기 때문입니다. 고과가 낮을 경우에는 암묵적으로 '다른 부서로 이동해라는 것' 또는 '회사에서 나가라는 것'을 의미한다고 선배들에게 직접 듣기도 했었습니다.

고과가 높을 경우엔 앞으로 조직에서 연봉 협상차원이던, 승진이던 간에 더 성장시켜주겠다는 것을 의미했습니다. 두 차례 인사고과에서 낮은 점수를 받았던 선배와 동기는 그 뜻을 잘 알고 있었기에 조만간 회사에서 어떤 불합리한 대우를 받을 것인가에 대해 두렵다고 표현했다고 합니다.

대부분의 기업은 인사고과에서 좋은 점수를 받은 사람에게는 '일 잘하는 사람'으로 대우받고 승진, 급여 인상 등의 보상을 지급합니다. 인사고과에서 안 좋은 고과를 받는 사람은 '일 못하는 사람'이 되며, 좀 더 과감하게 이행하는 기업은 퇴직을 권고하기도 합니다. 그래서 송 사원이 다니는 조직에서는 특정인을 내보내고 싶을 때, 일부러 고과를 낮게 주는 나쁜 문화가 존재했다고 했습니다.

더군다나 M사에서 좋은 평가를 받았던 사람들을 보면 조직에 잘 적응해서 성과를 내고 일을 잘한다고 평이 나있는 사람들이 아니라 상사의 비위를 잘 맞추고 사적으로 친밀도를 높여 속된 말로 '라인Line'을 타고 있는 사람이던지, 팀장의 사생활까지 알아내서 환심을 사도록 만드는 사람들이 많다고 했습니다.

평가를 악용하는 조직 역시 있어서는 안 된다.

M사에서 인사고과에서 낮은 점수를 받고 퇴사한 경우가 많았다고 합니다. 송 사원과 입사 동료인 정 사원은 기술개발팀에서 근무를 했는데 입사하고 처음 시작하는 일이라 열심히 배워서 선배들에게 칭찬도 받고 높은 업무실력을 보여주자는 목표

로 열심히 땀 흘려 일했었습니다.

늘 팀원들은 정 사원의 부지런함과 열정, 끈기를 우수하게 평가를 해서 인사고과에 좋은 결과가 있을 거라고 자신감을 불어넣어줬습니다. 하지만 연말이 되어서 평가결과를 통보받았는데 평가점수가 최하수준으로 나왔고 납득하기 어려운 상황에 머리가 아팠습니다. 내년 연봉 역시 일체 올라갈 수 없는 수준이었습니다.

매년 열정을 다해 업무실력을 높였음에도 불구하고 최악의 고과를 받게 된 정 사원은 퇴사를 결심했습니다. 시간이 지난 후 알게 되었는데 정 사원이 모셨던 팀장은 술자리 회식에 불참하는 일이 많은 직원에게 낮은 평가점수를 주었다고 합니다. 정 사원은 술을 입에도 대지 못하는 체질이라서 안타깝기만 한 사례였습니다.

기업은 평가에 낮은 점수를 받은 사람들에게 '업무능력 향상 프로그램'이나 '저성과자 회복 프로그램' 참여 등의 방법으로 근로자의 역량을 향상 시켜야할 의무가 있다고 생각합니다. 하지만 평가를 악용해서 근로자들을 간접적으로 직장에서 내보내는 방법을 찾고 있는 기업이 많습니다.

예를 들어 노동조합에 가입할 경우 평가 제도를 이용해 탈퇴하도록 권유 하거나 낮은 평가를 제공해서 정신적으로 괴롭힌 후 내쫓는 행위를 하기도 합니다.

인사권한을 쥐고 있는 부서의 리더는 공과 사를 확실하게 구분해야 한다.

평가의 결과를 위해 공과 사를 구분하지 못하는 근로자가 많거나, 평가 결과를 통해 직원의 고용에 대해 협박을 하는 기업은 오래 지속되지 못합니다. 기업은 근로자의 높은 역량과 업무 성과들이 모여 차츰 성장합니다.

하지만 리더와 친분이 있다고 해서 높은 자리로 올라가고 리

더의 마음 밖에 있다고 해서 내쫓을 궁리만 하게 되면 그 기업은 존속되지 못할뿐더러 다녀서는 안 될 회사로 표현하고 싶습니다. 기업은 직원을 평가할 때 공정성과 객관성을 배제해서는 절대 안됩니다.

노사관계 발전에 취지를 두고 직원들의 행복을 앞장세울 때 가장 예민하게 생각하는 기업의 평가제도는 어느 것보다도 합리적이어야 합니다.

《Summary》
● 상향평가, 동료평가가 이루어지는 다면평가를 도입하는 조직이 차츰 늘어나고 있는 상황을 파악해야 한다.
● 인사고과에 자신의 노력과 헌신이 공정하게 반영되지 않고 리더의 비위를 잘 맞추는 사람이 높은 평가를 받게 되면 좌절감을 느끼게 된다.
● 평과의 결과만을 중시해서 상사의 비위를 잘 맞추고 사적으로 친밀도를 높이려는 직원이 많게 되면 기업의 신뢰도는 떨어지게 된다.
● 평가를 악용해서 근로자들을 간접적으로 내보내는 방법을 찾고 있는 기업은 오래가지 못한다.
● 직원을 평가할 때 공정성과 객관성을 배제해서는 안 되며, 많은 제도 중에서 가장 합리적으로 추진해야 한다.

◆ 친한 동료들의 무리로 알았는데 패거리 짓기였어요.

《Trouble》

　처음에는 동료끼리 친하게 지내는 무리라고 생각했습니다. 앞서 말씀드렸다시피 팀장님과 친하게 지내는 사람들 대부분이 좋은 평가를 받고 쉽게 승진했던 것은 사실입니다.

　업무적으로 그 분들은 회의를 거쳐 의견을 나누고 조율해서 합리적인 방향을 찾는 대신 인사권을 쥐고 있는 팀장님의 말에는 무조건 'Yes'입니다.

　팀장님이 불공정하고 엉터리 같이 사회 통념상 이치에 맞지 않는 의견을 내세울 때도 무조건 우호적인 자세를 취합니다. 너무 티가 나게 권력을 가진 리더를 따르는 모습이 안타깝기도 하면서 회사가 나중에 잘못될까 걱정이 됩니다.

직장 내 패거리 짓는 행동은 금물이다

　홍 대리님이 직장에 처음 들어갔을 때의 느낌을 살려보세요. 신입사원들은 모든 것이 낯설게 느껴질 것입니다. 그러다 보니 불안한 마음에 하루라도 빨리 동료들과 친해지고 싶어 합니다. 처음에는 입사 동기끼리 무리를 짓는 경우가 많은 데 차츰 시간이 흘러 팀 조직, 사내 동호회 모임이나 더 나아가 학교 동문 모임에 참여해서 직원들과 친해지는 경우도 있습니다. 교대 근무를 한다면 조원끼리 우선적으로 친해질 수밖에 없습니다.

　처음 입사해서 전반적인 회사와 관련된 교육을 함께 받은 입사 동기끼리는 마치 학창시절 학교에서 처음 만난 친구처럼 순수함과 풋풋함을 느낍니다. 회사 내 나이가 비슷한 동료들과 모임을 갖고, 조원들 중에서도 업무가 밀접한 선후배들과 교류를 갖게 됩니다. 방금 말씀드린 것처럼 큰 기업과 같은 경우는

동문 학교 출신 동료들과 동창회도 갖습니다. 이런 모임은 어느 직장에서나 흔히 볼 수 있습니다.

반면, 회사 입장에서 그다지 탐탁지 않은 모임도 있습니다. 같은 팀이나 조원이 아님에도 불구하고 퇴근 후 밤이 새도록 함께 있거나 주말에 모여 같이 몰려다니면서 분위기를 흐리거나, 숙취로 인해 정상적인 출근 시간까지 영향을 주는 모임도 있기도 합니다.

좀 더 심각한 폐해는 회사 사내 정치를 선동하는 '파벌' 모임을 꼽을 수 있습니다. 이런 모임은 홍 대리님께서 걱정하다시피 개인과 회사의 발전을 방해하는 것이 맞습니다.

대세 인력을 찾아 따르기만 할 때 편승효과가 생긴다.

사람들은 '군중'이 하는 행위를 따라하거나 '군중'이 신뢰하는 것을 추종하는 경향이 있습니다. 무리에서 고립되지 않으려고 개인은 별 깊은 생각 없이 대다수의 선택을 따릅니다. 군중의 영향을 받은 개인은 자신의 관점이나 판단행위를 의심하고 방향을 바꾸기도 합니다.

이런 행동을 요샛말로 '대세를 따르는 행동'이라 말하고 있습니다. 전문용어로 '편승 효과'라고 부릅니다. 사실 편승 효과를 객관적으로 보면 이 자체는 좋고 나쁨의 가치판단이 존재하지 않습니다. 워낙 주관적인 판단이기 때문에 정밀하게 꼬집기가 어렵습니다.

하지만, 어떤 상황에서 편승 행위가 일어나느냐에 따라 달라집니다. 소위 사내에서 잘나가는 대세 인력을 따르는 분위기와 인식 때문에 많은 사람이 믿고 있는 바를 틀림없이 진실이라고 생각하게 되면 불편한 오류가 생기게 됩니다.

패거리가 생성되지 않도록 싹부터 없애야 한다.

직장인들의 대부분은 회사 내에서 업무가 뒤처지거나 성과를 내지 못해 상사에게 혼나는 것을 싫어합니다. 본인의 능력을 일찍 알아채거나, 회사 성장에 직접적인 도움이 되는 성과는 내지 못해도 업무적인 실수는 하지 말자는 심정으로 자신의 본모습을 숨긴 채 살아갑니다.

더군다나 이들은 조직 내에서 '대세'로 불리고 있는 직원과 친밀감을 의도적으로 높이려고 하는 심리가 마음속에 숨겨져 있습니다. 그렇다면 이런 심리가 직장생활이나 개인의 커리어에 어떤 영향을 미치는지 우리는 정확히 알아야 합니다.

편승효과의 특성을 그대로 지니고 있는 '패거리를 짓는 행위'는 회사에서 공식적으로 기획한 모임과는 많이 다릅니다. 비공식적으로 패거리를 짓는 행위는 직장에서 피해야 할 금기 사항 중 하나입니다.

일반적인 상황에서 윗사람들은 이런 패거리를 싫어합니다. 물론 개중에는 회사 업무를 잘 처리하는 직원(리더 또는 암묵적으로 차기 리더로 예정되어 있는 직원)이 있거나 직급이 월등히 높은 직원이 있습니다. 이 직원들이 대세이며, 그를 추종하는 직원들이 모여 패거리를 이루게 된 것입니다.

분명히 알아야 할 것은 편승효과는 다른 동료에게 밀접한 악영향을 주게 됩니다. 회사를 경영하는 임원들이나 회사의 발전을 고대하는 상사들은 바로 이런 경우를 염려하는 것입니다. 왜냐하면 패거리를 지으면 대인관계뿐만 아니라 일 처리에도 원칙 없이 사사로운 감정에 치우칠 가능성이 높기 때문입니다. 더군다나 그 패거리는 기준 자체를 무시하고 파괴해 버리는 역할을 주도합니다.

패거리의 또 다른 맹점은 인재를 배척하게 된다는 것입니다. 예를 들어 추후 회사의 대세가 될 진정한 인재는 촉박한 업무 시간과 많은 업무 처리량 때문에 작은 무리를 만들어 커뮤니티 하는 것보다 독단적으로, 혹은 자신의 간소화된 판단을 통해 대외적으로 행동할 수가 있습니다. 하지만 이런 이유로 인재가

똘똘 뭉친 패거리의 공격 대상으로 될 때 쉽게 전락하고 마는 결말을 만들 수도 있다는 말입니다. 따라서 기업 발전의 암적 존재인 패거리는 단호하게 제지하고, 싹부터 없애야 한다고 해도 과언이 아닙니다.

패거리의 우두머리(리더)는 '편승효과'의 결말을 인지해야 한다.

우리는 회사에서 업무를 할 때 많은 의견을 주고받은 상태에서 기획을 하며, 회의를 통해 업무의 방향성을 선택하고 있습니다. 객관적인 실체를 분석적, 과학적으로 바라보고, 상황과 대상을 면밀히 살피며, 전달 방식의 정확성과 사실이 왜곡되지 않는 상태를 중요시 여기면서 맹목적인 편승을 피하려고 노력하고 있습니다. 방금 제가 말씀드린 상황은 어느 조직에서나 일반적이며 사회 통상적인 모습입니다.

하지만 본인의 가치관을 감추고 오로지 대세를 따르는 효과에 취하게 되면 장점보다 단점이 많다는 것을 앞서 말씀드렸습니다. 자신이 갖고 있는 업무 가치관을 존중하고 이해하면서 주체적인 생각으로 직무에 접근해야 합니다. 그러면 대세를 따르며 패거리를 짓는 행위는 피할 수 있습니다.

패거리의 우두머리인 대세 역할을 하는 사람은 편승효과의 결말을 인지해야 합니다. 본인이 내세우는 의견에 나머지 패거리 직원들이 우호적인 피드백만 제공할 때 지나치게 사상이 단편적으로 변할 수 있으며, 전체적인 안목을 가지는 점에 도움이 되지 못한다는 것을 깨달아야 합니다. 또한 편협한 사고방식에 빠지기 쉬우며 나중에는 직장에서 환영받지 못하는 무리의 대장으로 불리게 됩니다.

대세로 분류된 자신을 만끽하며, 추종하는 직원이 많다고 으스대는 일이 없어야 합니다. 문제를 처리할 때 본인을 따르는 패거리 직원들의 이익만 생각하지 말고 회사의 성장과 이익을

고려해야 합니다. 사건의 핵심을 이해하고 대승적인 관점으로 문제를 바라봐야 합니다.

혹여나 패거리의 우두머리가 일종의 패거리로 불리고 있는지 모를 수도 있습니다. 정확한 정보가 충분하지 못한 상태임에도 불구하고 본인을 추종하고 막무가내식 존중을 받는다고 느껴지면 알아서 무리를 해체시켜야 합니다.

패거리는 협력이 될 수 없습니다. 나머지 패거리 직원들 역시 맹목적으로 편승하는 행위는 삼가야 합니다. 옳고 그름에 대한 판단 없이 획일적으로 다수를 따르고 대세를 뒤쫓는 행위는 지양해야 합니다. 이는 옆에 있는 동료에게 피해를 끼칠뿐더러 회사의 발전과 개인의 커리어에도 아무런 도움이 되지 않습니다. 오히려 독한 해가 됩니다.

《Summary》
● 패거리를 짓는 행위는 사무실 정치를 선동하거나 회사의 발전에 발목을 잡는 나쁜 모임이라고 볼 수 있다.
● 많은 사람들이 '대세'를 따르기만 하면, 다수가 믿고 있는 바는 틀림없이 진실이라고 생각하게 되는 오류를 범하게 된다.
● 패거리를 지으면 대인관계뿐만 아니라 일 처리에도 원칙 없이 사사로운 감정에 치우칠 가능성이 높다.
● 정확한 정보가 충분하지 못한 상태임에도 불구하고 나를 추종하는 직원이 많거나, 막무가내식 존중을 받는다고 느껴질 때 생기는 무리는 알아서 해체시켜야 한다.
● 옳고 그름에 대한 판단 없이 획일적으로 다수를 따르고 대세를 뒤쫓는 행위는 지양한다.

◆ 아이디어는 많은데 직접 이야기할 곳이 없습니다.

《Trouble》
　업무를 하다보면 개선하고 싶은 것들이 눈에 보입니다. 팀원들 모두 그렇게 느끼고 있다고 생각합니다. 하지만 기존에 어떤 것들을 보존하고 기준을 존중하는 사람들은 모르겠지만 저처럼 진취적으로 개선하는 것을 좋아하는 사람은 업무 프로세스를 바꾸거나 복잡한 처리 방식을 간소화하고 싶어 합니다. 그만큼 업무에 관련된 아이디어도 많습니다.
　대한민국을 대표하는 세계적인 굴지의 기업 <삼성전자>의 이건희 전 회장도 말했습니다. 배우자와 자식 빼고 모든 것들을 바꾸라고요. 업무를 하다보면 늘 아이디어가 떠오르고 생각이 납니다. 하지만 이런 부분을 공식적으로 말할 곳이 없어 개인적으로 안타깝습니다.

작은 아이디어 하나가 기업의 큰 개혁을 일으킬 수 있다.

　아이디어를 내고 실행을 함으로써 일에 대한 동기부여뿐만 아니라 내부의 직원들 역시 자신의 일을 외부 고객 또는 타부서 직원들의 시선으로 바라보는 기회를 가짐으로써 일의 방법을 개선하고 더 나은 방안을 도출할 수 있습니다.
　혼자 고민하던 문제에 대해 다른 직원들이나 고객들과 소통하는 과정에서 그간 느꼈던 업무적 답답함을 해소하기도 합니다.
　직원들과 아이디어를 주고받으면서 특별한 시간을 보내고 소중한 시간을 마련해 자신들의 목소리를 직접 반영하려는 모습을 기업은 인지해야 합니다. 직무아이디어의 소중함을 아는 기업들은 '워크숍Workshop' 행사를 통해서 직원들의 일에 대한 동기부여에 도움을 주고 있습니다.

아이디어 주제와 관련된 내부 직원들, 내 외부 전문가 또는 사외이사들이 함께 머리를 맞대고 결과물을 도출하기 위해 모든 영감과 지식을 쏟아내기 때문에 아이디어를 위한 행사 자체는 장점 밖에 없습니다.

수확한 아이디어는 회사의 성장에 큰 역할을 할 수 있으며, 긍정적인 변화, 개혁을 일으킬 수 있는 큰 힘이 되기 때문에 많은 기업들이 아이디어의 소통 창구를 만들어 놓아야 하며 회사를 실질적으로 운영하는 경영층의 의지가 중요합니다. 회사 분위기가 아이디어의 소중함을 모를지언정 직원들은 상시 사업에 대한 아이디어를 모아두는 습관이 필요합니다.

아이디어의 양이 많을수록 직접 채택이 될 확률이 높다.

하지만, 아시다시피 수집된 비즈니스 아이디어는 모두 실행되지는 않습니다. 일반적으로 잠재적 규모와 성장률, 이익 창출 용이성과 같은 시장의 매력도, 실제적 지속 가능성, 작업 효율성, 자사의 비전과 경영이념과의 적합성 등을 계산하며 추출해서 결과적으로 한두 개 정도로 추려집니다.

처음부터 창작하고 수집한 아이디어 개수가 일정 수준 이하라면 훌륭한 아이디어가 포함되어 있을 가능성은 적습니다. 반대로 일정 수준 이상이라면 그 안에는 실질적으로 회사 업무에 접목할 수 있는 아이디어가 포함되어 있을 가능성이 크다는 것이 요지입니다.

아이디어를 편안하고 즐겁게 낼 수 있는 환경을 조성하는 것이 중요하다.

물론 홍 대리님께서 개발해낸 아이디어들의 질과 내용 형태가 수준 이상으로 높겠지만 아이디어를 창작하고, 수집하고 있는 방법이 어떠한 상황인지 정확하게 집어볼 필요성도 있습니다.

제가 강조하는 아이디어의 창작, 수집 방법은 과연 회사에서 '브레인스토밍brainstorming 기법'을 도입했는지 입니다.

　기업이 브레인스토밍을 제대로 수행하기 위해서는 4가지 원칙이 필요합니다. 자유로운 발상에 의한 수평적인 발언이 수직적이고 보수적인 조직문화에서는 다소 어려울 수가 있기 때문입니다. 이 때문에 광고 마케팅 관리자 출신인 '알렉스 오스본Alex Osborn'은 브레인스토밍을 위한 '4가지 원칙'을 제시했습니다.

　첫째는 앞서 말한 '질보다 양 원칙'입니다. 아이디어의 수가 많다 보면 그중에 기발한 생각이 나올 확률도 높기 때문에 우선적으로는 다양하고 많은 아이디어를 모으는데 몰입해야 합니다. 브레인스토밍을 통해서 개인을 포함한 다수의 아이디어를 모을 수 있고, 아이디어의 수가 많을수록 직무에 도입 가능한 것들이 채택될 확률이 높으며, 그중에서도 오래된 문제를 해결할 수 있는 창의적인 방법이 나올 수 있기 때문입니다.

　둘째는 '비판 보류의 원칙'입니다. 쉽게 말하자면 다른 사람의 의견에 비판하기보다는 다양한 아이디어를 추가하는데 집중해라는 말입니다. 비판이나 개인적 판단을 유예함으로써 브레인스토밍에 참가한 사람은 비교적 자유로운 아이디어를 도출할 수 있고, 이를 바탕으로 다양한 아이디어를 모으는 것이 쉬워지는 것입니다.

　셋째는 어떠한 아이디어도 '대환영의 원칙'입니다. 고정된 사고를 타파하고 자유로운 의사 표출을 통해 부담 없이 아이디어를 모으는데 집중하는 방법입니다. 기존의 방식과 다르게 새로운 관점에서 고민하고, 이를 통해 가벼운 아이디어도 편안하게 제안할 수 있는 분위기에서 훌륭한 방안이 나올 수 있다는 취지입니다.

　넷째는 '아이디어 결합 및 개선의 원칙'입니다. 도출된 아이디어를 조합하고 이를 통해 더 나은 아이디어로 발전시키는데 집중을 해야 합니다. 타인의 아이디어를 모방하고 결합하면, 아이디어 간에도 연쇄반응을 일으키게 되고 이러한 과정을 통해 아

이디어는 점점 강화되고 개선될 수 있기 때문입니다.

아이디어의 내용이 탄탄하면 반드시 누군가는 접목 가능성을 높여준다.

실질적인 아이디어가 많고 개선활동에 흥미를 느끼는 사람들이 많다는 것은 회사의 발전에 그만큼 이바지할 준비가 되어있다는 뜻과 같습니다. 개선의 의지도 강하고 오래된 것을 바꾸고 싶어 하는 사람들과의 소통은 굉장히 중요합니다.

우선 아이디어 제안 개수를 세어본 다음 목표에 다다르면 선배나 직무와 관련된 책임자에게 현재의 상황을 진솔하게 이야기 나누어야 합니다.

많은 아이디어 중에 상사가 좋아하거나, 깜짝 놀랄만한 내용을 충분히 노출시킬 수 있습니다. 하지만 아이디어들이 많다고 해서 무조건 좋은 아이디어가 도출될 가능성이 있다는 것은 아닙니다. 내용이 약한 아이디어를 걸러내기는 쉽지만, 반짝반짝 빛나는 '원석'을 찾아내고 발굴해 내기란 쉽지 않습니다.

따라서 현시점 진행하고 있는 아이디어 도출 습관을 지속적으로 해야 하며, 보다 다양한 방법으로 개수를 확보해야 질 높은 아이디어를 골라내어 업무에 접목시킬 수 있습니다.

꼭 거창한 비즈니스 아이디어 워크숍이 아니더라도 사무실에서 현재의 업무에 즉시 도입할 수 있는 작은 것부터 차근차근 개선 해보는 것도 좋은 방법입니다.

《Summary》
● 아이디어를 내고 실행을 함으로써 직원들은 일에 대한 동기부여가 생기기 때문에 많은 기업들은 워크숍을 통해 소통창구를 제공한다.
● 사업의 규모, 이익 창출 용이성, 작업의 효율성 등을 계산하며 아이디어의 접목성을 따지기 때문에 아이디어가 있다고 해서

모두 실행되지는 않는다.

● 기업문화가 수직적이고 보수적일 때 아이디어를 낼 수 있는 절차가 어려울 수 있으나, 아이디어를 창작할 때 브레인스토밍을 하는 분위기를 만드는 것이 중요하다.

● 아이디어들이 많다고 해서 무조건 좋은 아이디어가 도출될 가능성이 있다는 것은 아니지만 원초적으로 많은 아이디어 개수를 확보해야 업무에 접목시킬 수 있는 확률은 올라간다.

● 워크숍을 통한 아이디어가 아니더라도 현 업무에서 즉시 도입할 수 있는 작은 아이디어부터 차근차근 접목하여 개선 해보자.

◆ 가끔 '일을 한다는 것'이 무엇인지 아직 모르겠어요.

《Trouble》
 평소 책을 읽는 것을 좋아합니다. 특히 직무 전문서과 자기계발서를 많이 읽는 편입니다. 일에 대한 주제의 책을 주로 읽는데, 읽다 보면 '일을 한다는 것은 내가 사회에 기반이 되고, 살아 숨쉬고 있는 증거가 된다.'는 등 추상적인 내용뿐이입니다.
 회사에는 저를 힘 빠지게 하는 상사, 재무 상태가 심각하게 어려워 겨우 허덕이는 경영상황을 보면 사실 이곳에 내가 왜 다니고 있는지 제 자신도 모를 때가 있습니다. 평소에 좋아하는 일도 아니고 그저 돈을 벌어서 모은다는 목표로 하루하루를 견뎌내는 것이 맞을까요?
 그렇게 생각하고 싶어도 터무니없이 낮은 임금수준이라 목표설정을 제대로 한 것인지도 모르겠습니다. '일을 한다는 것'이 무슨 뜻인지 정말 알 수 없습니다.

좋아서 하는 일을 직업으로 삼기가 어렵다.

 유명 강사나 낯익은 연예인이 TV 또는 스트리밍 콘텐츠streaming contents를 통해 보람 있는 일을 해야 멋있고, 삶이 행복하다고 입을 모아 주장합니다. 홍 대리님께서 말씀하신 것처럼 일을 하는 것에 거창한 의미를 두고, 좋아서 미칠 것 같은 일을 직업으로 삼아야 한다고 침 튀듯이 강조하고 있습니다.
 비록 월급이 누구에게 말하기가 형편없고 야근이나 휴일 출근을 밥 먹듯이 하며, 악당 같은 상사를 매일 봐야하는 하는 환경일지라도 보람을 느끼며 자신이 좋아하는 일을 하는 것이 정말 중요한 부분이기도 합니다. 실제로 좋아하는 일을 직업으로 삼았을 때, 단순히 먹고 살아갈 궁리로 힘든 일을 직장으로 고

를 경우와 대비하면 일을 통한 삶의 행복 지수가 높다는 것은 누구나 인정하고 있는 사실입니다. 자기가 '좋아하는 일'과 '직업'이 완벽하게 일치하는 사람은 행복하다는 뜻입니다. 그래서 앞서 말한 유명인이 나오는 매체나, 자기계발서에서 직장을 고를 때는 그런 기준으로 골라야 한다고 말합니다.

그러나 현실적으로 그렇게 잘 풀리는 사람은 극소수입니다. 일자리 수는 한정적인데다가 사람들마다 역량과 능력 차이의 범위는 넓으며, 모두가 자신이 좋아하는 일을 직업으로 삼기란 처음부터 어렵습니다. 게다가 좋아하는 일이 직업으로 삼을 만한 것이 아닌 사례도 주위를 둘러보면 많기도 합니다.

회사의 일은 노동력 제공과 금전적 보상의 계약이다.

우선 좋아서 하는 일이던, 억지로 구한 일이던 간에 일을 할 때, 그 밑바탕에는 회사와 종업원 사이에 맺은 계약 관계가 있습니다. 종업원은 회사에 정해진 시간 동안 노무를 제공합니다. 회사는 그 노무에 대한 대가로 월급을 지급합니다. 일의 기본은 어디까지나 이 계약 관계입니다. 이런 관계가 성립하지 않는다면 '일'이라고 부를 수 없습니다. 만약 회사에 노무를 제공했는데 일한 만큼 합당한 월급을 받지 못한다면 그것은 '일'이 아니라 '열정 페이Pay', 좀 더 과격하게 표현해서 '노예 계약'입니다. 이처럼 열정, 특히 보람을 지나치게 강조하면 일을 성립시키는 기본적인 관계가 무너질 위험성이 있습니다.

일의 성과를 통해 얻는 보람을 중시하는 사람은 월급이 적거나, 노동시간이 통상적인 기준보다 길더라도 보람만 있으면 행복하다고 생각하고 있다면 그리 오래가지는 못합니다. 이런 사고방식은 나중에 본인이 아니라 회사에 굉장한 이득이 됩니다. 회사는 '보람'이라는 먹이를 던져주고, 일에 적합하지 않은 굉장히 '적은 월급'으로 이런 사람들을 부릴 수 있기 때문입니다.

한계를 느끼게 하는 극심하게 어려운 노동환경의 일은 피하라.

만약 좋아하는 일을 내 직업으로 삼았더라도 행복해질 수 있다는 보장이 없습니다. 좋아하는 일을 '취미'로 하는 것과 '업무'로 하는 것에는 당연히 차이가 있습니다. 일을 통해 열정 페이가 아닌 사회 통상적으로 합당한 소득을 얻기 위해서는 고객(고객사)이 존재해야 하며, 그 사이에는 회사라는 단체조직이 있어야 합니다. 하지만 회사의 정책과 제도에 맞춰야 하며, 고객의 편의에 맞춰 자기 의사와 반대되는 방식을 억지로 고수해야만 하는 상황이 벌어지고 있습니다. 물론 좋아하는 일이지만 소득이 생기지 않는 일이라면 말이 다르겠습니다.

그렇다고 해서 본인의 직장 가치관 기준으로 끔찍하게 싫어하는 일을 직업으로 삼는다거나, 무리해서 도저히 견디기 어려운 노동환경에서 일을 하는 것은 당연히 피해야 합니다. 극심하게 어려운 노동환경은 직원을 값싼 소모품 취급을 하는 회사에서 일을 하는 것으로 예를 들 수 있습니다. 자신이 회사에 기준을 어기지 않는 상태에서 소정의 노무를 제공하고 있을 때 소득의 수준은 아주 중요합니다. 따라서 일을 하고 그 대가로 어느 정도 월급을 받고 있는지는 절대 잊어서는 안 될 중요한 요소입니다. 아무리 일에 보람을 느끼고 성취감을 느끼며 열정을 바쳐도 노동과 바꾸고 있는 월급의 관계가 무너졌다면 아주 잘못된 것입니다. 보람과 열정에만 집착하다가 '돈'이라는 삶에 필요한 기본적인 조건에 상응하지 못하고 있다면 현실적으로 불행해 집니다.

회사와 절대 결혼하지마라.

일을 하다보면 내가 왜 이렇게 힘들게 일하고 있으며 현실적으로 불행하게 만드는 보상관계 때문에 너무 괴로워서 전부 내던지고 도망치고 싶을 정도로 궁지에 몰릴 때가 있습니다.

하지만 대부분 많은 사람들은 성장의 기회라고 느끼며 스스로 설교를 하기도 합니다. 또한 우리가 예전부터 들어왔던 '이 또한 지나가리라.'라는 말을 상기시키며 '절대 회사를 도망쳐서는 안 된다.'며 자기만의 암시를 합니다. 우리는 도망친다는 행위를 꼴불견에 형편없는 짓이라고 여기는데, 도망치는 행위는 사실 일종의 삶의 수준을 더 높이는 최소한의 단계입니다. 괴로워서 더는 무리라고 느끼는 상황이 오래 이어지면 사람은 쉽게 포기하거나 무너집니다.

물론 견디고 참아서 승진하고 회사에 인정받으면 좋은 결말이겠지만 견디고 참아서도 비전을 찾기 어렵다면 과감하게 결정을 내려야 합니다. 매년 일 때문에 수많은 직장인의 몸과 마음이 황폐해진다는 사실을 잊지 말아야 합니다. 지금 다니고 있다고 해서, 내가 예전부터 선택했다고 해서 나의 일자리와 결혼해서는 안됩니다. 일을 하면서 심리적, 신체적으로 궁지에 몰리면 몸이 망가지거나 꿈을 잃기 쉽습니다.

인생의 평생직장이란 없다. 지금의 계단을 단단히 만들자.

저희 회사의 선홍선 대리님 이야기를 해보겠습니다. 선 대리님은 회사에 입사하기 전에 대학 졸업 후, 방송국 촬영보조로 일했습니다. 잦은 지방 출장과 밤샘 촬영으로 속된 말로 퇴근이 없는 삶의 연속이었습니다. 드라마 촬영을 시작하면 무조건 정해진 분량을 촬영해야 일이 끝났습니다. 늦은 시간까지 촬영이 이어졌고 새벽 2~3시에 끝나면 숙소나 모텔, 찜질방에 가서 눈만 붙이고 다시 출근하는 일이 반복됐습니다. 선 대리님이 그때 받은 임금은 한 달에 120만 원 수준이었습니다. 당시의 최저시급 단가를 적용하면, 최저임금 미달에 연장·야간·휴일근로수당이 미지급된 사례였습니다.

'열정 페이'는 방송, 문화예술, 미용 분야에서 상습적으로 나타났습니다. 장시간 노동을 하면서 저임금을 주는 회사의 관습이

지속되었고 직원들은 취약한 처우에도 불구하고 사업주로부터 오랫동안 근무하기를 세뇌되어 왔습니다. 아이러니하게도 현실적으로 살아갈 수 없는 임금을 지급하면서 오랫동안 회사에 재직하기를 바라는 것은 말 그대로 모순이었습니다. 갈수록 취업이 '바늘구멍'이라고 하지만 그것은 처우가 확실한 대기업이나 공기업에 한해서입니다.

아직도 중소기업은 인력난입니다. 처우가 불확실해서 중소기업이라는 계단을 만들어 더 나은 일자리로 갈려고 하는 것은 사실 당연한 것입니다. 기업은 사회초년생이 일터에서 느끼는 불편함을 직시하고 관철해야 합니다. 직장 내에서 낮은 직급에 속하거나 나이가 어리다는 이유로 선배나 상사는 동등한 동료로 대하지 않고, 미숙한 존재로 여기며 막무가내식으로 가르치고, 상처가 되는 폭언과 군기 잡기로 훈계만 한다면 기업의 문화는 엉망이 됩니다.

낯선 환경에서 처음 일을 하는 신입사원이 무질서한 회사 분위기 때문에 업무를 배우더라도 능력을 펼칠 수가 없으며, 동료를 하대하는 문화는 기업의 성장을 방해합니다. 미숙하므로 임금을 적게 줘도 된다는 관습은 신입사원에게 이직을 강요하는 것과 마찬가지입니다. 회사가 변하지 않고 위계적이며, 직원의 행복에 뒷짐을 지고 있는 문화라면 지금의 회사가 계단이라고 생각하고 좀 더 높은 곳으로 바라볼 필요성이 있습니다.

《Summary》
● 일을 하는 노동력과 자본을 바꾸는 것으로 계약된 것이다.
● 일을 하는 목적이 보람, 열정에만 집착한다면, 나중에 삶에 필요한 기본적인 처우를 받지 못한다고 느낄 때 불행해진다.
● 오래 다녔고, 본인이 선택했다고 해서 행복한 삶을 이루는데 힘들거나, 어려운 상황을 만드는 회사와 결혼해서는 안 된다.
● 회사가 개선에 더디며, 직원의 행복에 뒷짐을 지고 있는 상황이라면 다른 진로를 찾거나, 이직을 고려해볼 필요성이 있다

◆ 적극성이 지나치다는 평가 때문에 속상합니다.

《Trouble》

몇 년째 일을 하고 있는지도 모를 만큼 열정을 다해 일하고 있다고 생각을 합니다. 제 일에는 작은 부분이라도 최선을 다하고 있으며, 직무에 대한 아이디어를 내는데 꾸준할뿐더러 모든 일에 몰입하고 있습니다.

눈치도 많이 보는 편이라서 한 분 한 분께 피해를 끼치거나 감정이 상하지 않도록 조심히 행동하는 편입니다. 가끔 너무 적극적으로 회사 일을 먼저 맡아 할 때는 선배님들이 격려를 많이 해주시는 편인데 뒤에서 '적극성이 지나치다.'는 피드백을 받을 때면 사실 기분이 좋지 않습니다.

열심히 하는데도 평가가 생각하는 대로 나오지 않아서 속상합니다. 현실적인 면에서 적극성이 있는 모습의 정도가 어느 수준인지 알고 싶습니다.

모든 것은 사회 통념적 기준을 잣대로 둔다.

적극적인 직원은 스스로 일을 찾아내거나 누군가가 할 수 있음에도 불구하고 가장 먼저 솔선수범하므로 다른 사람이 다그치거나 재촉할 필요가 없습니다.

직장인으로서 적극적인 자세로 업무에 임하고 일에 열정이 있다는 것은 정말 높게 평가할 만한 자세이자 앞으로 더욱 높이 성공할 수 있는 열쇠로 표현하고 싶습니다.

다만 '지나침은 모자람만 못하다.'는 말이 있듯이 적극적인 행동에도 지켜야할 선이 있는 법입니다. 사실 지나치거나, 지나치지 않는 정도의 수준을 찾기는 어렵지만 사회 통념적인 기준을 잘 알고, 이를 어떻게 지킬 것인지가 바로 우리가 숙지해야 과

제입니다.

동료에게 피드백을 받는 습관이 중요하다.

 제가 대학을 졸업하고 첫 직장에 입사했을 때 김소영 이라는 동기가 있었습니다. 사는 집도 저희 본가 근처라서 퇴근길에 담소도 나누며 취미도 즐기기도 했습니다. 소영이는 당시 유능하고 일 처리도 깔끔해 늘 팀장의 칭찬을 받았습니다. 회의할 때마다 팀장은 꼭 소영이의 의견을 물었고, 소영이 역시 자기 의견을 개진하는 데 적극적이었습니다.
 하지만 소영이는 오랜 기간 팀장의 인정을 통해 다른 선배들의 말을 무시하거나 동료들의 의견은 배제한 채 본인의 의견만 중시했습니다. 팀장을 등에 업고 어깨에 힘을 넣어 다닌다는 소문이 나돌며, 그녀를 눈엣가시처럼 보기 시작하는 동료들이 점점 늘어갔습니다.
 그러다보니 소영이에 대한 사실이 확인되지 않는 이야기까지 도마에 올랐는데, 본인의 성공을 위해서라면 팀장의 사적인 부분까지 모두 챙기는 사내 정치에 눈이 먼 직원이라는 소문이 돌기도 했습니다. 소문은 눈 깜짝할 사이에 눈덩이처럼 불어나 회사 전체로 퍼져나갔고, 순식간에 적극적인 성격이 단순 인정이나, 승진을 위해서 짜여 진 각본에 움직이는 직원이 되어 버렸습니다.
 시간이 지나 소영이는 동료들이 자신을 대하는 태도가 예전과 다르다는 것을 감지했고 주위에 보이지 않는 벽이 둘러쳐진 것 같은 느낌을 받았습니다. 그녀는 억울하다는 생각이 들었지만 저와 같은 동기들에게는 고민을 털어 놓거나 이야기를 해주지는 않았습니다. 사실 모두가 생각하는 것처럼 출세욕이 대단한 사람도 아니고 남에게 못할 짓을 한 적도 없었기 때문입니다. 본인이 떳떳해도 주위의 친한 사람에게 털어놓고 피드백을 받아보는 것 역시 중요한데 말인데 안타까웠습니다.

지나침을 일삼을 때 결국 손해를 보는 것은 자신이다.

 소영이의 다른 사례도 생각이 납니다. 프로젝트를 진행하는 도중 문제가 생겨 모두 고민 끝에 회의를 통해 해답을 찾기로 한 적이 있었습니다. 몇 시간을 회의를 했지만 좋은 생각이나, 솔루션이 될 아이디어는 나오지 않았고 모두 지쳐있었습니다. 직원들은 힘이 들어 쉬었다 다시 하자는 사람도 있었고, 결말이 없는 회의라고 다음번에 다시 준비해서 진행하자는 사람이 대부분이었습니다.
 하지만 지나친 적극성과 자신만만함에 회의를 계속 진행했으면 한다고 외치던 그녀는 순간 팀장의 차가운 시선과 정면으로 마주치고야 자신이 눈치 없이 오버했다는 사실을 깨닫고 정신이 번쩍 들었습니다. 소영에게 멘토와 같은 사람인 팀장의 표정이 굳어버리자 입을 닫을 수밖에 없었습니다.
 사실, 소영이의 행동이 나쁜 것은 아닙니다. 다만 그녀는 지나치게 나서기를 좋아하는 성격 탓에 스스로 자기 자신을 공공의 적으로 만들어버린 셈입니다. 자신만만한 것도 좋지만 지나치게 나섬으로써 다른 사람의 나설 자리를 가리게 된다면 원망과 시기의 화살이 날아오고, 결국 손해를 보는 것은 자기 자신이 됩니다.

시련을 겪지 않으려면 자기 자신을 잘 알아야 한다.

 직장에서 자신의 능력을 지나치게 과시하고 동료와의 조화를 무시하며 자신의 속내를 적절히 숨기지 못하면 결국 자기 과시욕 강하고 이기적인 사람으로 간주되어 직장생활에 적응을 잘 못할 수 있습니다. 직장을 다니는 사람들이 직무에 전문적인 능력을 갖추고 그 능력을 발휘해서 성공을 거두는 것은 중요합니다.

하지만 무엇보다 중요한 것은 자기 자신에 대해 잘 알아야 합니다. 본인의 장점과 단점에 대해 잘 알고 유지와 개선의 습관을 기른다면 회사 내에서 인간관계가 단단해질 수 있습니다. 물론 자기 자신을 객관적으로 판단하기란 어렵습니다. 그렇다고 평소 습관대로 행동하고 생각해서는 안됩니다.

주변의 사람들과의 관계를 위해서 자신을 면밀히 살펴보고 개선해야 합니다. 인간관계를 단단히 다져 두어야 나중에 힘든 시련이나 잠 못 이룰 고민들이 닥쳐와도 어려움 없이 이를 해결해나갈 수 있기 때문입니다.

《Summary》
● '지나침은 모자람만 못하다.'는 말도 있듯이 아무리 적극적인 행동이라고 할지라도 지켜야 되는 정도가 있다.
● 자기 자신이 말하고 행동하는 것에 의심이 가거나 자신이 없으면 주위의 친한 사람에게 털어놓고 피드백을 받아보는 것이 현명하다.
● 지나치게 나서거나 자신만만함으로 다른 사람의 나설 자리를 가리게 된다면 원망과 시기의 화살은 결국 자기 자신에게 돌아온다.
● 자기 자신의 장점과 단점에 대해 잘 알고 유지와 개선의 습관을 기른다면 언제 어디서나 좋은 인간관계를 맺을 수 있다.

◆ 이것저것 다 챙길지 말고 내 일만 잘하면 될까요?

《Trouble》
　손 박사님께서 말씀해 주신 현실적인 적극성의 수준이라는 것은 잣대가 뚜렷하지 않아 참 모호한 것 같습니다. 대다수가 인정하고 생각한다는 사회 통념적인 수준도 어느 정도인지 잘 모르겠습니다. 그냥 쉽게 생각해서 회사에서 주어진 내 일만 잘하는 것이 맞는 것일까요?
　지나친 적극성 때문에 괜히 나서서 직장 동료들로부터 미운오리가 될까봐 걱정이 됩니다. 손 박사님의 말대로라면 그냥 '본인 일만 잘하는 직원'이 되는 것이 마음 편할 것 같은데 그게 맞는 것일까요?

'지나치게 일을 한다는 것'과 '부수적인 일을 맡는 것'은 차이가 있다.

　많은 사람들이 '맡은 일만 잘하면 된다.'고 생각하지만, 그것은 큰 오산입니다. 더 많은 일을 하길 원해야 더 많은 기회를 얻고 그만큼 더 배울 수 있습니다. 앞서 말한 대로 '지나치게 일을 하는 것'이 아니라, '부수적인 일'마저 맡는다면 직장에서 성공하는 지름길입니다. 물론 책임지려는 마인드가 필요합니다.
　최근 2차 전지 배터리 소재 제조업체에서 컨설팅 할 때 만난 최 군의 이야기입니다. 최 군은 고등학교를 졸업하기도 전에 조기 취업으로 회사의 생산팀 엔지니어로 재직하고 있었습니다. 당시 회사는 직원들에게 매달 업무 실적표를 나눠주었는데, 그 표에는 개선 아이디어 도출 건수, 임무 완성 비율, 고객 불만사항 해결 건수 등이 기록되어 있었다.
　어느 날 업무 실적표를 받아들고 평가내용을 꼼꼼히 살펴보던

최 군은 한 가지 아쉬운 점을 발견했습니다. 지금 손에 쥔 것은 지난 달 업무 기록이라서 이번 달에 자신이 어떻게 일했고 실적 순위는 어느 정도인지 알려면 다음 달까지 기다려야 했습니다. 그는 '이런 피드백이 빨리 이루어지면 좀 더 효율적으로 관리할 수 있지 않을까?' 하는 생각이 들었습니다. 또한 업무 실적표의 구성이 너무 두루뭉술하고 예외적인 상황은 전혀 반영하지 않고 있어서 인력이 많은 본사와는 근무환경이 현저히 다른 생산팀에 적용하는 것은 무리가 있었습니다. 그래서 최 군은 회사 현실에 맞는 업무 실적표를 실용성 있게 만들어보리라고 결심했습니다.

그 후 최 군은 퇴근 후 집에 귀가해서도 상황별 파악이 가능한 '업무 실적표시(안)'을 만들었고 마침내 부서 반장에게 제출했습니다. 다행히 반장은 그 가치를 알아보고 최 군을 격려하면서 중요한 정보도 아낌없이 제공해주었습니다.

든든한 지원군을 만난 최 군은 드디어 새로운 업무 실적표를 만드는 데 성공했고, 이후에도 끊임없이 문제점을 보완해나갔습니다. 그렇게 완성된 업무 실적표는 생산팀에서 사용하기로 되었고 다른 부서에서도 그 실적표를 응용해서 도입하기도 했습니다.

본인에게 자신감을 불어줄 지원군이 있다는 것은 좋은 신호이다.

지나치게 일만 했다면 지원군이 나타나기가 어렵습니다. 하지만 동료들의 업무 편의를 위해 자발적으로 시작한 일이 당신의 가치를 새롭게 부각이 되거나 자신감을 불어주는 지원군이 나타나는 것은 좋은 신호가 될 수 있습니다.

부수적인 일에도 관심을 기울이고 해결하는 습관을 들인다면, 잠재된 능력이 깨어나, 직무 자신감이 점점 강해지고 주위 동료들 간의 관계도 향상됩니다. 어려운 순간이 닥쳐도 당신 주

위에 든든한 지원군이 나타나 도와 줄 것입니다.

　사회가 발전하고 기업이 성장하면서 개인이 회사 내에서 책임져야 할 범위도 확대되고 있습니다. 만약 한 사람이 한 가지 재주만 가지고 있고 그 재주조차 어설프다면, 과연 이 사회에서 발붙이고 살 수 있을까요? 지금부터라도 주변에 '부수적인 일'이 있는지 찾아보고 관심과 열정을 불어 넣어봐야 됩니다. 그리고 그 일을 자신에 대한 도전, 내공을 쌓을 수 있는 단련의 기회로 받아들여야 합니다.

《Summary》
● 동료와 회사를 위해 더 많은 일을 하길 원해야 더 많은 기회를 얻고 그만큼 더 배울 수 있다.
● '부수적인 일'에도 열정을 다해 해결하는 습관을 들인다면, 주위 동료들 간의 관계도 향상되어 어려운 순간이 닥쳐도 든든한 지원군이 나타난다.
● 부수적인 일이 있는지 찾아보고 관심과 열정을 불어 넣어는 것은 자신에 대한 도전, 내공을 쌓을 수 있는 단련의 기회인 것이다.

◆ 예전에 다녔던 회사와 동료들이 가끔 생각납니다.

《Trouble》
　손 박사님께서 진행하고 계시는 프로젝트와는 무관한 질문이지만, 지금 저는 많은 고민과 월요병에 시달리고 있는 것은 사실입니다. 가끔 예전에 다녔던 회사가 그리울 때도 있어요. 물론 당시에는 많은 고민들과 저의 삶의 방향과 어긋나는 부분 때문에 그만두었지만 좋은 추억들이 많았던 것 같아요.
　전에 다녔던 회사를 퇴사할 때 상사를 포함한 많은 동료들과 좋은 감정으로 나오지 못한 부분이 아직도 마음 속 깊은 곳에 신경이 쓰입니다. 평소에 사이가 좋지 못했던 상사와 다투고 뛰쳐나오다시피 행동한 부분에 반성이 되기도 하고요. 하지만 제게 조언을 해주거나 힘이 되었던 동료들을 생각하면서 추억에 잠길 때가 많은 요즘입니다.

언젠가는 다시 만난다는 각오로 인사를 하는 것이 중요하다.

　회사 생활을 하다보면 만나는 사람과 떠나는 사람을 겪는 경우가 많습니다. 특히나 떠나는 사람을 겪든지, 떠났던 사람이 되든지 간에 이별을 경험할 때 가장 중요하다는 것은 누구나 다 아는 상식입니다. 여기서 '왜 상식이 되었을까?'에 대한 의구심을 반드시 짚어 봐야 됩니다.
　인사의 여러 타이밍 중에 시작할 때의 인사보다 '마칠 때'의 인사가 더 중요하고, 만날 때의 인사보다 '떠날 때'의 인사가 더 중요하다는 것을 우리는 수시로 듣고 살아가고 있습니다.
　정확한 이유는 시작하거나 만날 때는 부족함이 있더라도 나중에 개선하고 보완할 기회가 있지만, 마치거나 떠날 경우에는 그 마지막 이미지가 고스란히 남기 때문이라고 할 수 있습니

다. 헤어졌을 때 언젠가는 다시 만난다는 말이 있듯이 보내는 입장이라면 서운하지 않게 잘 배웅해서 보내라는 의미가 있는 것이며, 떠나는 입장이라면 다시 만났을 때 오해와 미움 그리고 아쉬움이 없는 상태에서 재회 가능성에 염두 해두라는 의미입니다.

공적인 사회생활뿐만 아니라 사적인 인생 여정에서 만남은 헤어짐을 예고하고, 떠남은 공존했음을 전제로 하며, 여기에는 또 재회의 원리가 깔려있기 때문입니다.

하지만 회사와 같은 공적인 인사 관계 속에서 마지막 인사는 본인에 대한 모든 차원의 평가와 자질, 개인 인성에 대한 수준이 그대로 드러내는 상황이기 때문에 조직 내에서 마지막에 행동하는 모습이 매우 중요합니다.

조직 내에서 불만이 없는 사람은 절대적으로 없다.

저 역시 90년대 후반에 해외 유학시절 파트타임으로 대형 출판사에서 해석옮김 업무를 한 적이 있었습니다. 피부색도 다르고 사상과 철학이 전혀 달랐지만 동료들은 저를 위해 많은 것들을 배려했고 고위 간부들 역시 한국인인 제가 잘 적응할 수 있도록 도와주었습니다.

가끔 업무상 견해 차이로 오해가 있었지만 저 역시 빠른 시간 안에 오해를 풀고 원만한 인간관계를 이어나갔습니다. 하지만 조직 내에서 불만이 없는 사람이 없듯이 당연히 저에게 불만을 가진 사람도 있었습니다.

유학을 마치고 떠나오던 날 공항까지 와서 배웅해 주었던 출판사의 친한 동료들의 모습이 기억에 선합니다. 반면 짧은 시간이었지만 오해를 남기고 신세를 진 동료에게는 마지막 인사를 제대로 하지 못해 아직까지도 미안한 마음으로 살아가고 있는 것 같습니다.

이처럼 작별의 인사, 무엇이든 마무리할 때의 인사는 오래 기

억에 남게 됩니다. 매일의 만남과 이별에서도 헤어지는 인사를 더 잘 해야 하고. 출근 시보다 퇴근 시의 인사를 더 잘 해야 하는 것입니다. *요즘은 퇴근할 때 눈치를 주거나 받는 환경을 개선한다고 일부러 퇴근 인사를 안 하는 기업 문화도 생기고 있는데 그렇지 않은 입장이라면 그 취지를 존중해야겠습니다.

표현의 중요성을 깊이 말한다면 기쁠 때의 축하 인사를 중요시 하고, 슬플 때의 위로 인사를 빠뜨리지 않는 직원들을 보면 인간관계가 월등히 뛰어나다는 것을 볼 수 있습니다.

또한 회사 역시 평소의 인사보다 조직원이 떠날 때 더 잘해주고 아낌없이 표현해 주어야 합니다. 특히 면직이 될 때의 대응은 오랫동안 기억되며 기분이 나쁘거나 가슴 깊이 앙금으로 남게 되기 때문입니다.

좋은 방법으로 조직의 마지막 인사로써 성의가 가득한 송별회를 열어주거나 뜻 깊은 자리를 마련해 인사하는 절차를 준비할 수 있는데 이 부분은 무시할 수 없습니다.

예전을 그리워하기 싫다면 현실에 충실하라.

방금 말씀드린 것과 같이 항상 올 때보다 갈 때, 시작할 때보다 마칠 때, 만날 때보다 떠날 때, 성취했을 때보다 상실했을 때의 인사가 중요하다는 점을 강조하고 싶습니다.

공적인 관계에서의 마지막 인사는 새로운 시작을 향한 아름다운 의식이 되어야 한다는 것입니다. 직원들은 늘 새로운 마음가짐으로 마지막 인사를 하지만 결코 설레거나 두려움이 없는 것은 아닙니다. 인사를 하며 떠나는 것이 마냥 좋은 것은 아니기 때문입니다.

물론 떠나는 자는 깨끗이 떠나야 하는 법이지만 예전을 그리워하고 후회할 때도 많습니다. 우리는 과거를 돌이켜보면 많은 사람들과 작별인사를 했고 조직과 환경에서 떠났습니다.

예전을 그리워하기 싫다면 지금 현재에 충실히 하는 것이 가장 좋은 방법입니다. 개선하고 보완하고 주위의 사람들과 더

나은 관계로 만들어보는 것이 더욱 탁월하다고 느껴지기 때문입니다.

《Summary》
● 회사 생활을 시작할 때의 본인 이미지가 부족함이 있더라도 나중에 개선하고 보완할 수 있지만, 떠날 때는 마지막 이미지가 고스란히 남기 때문에 조심할 부분이다.
● 마지막 인사는 본인에 대한 평가와 자질, 인성 수준이 그대로 드러내는 상황이기 때문에 조직 내에서 이별할 때의 행동거지는 매우 중요하다.
● 회사는 면직된 직원이 떠날 때 부정적인 감정을 남기고 떠나기 때문에 성의가 가득한 송별회를 열어주거나 뜻 깊은 자리를 마련해 인사하는 절차를 준비하는 것이 중요하다.
● 예전 회사를 그리워하기 싫다면 현재에 충실해서 주위의 동료들과 더 나은 관계로 만들어 가야 한다.

◆ 이직 사이트에 접속하는 것이 습관이 되었습니다.

《Trouble》

 과거에 다녔던 회사를 그리워하는 마음이 생길 때마다 한없이 제 자신이 어리석어 보였으며 한편으로는 제 자신이 못나보였습니다. 물론 지금의 회사와 업무환경에 만족을 하려고 주기적으로 마음을 잡아보고 있습니다.

 제가 하고 있는 업무에 흥미를 갖고 재미를 찾기 위해 개선을 해보고 실적을 쌓으며 인정받으려고 노력을 거듭하면서 지내고 있는 상황입니다. 그러나 다른 한편으로는 아직도 제가 우리 회사와 잘 맞는지는 잘 모르겠습니다.

 회사와 어떤 이유 때문에 이직을 하려고 채용 사이트를 수시고 접속하고 있습니다. 분명 이유가 있겠지만 무엇 때문에 제가 이렇게 고민이 많고 적응을 잘 못하는지를 잘 모르겠습니다. 아침 해가 뜨면 회사 출근에 한숨부터 하는 것이 습관이 되었는지 우울하기만 합니다.

진정한 문제점은 절대적으로 본인만이 알고 있다.

 방금 말씀하신 고민은 어떤 상황에서부터 문제가 발생되었는지 진정한 사유가 어떻게 되는지는 다른 사람은 절대 알 수는 없습니다. 그 말은 홍 대리님이 직접 문제의 원인을 알고 있을 수 있다는 겁니다.

 문제점이 과연 회사에서 인간관계로부터 발생했는지, 아니면 회사에서 하고 있는 업무라든지 나의 비전과 성장성에 대한 걱정으로부터 발생되었는지 유추해 보면 정답을 찾아낼 수 있을 겁니다.

 후자가 원인이라면 제가 강조하고 싶은 말이 있습니다. 앞서

많이 이야기 드렸듯이 앞으로 살아갈 회사원은 한 회사의 일원이 되어 평생 근무하는 것이 아닌 회사를 거래처로 여기고 적절한 거리를 유지하며 일해야 합니다. 물론 이 곳 그린테크를 운영하는 경영층과 상사들에게는 섭섭하겠지만 어쩔 수 없는 현실입니다.

하지만 우리는 그런 마음가짐을 계속적으로 유지하며 일하기가 쉽지 않습니다. 예를 들어 회사가 불합리한 노동을 강요했을 때 강력하게 거부하려고 해도 자칫 인사 상 문제가 발생되거나, 해고가 걱정이 되어 참아야만 하는 현실입니다.

불합리한 점에 대해 당당하게 대응하고 회사의 부적절한 정책에 의견을 표현하기 위해서는 언제든 회사를 옮길 수 있는 현실이 전제되어야 합니다. 그러려면 노동시장에서 자신의 가치를 높여야 합니다.

나를 고용해줄 곳이 한 곳도 없어서 지금 일하는 회사에 어쩔 수 없이 붙어 다니는 현실일뿐더러, 다른 대책에 없다면 회사와 대등한 위치에서 교섭하지 못합니다.

참으로 안타까운 현실이지만 지금의 많은 근로자들의 상황이 그렇습니다. 그래서 우리는 우월한 위치에 있는 회사를 상대로 근로자의 요구를 쉽게 말하기가 어려울 수밖에 없는 것입니다.

지금하고 있는 업무가 나의 커리어를 쌓을 수 있는지 체크해 보자.

여차했을 때 다른 회사로 옮길 능력을 충분히 갖추려면 노동시장에서 자신의 가치를 항상 객관적으로 파악해야 합니다. 현재 노동시장에서 바라는 스킬이 무엇이며 희소성이 있는 직무와 전문성이 어떤 것인지 흐름을 숙지해놔야 합니다.

그 후에는 전략적으로 경력을 디자인해야 합니다. 회사에서 일정 기간 일하면 직무에 대한 연차가 쌓이는데, 문제는 이 직무가 다른 회사에서도 필요로 하는지 입니다. 노동시장에서 자

신의 가치를 냉정하고 객관적으로 파악해야 된다는 말이 바로 이 점입니다.

예를 들어 어느 회사는 사업장마다 거리가 너무 멀어서 중간에 공문서나 소모품을 전달하고 수취하는 업무가 있을 수 있습니다. 물론 직무를 비하하는 것은 아니지만 회사에 따라 사내의 한 부서에서만 통용되는 지나치게 보수적인 업무들이 있기 마련입니다.

사실 그런 업무 경험은 아무리 쌓아도 다른 회사로 옮길 때 도움이 될 경력이 아니라는 점을 알아야 합니다. 오히려 회사가 사라지면 일자리까지 같이 사라져버립니다. 더군다나 그런 업무에만 지나치게 몰두하면 회사 의존도가 높아질 수 있어서 더욱 위험한 상황이 될 수도 있습니다.

시장에서 몇 없는 값진 경력을 만들어 본인의 가치를 높여라.

한 가지 더 알아야 할 것은 한 부서에서만 통용되는 보수적인 업무 외에도 같은 기술을 지닌 사람들이 너무 많은 탓에 시장 가치가 낮은 직무도 있기 마련입니다. 예를 들면 변호사나 교사, 사회복지 관련 자격증을 보유한 사람이 수요대비 너무 많아서 포화 상태라고 합니다.

노동 인구가 많아지면 단순히 자격을 지녔다고 해서 유리한 위치를 선점해 싸우지 못합니다. 시장가치가 낮은 기술로는 역시 회사와 대등한 입장에 서지 못합니다. 따라서 경력을 만들어 갈 때는 노동시장에서의 가치를 객관적으로 파악해서 최대한 시장가치가 높은 업무를 선택하거나 자격을 취득하고 공부를 해야 합니다.

본인의 인사고과와 관련이 있는 상사와 경력 면담을 할 수 있는 자리가 있다면 업무에 관한 희망사항을 건의하면서 이 점을 이야기 나누는 것이 좋겠습니다. 하지만 지금 다니는 회사에서 하고 있는 일이 자신의 시장가치를 높일 수 있는 일이라면 무

슨 수를 써서라도 본인의 역량을 높여 전문가가 되어야겠습니다. 계속적으로 직무 관련된 공부를 해서 직무가 변동이 되거나 뺏기지 않도록 강력한 자신만의 무기를 만들어야 합니다.

많은 고민을 해보고 방법을 찾는다면 직접 자신의 가치를 높일 수 있는 대책은 충분히 많이 있습니다. 늘 긍정적인 마음을 갖고 촉박한 마음을 버린 뒤 장기적인 플랜과 전략으로 자신의 역량, 그리고 기술을 만들어 나가길 바랍니다.

《Summary》

● 회사의 불합리한 점이나 부적절한 정책에 당당히 형평성을 표출하기 위해서는 안타깝게도 언제든 회사를 옮길 수 있는 현실이 전제되어야 한다.

● 회사에 따라 사내의 한 부서에서만 통용되는 지나치게 보수적인 업무는 아무리 경력을 쌓아도 다른 회사로 옮길 때 도움이 되지 않는다.

● 같은 기술을 지닌 사람들이 너무 많은 탓에 시장가치가 낮은 직무 역시 다른 회사로 옮길 때 도움이 되지 않는다.

● 지금 회사에서 자신의 직무가 시장가치를 높일 수 있는 일이라면 무슨 수를 써서라도 본인의 역량을 갖춘 전문가가 되어야 한다.

◆ 상사들과 관계를 풀어 마음을 편하게 하고 싶어요.

《Trouble》
　제가 회사 생활에 대해 끔찍이도 힘들어했던 사실을 숨기고 있었나 봅니다. 솔직히 드러내고 싶지 않기도 했습니다. 일요일 밤만 되면 잠이 들지 않고 아침 해가 뜨면 회사를 나서는 길에는 한숨을 내쉬는 이유가 사람으로부터 받은 스트레스가 가장 컸다고 느껴집니다.
　오히려 이런 습관이 저를 더 괴롭히는 것 같습니다. 이제는 저를 괴롭혔던 상사들을 용서하고 관계를 회복해서 편한 마음을 갖고 싶습니다. 용서를 한다는 것이 바른 표현인지는 모르겠지만 좋은 관계로 개선할 마음이 있습니다.

상사는 말 그대로 회사 내에서의 윗사람일 뿐이다.

　직장 내 인간관계는 잘 풀리지 않는 것이 오히려 당연합니다. 오늘날 직장 생활을 하는 사람들 중에 "나는 회사에서 인간관계가 너무 좋아서 매일 행복하다."라고 말하는 사람이 오히려 이상하게 느껴질 수 있습니다. 직장 내 인간관계로 골머리를 썩는 회사원이 주위에 많다는 것입니다.
　일에는 그다지 불만이 없지만 특히 상사와 원만한 관계를 맺지 못해 월요병에 시달리거나, 회사에 갈 생각만 해도 우울하다는 사람이 제 주위에도 많습니다.
　상사나 동료와 잘 지내지 못하는 원인을 자신의 업무 능력이나, 커뮤니케이션 능력 또는 자신의 못난 성격 탓이라고 여기는 사람이 있습니다. 장담하건대 그 생각은 틀렸다고 확실히 말할 수 있습니다. 이 세상 사람들은 성격이 제각각이며, 당연히 나와 맞지 않는 사람이 존재합니다.

만약 직장에서 인간관계를 잘 맺지 못한다면 운 나쁘게도 자신과 정말 궁합이 맞지 않는 사람들과 조합이 되었을 뿐입니다.

직장에서의 인간관계는 어디까지나 직장 안의 것입니다. 일단 회사를 벗어나면 아무런 의미가 없다고 생각하면 쉽습니다. 홍 대리님이 관계를 풀고 싶어 하는 상사를 예를 들어보겠습니다.

상사는 본연의 직무이기 때문에 당신의 일을 지휘·감독하고 때로는 업무태도를 평가하거나 지도하기도 합니다. 회사에서 상사의 지시를 받으며 일하다 보면 왠지 상사가 인간적으로도 대단히 뛰어난 사람처럼 보이는 것이 당연할 수 있습니다.

그러나 상사라고 해서 당신보다 인간적으로나 모든 면에서 뛰어날 수는 없습니다. 상사는 태어날 때부터 홍 대리님의 상사가 아닙니다. 지금 다니는 회사에서 만나서 어떻게 시간을 함께 보내다보니 그런 지위를 가졌을 뿐입니다. 상사를 우월한 존재라고 생각할 필요가 없습니다.

스트레스로 병이 나는 것보다 차라리 그만 두는 것이 낫다.

우리나라 기업들의 인력 고용 시스템이 건재해서 종신고용이 유지되었던 예전의 시대에는 사원들에게 회사란 평생 일하는 곳이었습니다. 대학을 졸업해서 정년을 맞이하기까지 약 30년 이라는 세월 동안 한 회사에 계속 다니며 일하는 것이 당연했던 시절에는 회사가 직원들에게 특별한 존재였다는 것도 충분히 이해할 수 있습니다.

회사의 실적이 자신의 일생과 밀접하게 연관되었기 때문에 회사의 일원이 되어 사내에서 벌어지는 모든 일을 내 일처럼 여기었고, 온 가족이 열과 성을 다해 아버지가 회사에 헌신하는 것에 도움을 주었던 그 시대에는 그럭저럭 합리적이었습니다.

하지만 대퇴사 시대를 표현하는 현재 시점은 그런 사고방식이 통하는 시대가 아닙니다.

예전처럼 안정적인 경제 성장을 기대할 수 없는 요즘에는 아무리 규모가 큰 회사라도 언제 경영 상황이 기울어져 직원을 책임지지 못하는 상태에 빠질지 모릅니다. 회사가 직원의 평생을 보장해주지 못한다는 것이 전제가 되고 있습니다.

또한 회사의 일원이 되어 충성을 다하며 헌신한다고 해서 그에 합당한 보상을 받는 시대도 아닙니다. 가파르게 올라가는 최저임금으로 인해 기업은 상여금이나 각종의 보너스를 줄이는 등 오히려 직원들을 어떻게 저임금으로 노동을 시킬지 연구하고 있습니다.

회사와 직원의 관계도 시대에 맞춰 재인식해야 합니다. 내 자신을 '회사의 일원'으로 여기지 말고 '내 인생의 경영자'로 생각을 해야 합니다. 노동을 제공하고 돈을 받는 거래를 하고 있지만 서로 생각이 다르거나 피해를 받는다고 느껴지면 거래를 그만두고 헤어질 수 있다고 생각해야 합니다. 스트레스를 받아 온갖 병치레를 하는 것보다 빨리 털어내고 새롭게 시작하는 것이 이롭습니다.

상사에게도 적극적으로 칭찬을 하라.

물론, 새로운 직장에서 다시 시작하는 것이 이롭다고 표현했으나 말대로 쉽게 이뤄지기까지 많은 노력이 필요로 합니다. 새로운 직장에 뜻을 두고 있지 않다면 스트레스를 줄이는 방법을 찾거나, 스트레스의 원인이 되는 상사와의 좋지 않은 감정을 완전히 차단하는 것도 방법입니다.

상사와 좋은 관계로 빠르게 전환하려면 상사를 인정하는 것이 좋은 방법입니다. 인정의 좋은 사례는 바로 '칭찬'입니다. 우리는 상사에게도 칭찬을 해도 되는지 의문이 생길 수 있지만, 윗사람도 칭찬에 목말라 있음을 알아야 합니다. 승진으로 인해 위로 올라갈수록 칭찬받을 기회가 자연스럽게 없어집니다. 대한민국 기업의 모든 상사는 칭찬에 굶주려 있습니다.

실무자들은 늘 회사생활이 정신없고 바쁘기 마련입니다. 하지만 윗사람들은 편하다고 생각하면 오산입니다. 상급자일수록 통솔 범위가 넓어지고, 챙겨야 할 부분이 더 많아지기 때문에 일에 더 지치기 쉽습니다.

칭찬은 상사의 피로를 덜어줄 수 있습니다. 상사를 칭찬한다는 것은 상사를 인정을 하는 것이며, 둘 관계가 회복과 온정으로 나아가는 수단이 될 수 있습니다. 더 나아가 조직 전체를 밝고 건강하게 유지하는 효과까지 있습니다.

상사에게 언제나 칭찬을 해주려는 자세와 노력을 들이는 습관을 만들어 보시길 바랍니다. 칭찬은 관찰을 통해 발견된 사실을 표현하는 것이므로 상사에게 아부하는 것과는 근본적으로 다릅니다. 오늘부터 상사를 칭찬해 봅시다. 충분한 관계회복에 도움이 됩니다.

《Summary》
● 직장 내 인간관계는 잘 풀리지 않는 것이 오히려 당연한 것이며, 인간관계로 골머리를 썩는 회사원이 주위에 많다.
● 상사는 지금 다니는 회사에서 만나 어떻게 시간을 함께 보내다보니 나보다 높은 지위를 가졌을 뿐, 모든 면에서 우월한 존재가 아니다.
● 상사와의 관계로 인해 스트레스를 받아 고생하는 것보다 빨리 털어내고 새롭게 시작하는 것이 낫다.
● 상사를 칭찬한다는 것은 상사를 인정을 하는 것이며, 둘 관계가 회복과 온정으로 나아가는 수단이 될 수 있다.
● 상사를 칭찬하는 것은 관찰을 통해 발견된 사실을 표현하는 것이므로 아부하는 것과는 근본적으로 다르다.

◆ 동료들과 좋은 관계를 맺는 방법이 있을까요?

《Trouble》
　손 박사님과의 인터뷰를 하면서 진심으로 제가 갖고 있는 고민들의 원인이 무엇인지, 앞으로의 진로에 대해 어떻게 방향을 잡아야하는지에 대한 숙제들이 쉽게 풀렸던 것 같습니다.
　특히 상사를 포함해서 주위에 있는 많은 직장 동료들과 관계를 맺을 때의 중요성에 대해 한 번 더 생각할 수 있었던 계기가 되었던 것 같습니다.
　저의 직장생활과 제 삶의 기쁨을 위해 하루 동안의 오랜 시간을 지내고 있는 사무실 속에서의 행복을 위해 동료들과의 관계에 많이 신경을 써야겠다는 생각이 듭니다.
　앞으로도 동료들과의 좋은 관계를 위해 숙지해야할 사항이 있다면 많은 조언 부탁드립니다.

동료와의 좋은 관계를 맺기 위해 본인의 마음의 벽을 없애자.

　어릴 적 학창생활이나, 나이가 들어 직장생활을 하다보면 '누구와 누구는 친하다.' 는 말을 많이 듣습니다. 이 말은 어떤 사람이 특정 무리나 작은 집단 속에 포함되어 있다는 것을 가리킵니다.
　특히 직장생활 속에서의 이런 친한 무리는 비슷한 가치관을 가지고 있거나, 업무 관념이 다른 사람들보다 방향성이 일관되기에 더 잘 뭉칩니다. 어떠한 무리 안에서는 서로를 위해 목숨을 내놓을 수준으로 친분을 유지하기도 합니다.
　인간관계가 원만하면 상대의 의견이나 입장에 더 강한 공감대를 느끼고, 심지어 상대가 내놓은 어려운 요구를 쉽게 받아들일 때도 있습니다. 이것을 심리학 용어로 '자기 사람동체 효과'

라고 합니다. 쉽게 말해 나와 동료를 같은 유형의 사람이라고 생각하는 것입니다.

홍 대리님이 사무실에서 같은 말을 하더라도 좋은 관계를 맺고 있는 사람에게는 더 공감하게 되고, 싫어하는 사람에게는 거부감과 배타적 감정을 느낀 적이 있을 것입니다. 자기 사람이면 어떤 문제도 쉽게 해결하지만, 그것이 아니라면 모든 것은 정해진 기준이나 정책에 따라 판단했을 것이라 생각합니다.

남을 배타하는 마음을 없앤다면 '자기 사람'으로 불리는 동료를 더욱 확보할 수 있습니다. 또한 장단점을 떠나 직장에서 '자기 사람 효과'를 적절히 활용하면 어떤 상황에서는 일을 수월하게 처리할 수도 있다는 것이 시사점입니다.

'겸손, 공감, 정감' 이 셋만 외워 두어라.

저 역시 학교를 졸업하고 사회에서 처음 직상생활을 시작할 무렵 선배들로부터 들은 내용을 수년간 간추려 왔으며 저의 대표 도서에도 언급을 해놓았습니다.

저는 직장인으로서 평상시의 좌우명쯤으로 삼을 만한 기초 덕목을 3개로 간추리고 있습니다. 물론 앞서 말했던 사회초년생 시절에 만났던 선배들로 하여금 들어 왔던 것들을 포함해서 정리해왔었습니다.

30년을 훌쩍 넘게 사회생활을 하면서 기초 덕목은 늘 가슴 속에 간직했으며 저만의 사회생활이라는 패러다임에 가장 중요한 요소로 만들어 갔고, 수많은 컨설팅을 하는 과정 속에서 강조해 왔습니다.

기초 덕목 중 첫 번째, 사회생활을 하면서 '겸손'이 없으면 사회성을 잃은 것이나 다름없습니다. 회사생활을 포함해서 평상시에 항상 거만해 보여서는 안됩니다. 특히 사회 초년생 같은 신입사원이 건방져 보이거나 경솔해 보이면 소위 출세 따위란 다른 사람 이야기라는 것은 어느 정도 사실화 되고 있습니다.

물론 신입사원만 겸손 하라는 것이 아닙니다. 어느 정도 사회 생활에 물이 든 사람들도 윗사람 앞에서 거만해 보이는 것은 더욱 금물입니다. 직장생활이든, 바깥의 사회생활이든 간에 겸손이 제일의 덕목입니다. 그렇다고 해서 비굴하다고 표현되는 행동과는 구분해야 할 것입니다.

본인보다 똑똑해 보이는 후배를 키우는 상사는 있어도 절대 우월해 보이는 후배를 키우는 상사는 없는 법입니다. 후배가 우월해 보인다는 것은 상사의 능력이 부족한 것이라기보다 후배의 행동거지가 평범해 보이지 않다는 부정적인 표현입니다.

따라서 직장 생활을 하는 우리는 수시로 실질적인 겸손 연습을 해야 한다고 말합니다. 겸손이라는 마음가짐을 위해서는 진심으로 서로가 평등하다고 생각해야 합니다. 이것이 전제되지 않으면 겸손은커녕 심리적 거리는 더 이상 좁힐 수 없습니다.

걸핏하면 상대방을 탓하고 무시하는 태도를 보이게 되는데, 특히 이런 행동은 사람은 타인의 마음을 쉽게 얻기 힘듭니다.

두 번째, 동료와의 관계에는 '공감'이 형성되어야 합니다. 인간관계에서 상대방에게 충분한 믿음을 보여주면 정보 전달의 효율을 훨씬 더 높일 수 있습니다. 믿음을 보여준다는 것은 내가 먼저 공감을 하고 있다고 암묵적으로 말하는 것과 다름이 없습니다.

공감을 위해서 '대화의 기술'에 신경을 써야 합니다. 이는 매우 중요한 일입니다. 일상이나 직장에서 말과 수화를 통해 소통을 하지 않고는 살아갈 수 없습니다. 일단 이야기를 주고받거나 소통을 하는 목적 중 하나는 서로의 공통점을 찾는 것입니다.

공통된 취미와 가치관, 목표가 있거나 유사한 경험 사례가 있으면 대화를 나누는 사람들은 심리적 안정을 얻습니다. 인간관계에서 사람들은 자신도 모르는 사이에 '자기 사람 효과'를 활용합니다. '자기 사람'이라고 느끼게 되면 서로 간의 거리를 빨리 좁힐 수 있기 때문입니다. 그래서 상대방의 관점에서 대화

를 나누면 한결 안정되고 상대가 좀 더 이야기를 쉽게 수용할 수 있습니다. 대화를 나눌 때 상호 동등하다는 분위기를 만들면서 공감대를 형성하는 것이 키포인트입니다.

쉽게 설명하자면 "좋은 아이디어가 있나요?"라는 표현보다는 "당신과 함께 고민해서 좋은 방법을 찾고 싶습니다."는 표현이 더 좋은 방법입니다. 공감을 위해서 제일 먼저 타인에게 관심을 가져볼 필요성이 있습니다. 관심을 받으면 존중받는다는 느낌이 더욱 강해지기 때문입니다.

세 번째, 직장 동료와 '정감'은 무시할 수 없습니다. 인간관계의 기초는 어려움을 함께하는 데서 비롯되며 우정은 주로 힘든 상황에서 더욱 탄탄하게 싹이 트는 법입니다. 우정은 친구 사이에서만 비롯되는 것이 아닙니다. 직장 생활을 함께하는 동료와 정감을 주고받을 수 있으며 동료 역시 나의 친구이기 때문입니다.

동료 간에 슬픈 일이 있을 때 함께하지 않는 것은 소홀함과 다름없습니다. 직장 동료의 애사에 관심을 두지 않으면 정감 관계가 형성되지 않을 뿐더러 조직에서 도태되는 길을 걸을 수 있습니다. 정감이 형성되어 있다면 애사뿐만 아니라 모든 희노애락喜怒哀樂을 자연스럽게 공감하고 있다는 점을 찾을 수 있습니다.

정감을 나누고 동료들과 소통을 중요시 한다는 것은 좋은 관계 유지의 표본입니다. 직장에서 다른 사람의 도움이 없이 오직 혼자 힘으로 이룰 수 있는 일은 거의 없으며, 대부분은 동료와 힘을 합쳐야 실현이 가능합니다. 그런 의미에서 동료와의 협력을 통해 일을 더 효율적으로 완수할 수 있으니 이 또한 동료가 있음을 감사하고 관계를 지켜야 하겠습니다.

이해를 하고 신뢰를 더한다면 만사형통이다.

하지만 '겸손, 공감, 정감'이 가득해도 동료끼리 오랜 시간을

지내다보면 서로 다투거나 오해를 하는 사례가 충분히 있을 수 있습니다. 아니, 없는 것이 더 이상할 정도입니다. 이런 진퇴양난進退兩難의 경우를 피하기 어려울 때가 있습니다. 이럴 때는 서로 간의 진심 어린 이해와 신뢰가 필요하다고 말하고 싶습니다.

이해심이 없다면 오해의 오해를 거듭해 지나친 다툼의 연속이며 나중에는 쌍방으로 돌이킬 수 없는 화가 되는 결과를 낳을 가능성이 큽니다. 따라서 우리는 동료의 협조에 진심으로 감사하고 적극적으로 동료를 믿어야 합니다. 동료 간에 상호 신뢰가 있어야 같은 방향으로 함께 걸어가고 만사가 순조롭게 전개되어 추후에는 성공을 거둘 수 있습니다.

《Summary》
● 남을 배타하는 마음을 없앤다면 자기 사람으로 판단할 수 있는 동료를 더욱 많이 확보할 수 있다.
● 회사생활을 포함해서 평상시 거만해 보이는 등 겸손이 없으면 건방져 보이거나 경솔해 보이기 때문에 성공의 길을 따라가기 어렵게 된다.
● 동료와의 관계에서 먼저 믿음을 보여주면 정보 전달의 효율을 훨씬 더 높일 수 있으며, 서로간의 공감을 형성하는데 큰 도움이 된다.
● 우정은 친구 사이에서만 비롯되는 것이 아닌 직장 생활을 함께하는 동료와도 충분히 주고받을 수 있는 것이다.
● 동료 간에 이해와 신뢰가 있을 때 같은 방향으로 함께 걸어갈 수 있으며, 만사가 순조롭게 전개되어 성공을 거둘 수 있다.

PART 2. 수다쟁이 원소 이야기

◆ 저는 직장인 우울증에 걸린 것 같습니다.

《Trouble》

안녕하세요. 박사님. 처음 뵙겠습니다. 저는 클리닝 1팀의 미화반 소속 구병희 반장입니다. 저희 반을 구체적으로 말씀드리면 원청회사인 (주)두풍기계 제조 1공장에서 탑승식 청소기계를 이용해서 바닥 클리닝을 맡고 있습니다.

저는 현재 약 15년 차 근무 중입니다. 저 역시 클리닝 업무를 하면서 직원관리까지 맡고 있습니다. 신체적으로는 별다르게 아픈 곳은 없지만 조금의 우울증 증상을 갖고 있는 것 같습니다. 아직 병원에서 진단을 받은 것은 아니며, 주변 분들에게 부끄러워서 말은 하지 않고 있습니다.

아침에 일어나거나 특히 밤에 잠을 설치는 경우가 많습니다. 대부분 회사일 때문에 제 스스로 고민을 만드는 것 같습니다.

우울증은 부끄러워할 필요가 없는 증상이다.

우울증을 겪는 대부분의 직장인들의 공통적인 특성이 아침에 일어나기가 힘들며 사회적으로나 업무적으로 의욕이 없는 상태가 지속됩니다. 전반적으로 몸이 무겁고 출근길 모습을 살펴보면 발길이 상당히 부자연스럽습니다. 딱히 괴롭거나 슬픈 것도 아니고, 그저 공허한 상태에서 스트레스를 받고 있는 상황입니다.

사실 누구에게나 가끔씩 찾아오는 약한 수준의 우울증은 정상적인 삶의 일부분이라고 생각할 수 있습니다. 어떤 상황을 겪거나, 보고 들은 것들을 통해 슬픔으로 인한 무력함을 얘기하는 것이 아닙니다. 직장인들이 겪는 정상적인 우울증의 가장 흔한 증상은 의욕과 흥미의 전반적인 감퇴입니다. 가장 많이

겪는 현상이 신경과민성, 집중력 저하, 입맛의 변화, 불면증으로 볼 수 있습니다.

일반적인 원인으로 찾아온 우울증은 쉽게 극복이 된다.

증상이 심하게 나타나고, 수면 장애가 일주일 넘게 지속되며, 명백한 이유 없이 이런 부정적인 감정들이 되풀이된다면 의사나 정신치료 전문가를 찾아가봐야 합니다. 하지만 직장인들의 일반적인 우울증은 대개 업무와 관련된 원인을 가지고 있는데 그 원인 또한 찾아내기가 어렵지 않습니다.

가장 일반적인 원인들을 꼽아보면 중요한 프로젝트를 마무리 지었으나 결과가 좋지 않은 것 때문에 상실감이나 좌절감으로 우울해질 수 있습니다. 또한 정기승진에서 누락되거나 폭군 같은 상사를 만나 괴롭힘을 당하거나, 혼날 일이 수시로 이어질 경우 우울증에 걸릴 수 있습니다.

본인의 능력 이상의 성과를 요구하는 업무를 맡아 일하는 동안 상당한 스트레스를 겪은 후에도 우울증이 찾아옵니다. 특이한 점은 스트레스 받는 현재의 상황이 아니라 끝난 후, 일상적이거나, 좋은 상황을 기대하려는 시점에 바로 그 증상들이 나타나는 것입니다.

예를 들어 정신없이 명절을 맞이하고, 끝나고 나서 일상생활로 돌아온 다음 명절증후군을 겪게 되는 사례와 같습니다. 하지만 이 모든 것들이 평범하고, 자연스럽게 극복이 된다는 점을 알아야 합니다. 물론 극복하는 기간을 단축시키는 것은 충분한 본인의 노력이 있어야 합니다.

빠르게 극복하기 위해 좋아하는 일에 몰두하라.

우리는 이 땅에 태어나 행복하고, 즐거운 인생을 살 권리가 있습니다. 물론 즐거운 상황 속에서 우울감이란 찾아볼 수 없

습니다. 즐겁게 살기 위해서는 자극이 필요한데, 너무 의욕적으로 극도의 자극을 받는 일만 찾는다면 다시 쉽게 울적해질 수 있습니다.

소프트한 자극이 우리의 삶을 즐겁게 해줍니다. 일정표에 기대할 만한 계획들이 항상 몇 개는 잡혀 있어야 합니다. 꼭 성공적인 프로젝트, 최고의 성과, 먼 해외여행처럼 거창할 필요는 없습니다. 아내와 영화보기, 친한 동료와 점심식사, 지인들과의 낚시나 골프 같은 것도 좋습니다. 방금 말한 것들이 자극샘을 두드리지 못한다면 새로운 일이나 업무처럼 조금은 도전이 필요한 일에 손을 대보는 것도 좋습니다.

실제로 우울함에 빠지지 않고 자신의 성장에 도움을 준다면 더 이상 바랄 게 없습니다. 우울증 증상이 지속됨에 따라 자가치료를 위해 따뜻한 베란다에서 일광욕을 즐기며 명상에 잠기거나, 좋아하는 향을 내뿜는 차를 마시는 것도 좋은 방법입니다. 배우자나 친한 동료와 이야기를 나누면서 즐거운 시간을 보낸다면 더 좋습니다.

자연스러운 치료를 기대하는 것보다 기분이 좋아질 때까지 좋아하는 일에 몰두하면서 바쁘게 움직이는 것이 효율적입니다. 자연스러운 치료만 기다리다가 상황이 진정될 기미가 보이지 않으면 많은 의욕 감퇴를 불러일으키기 때문입니다.

극복하기 위해서는 몸이 피곤하거나 마음이 내키지 않더라도 기운을 차릴 수 있는 일들을 많이 해야 합니다. 제가 잘 아는 분은 점심시간을 이용해서 명상, 요가, 긴장을 완화해주는 음악 듣기, 자기최면 등을 통해 몸의 긴장을 풀면서 우울증을 극복한 분도 계십니다.

극복하는 기간이 길어지면 반드시 전문가에게 의뢰하라.

혼자서 긴장완화 명상이나 운동의 효과는 좋습니다. 하지만 제가 권장하고 싶은 것은 '좋아하는 사람과의 이야기'를 나누는

것입니다. 퇴근 후 저녁 시간에 가족이나 친구와 함께 이야기를 나누면서 시간을 보낼 때 훨씬 더 마음을 안정시켜 줍니다.

우울증 증세가 보이는 자신이 혼자 있으면 기분이 더 나빠질 수 있습니다. 다만, 사람들과 함께 시간을 보내되 한탄을 늘어놓거나 우울한 표정으로 부정적, 절망적인 말을 늘여 놓는 것은 금물입니다. 함께 있는 사람들에게 불편함을 줄 수 있기 때문입니다.

이런 방법들을 시도했는데 2주 후에도 우울증세가 지속되고, 기분이 나아지지 않으면 전문가를 찾아가봐야 합니다. 주위의 친구나 가족이 권하는 경우에도 그렇게 해야 합니다. 충분히 권하고 있다는 것은 그만큼 나의 증세가 남다르기 때문입니다.

우울증에 대처할 때 가장 중요한 것은 스스로의 판단입니다.

《Summary》
● 직장인들의 우울증은 대개 업무와 관련된 원인을 가지고 있는데 그 원인 또한 찾아내기 쉬우며 노력으로 쉽게 극복이 된다.
● 자연스러운 치료만 기다리다가 상황이 진정될 기미가 보이지 않으면 많은 의욕 감퇴를 불러일으키기 때문에 극복하려는 마음가짐이 중요하다.
● 기분이 좋아질 때까지 좋아하는 일에 몰두하면서 바쁘게 움직이는 것이 효율적이다.
● 우울증세가 보이는 자신이 혼자 있으면 기분이 더 나빠질 수 있으니, 가족이나 친구와 함께 이야기를 나누면서 시간을 보낼 때 훨씬 더 마음을 안정시켜준다.
● 주위의 친구나 가족이 전문가를 충분히 권하는 시점에는 반드시 전문가를 찾아야 한다.

◆ 퇴사하고 다른 진로를 찾기가 마냥 두렵습니다.

《Trouble》

성인이 되어 사회생활을 시작한 지는 20년이 가까워지고 있으며 나이도 40대 중반으로 접어들었습니다. 30대만 됐더라도 더 큰 꿈을 찾아 이직에 도전을 해보고, 배우고 싶었던 것들도 공부했더라면 더욱 나은 제 모습을 찾을 수 있있을 것인데 지금은 나이가 들어 다른 것들에 대한 도전이 두렵기만 합니다.

사실 지금이라도 더 나은 조건을 제시하는 곳이 있다면 퇴사하고 다른 진로를 찾는 것이 현명하지만 현실이 그렇지 못하는 것에 안타까운 마음이 듭니다.

퇴사를 고민하는 것은 연령대를 떠나 누구나 갈망하는 것이다.

우리가 직장생활을 하면서 중도 퇴사는 대부분 젊은 청년들이 활발히 행하고 고민하는 연령대라고 생각하고 있습니다.

20~30대 청년들은 조직에서 상대적으로 어리고, 경력이 없는 사회초년생으로 신입과 막내의 역할을 부여 받습니다. 또한 이들의 대부분이 일터에 들어 간지 얼마 되지 않아 과반수가 퇴사를 생각한다는 것 초자 사실입니다. 빠르면 3일에서, 느리면 1~3개월이 지났을 때부터 퇴사를 고민을 합니다.

입사를 하고 일을 시작한 지 얼마 되지 않았기 때문에 처음에는 상사로부터 인정을 받기위해, 또는 신중하게 프로젝트를 이해하기 위해 더 열심히 일하려고 합니다.

일이 익숙해질 무렵에는 조직 시스템에 대해 깨닫게 되고, 프로세스와 동료와 선배의 부재로 어려움을 겪습니다. 꼼꼼히 일을 가르쳐주는 상사도 없으며, 상사의 결정에 따라 모든 것이 바뀌고, 직장 내 위계질서가 견고해서 마음의 상처를 받거나,

괴롭힘을 당하더라도 호소할 수 없고, 해고 통보나 불합리한 인사고과에도 발언권을 얻기 힘든 위치에 있었습니다.

그렇게 시간이 흘러도 경력을 쌓을 수 없고, 일도 배울 수 없다는 것을 깨닫습니다. 이러한 조직 구조와 일터에서 청년들은 성장 가능성을 보지 못했기 때문에 청년들의 이직활동은 더욱 활발합니다.

과연 '청년들만 이직활동을 갈망하는가?' 라고 물었을 때 절대적으로 '아니다'라고 저는 답변하고 싶습니다. 청년은 시간이 들수록 중년이 됩니다. 중년은 회사에서 관리, 책임의 직무를 맡게 됩니다. 하지만 오래전부터 '남아야 하는가?', '떠나야 하는가?' 라며 자신에게 던지는 질문이 반복되는 시간을 지내며 살아왔기 때문에 청년들만 이직을 생각한다는 것은 잘못된 생각입니다. 나이든 40~50대들도 충분히 느끼는 감정입니다.

이유가 있어도 직원들은 이유를 말하지 않는다.

인터넷에서 사직서 쓰는 법을 검색해보면, 많은 퇴사자가 사직서에 '일신상의 사유로 퇴사하겠습니다.' 라는 말을 적는다는 것을 발견할 수 있습니다.

일신상의 사유란, 무척 다양한 이유를 손쉽게 설명할 수 있으며, 퇴사 원인을 개인의 사정으로 돌린다는 것의 뉘앙스로 볼 수 있습니다. 조직에서 발생한 문제로 퇴사를 하더라도 기록에는 개인의 사정으로 퇴사한 것으로 남기겠다는 것입니다.

중간 퇴직자들은 사직서처럼 겉으로는 개인의 의지에 따른 자발적인 퇴사처럼 보이지만, 실제로는 다른 경우가 많습니다. 개인이 감당할 수 없는 상황을 경험했거나, 퇴사하는 순간까지도 자신이 일을 그만두는 정확한 이유를 꺼내거나 공론화하기를 꺼려하는 경우가 많습니다.

그 이유를 정확히 알려드린다면, 소문은 꼬리표처럼 늘 따라다니고 이직을 할 때 전 직장의 평가는 중요하기 때문입니다.

레퍼런스 체크reference checks 조회가 신경이 쓰이기에 '일신상의 사유'라고 쓰고 아무 탈 없이 무난하게 퇴사하는 게 답이라고 생각합니다.

대책이 없이 퇴사를 한다고 답이 해결되는 것은 아니다.

몇몇의 사람들은 일터에서 겪었던 폭력이나 부당함으로 인한 스트레스Stress와 트라우마trauma 때문에 퇴사를 결심하는 경우도 있습니다.

하지만 그 정도가 아니라 근로자라면 누구나 한번쯤은 생각하는 일종의 자연스러운 일탈을 꿈꾸며 퇴사를 생각하고 이직에 노력을 들이고 있다면 다시 곰곰이 생각해 볼 필요가 있다고 말씀드리고 싶습니다.

많은 근로자 대상으로, 특히 20~30대 청년들에게 어떤 방식으로 퇴사를 했는지 물어봤었습니다. 영화나 드라마처럼 사직서를 던지거나 회사와 싸우면서 퇴사한 경우는 없었습니다. 대부분 소속회사에서 불만을 갖고 다른 구직을 위해 퇴사한 경우가 가장 많았고, 계약이 만료돼서 회사를 나온 케이스, 구두로 퇴사를 밝혔으나 상사가 무시해서 계속 출근을 해야 하는 어처구니없는 사례도 들어보았습니다.

입사도 어렵지만, 퇴사도 쉽지 않은 과정이었습니다. 일부 청년들은 '회사가 천재지변으로 무너졌으면 좋겠다.', '사업이 망하고 덩달아 사장도 폭삭 망했으면 좋겠다.', '불이 나서 없어졌으면 좋겠다.'고 했습니다. 이들에게 일터는 없애버리고 싶을 정도로 힘든 곳이었다는 것을 증명해주었던 면담이었습니다. 하지만 이런 케이스는 극히 드문 케이스입니다.

'회사는 전쟁터이지만, 회사 밖은 지옥이다.'라는 말은 대한민국의 퇴직자들이 진심어린 마음으로 만들어 냈다고 생각합니다. 하지만 회사에서 삶을 지속하기 어려울 정도로 극심한 스트레스에 시달리거나 우울증, 무력감 등 신체적 증상을 경험하

고 있으며, 과도한 업무, 육체적·정신적 소진, 저임금, 군대 문화와 성희롱 등 폭력적인 분위기가 만들어져 있는 조직이라면 무리에서 나오는 게 정답입니다. 회사가 지옥인 셈입니다.

일종의 일탈과 다른 조직의 떡이 커 보이는 사유 등으로 무계획적으로 일자리를 옮기는 것이라면 후회할 확률이 큽니다. 다른 것을 경험하고 싶어 한다든지, 잠시 쉬고 싶으며, '다른 조직은 어떨까?'하는 생각은 세상 어느 누구나 생각하는 것들입니다. 상황을 잘 고려하고 판단을 잘해야 합니다. 진로란 인생의 방향에 결정이 되는 큰 요소이기 때문입니다.

장기적 실업자가 되지 않는 조건으로 움직여라.

일반적으로 퇴사란, 회사를 그만둠으로써 기존의 일터와 관계를 정리하는 것입니다. 새로운 직장으로 이직하는 과정이 되기도 하고, 창업이나 다른 직종으로 직업을 변경하는 계기가 되기도 합니다.

또 일에서 잠시 거리를 두고 자신을 돌보거나 쉼을 취하는 회복의 시간이기도 합니다. 여기서 중요한 것은 일정한 기간의 쉼을 취하는 시간이지, 앞으로 어떻게 될지 모르는 상태에서 쉼을 선택하는 것은 위험합니다.

일하지 않는 상태가 지속되고, 실업자가 되어 구직에 힘들어하는 상황을 자처하는 꼴이 나서는 안됩니다. 일자리를 옮기고 다른 진로를 위해 새롭게 준비하고 도전하는 것은 자신의 판단으로 이뤄집니다. 우발적으로 생각하거나 다른 사람들이 하고 있는 모습을 따라 하는 것에 비롯되면 부정적인 결말을 초래할 수 있습니다. 현재의 일하는 본인의 모습을 다시 바라봤으면 합니다.

일하는 사람은 아름답습니다. 일을 할 때 목표를 가질 수 있으며, 일을 마칠 때는 보람이라는 맛을 느낄 수 있습니다. 일을 하면서 새롭게 꿈을 꾸고, 일을 하면서 충분히 공부를 하며 역

량을 키울 수 있습니다.

《Summary》
● 청년 때부터 '남아야 하는가?', '떠나야 하는가?'라는 자신에게 던지는 질문이 반복되는 시간을 지내며 살아왔기 때문에 중년들 역시 회사를 떠나고 싶어 하는 감정을 잊지 못한다.
● 중도 퇴직자들은 자신이 일을 그만두는 정획한 이유를 끼내거나 공론화하기를 꺼려하는 경우가 많은데 그 이유는 이직을 할 때 전 직장의 평가가 중요하기 때문이다.
● 회사에서 삶을 지속하기 어려울 정도로 극심한 스트레스에 시달리거나 우울증, 무력감 등 신체적 증상을 경험하고 폭력적인 분위기가 만들어져 있는 조직이라면 퇴사가 답이다.
● 퇴사를 우발적으로 생각하거나 다른 사람들이 행했던 모습을 따라하는 것에 비롯되면 부정적인 결말을 초래할 수 있다.
● 일을 하면서 새롭게 꿈을 꾸고, 일을 하면서 충분히 공부하며 역량을 키울 수 있다.

◆ 저희 팀은 활력이 거의 없는 것 같아요.

《Trouble》

 저희 미화반은 총원이 5명입니다. 그 중에서 제가 반장을 맡고 있으며 클리닝 1팀장님의 지휘 감독을 받고 있습니다. 직원들은 오전 8시 반 정도 되면, 미화반 사무실에 모입니다. 물론 가볍게 인사는 하지만 활력은 없습니다.

 커피를 타 마시는 사람도 있고, 그저 시업에 들어가기 전에 여기저기 보이는 의자에 앉아 대기 후 9시에 현장으로 갑니다. 가끔 형식적인 아침 TBMTool Box Meeting 회의를 할 때도 있지만 반원들은 표정은 귀찮은 내색이 여전합니다.

 함께 있을 때는 말이 거의 없는 편이라고 볼 수 있겠습니다. 워낙 말이 없으니, 직원 간에 서먹하기도 하고 대체적으로 직원들 자체가 힘이 없어 보인다고 표현하는 것이 맞는 것 같습니다. 직원들이 활력을 찾아서 열정적인 모습을 보여줬으면 합니다.

집단의 우두머리가 먼저 출발을 해야 한다.

 매일 아침 동료들을 만날 때 반갑게 인사하는 문화를 만들어 보시기 바랍니다. 인사의 출발은 따뜻한 가슴입니다. 따뜻한 가슴을 통해서 집단을 이루는 반원들을 인간적으로 인정하고, 같은 입장에 서서 서로를 위하는 마음을 표현할 수 있습니다.

 직원들과 얼굴을 마주하고 반갑게 인사하고, 따뜻한 가슴에서 나오는 말 한마디가 하루의 기분을 만들어내는데 큰 힘이 있습니다. 하루의 인사가 사람을 살리고 성장시키는 큰 영향력이 있습니다. 구 반장님이 먼저 나서서 힘차고 반갑게 직원들을 맞이해 주시길 바랍니다.

 사람을 살리고 키우는 방법 중에 교육을 받거나 컨설팅에 참

여하는 방법도 있지만, 비용이 들지도 않으면서 높은 효과를 누릴 수 있는 방법이 바로 '격려'하는 활동입니다. 격려는 사람들의 용기나 의욕이 솟아나도록 북돋워 줍니다. 이 격려라는 행위의 강한 위력에 관한 사례는 많습니다.

조직에서 절망과 실의에 빠진 후배를 단 한 번의 격려로 되살아나게 해본 적이 있습니다. 저희 회사에서 함께 일 하는 송희은 차장이라고 있습니다. 저와 일한지도 벌써 10년이 넘었습니다.

송 차장은 우리 회사에서 첫 부임을 받았을 때 마케팅업무를 담당했습니다. 처음에는 활력도 강했고 열정이 가득 차 보였지만 1년이 채 지나지 않아 지속적으로 무기력하고 소침해보였습니다. 아침 회의 때도 아이디어 제시는커녕 시간만 때우는 모습이었습니다.

걱정이 되어서 한번은 제가 불렀습니다. 알고 보니 마케팅업무를 함께하는 동료보다 본인의 능력 떨어지고, 전공자도 아니어서 회사에 피해를 주는 것 같다고 솔직하게 말했습니다. 말을 이어 마케팅에 성과를 내는 동료들을 보니 업무의욕이 점점 떨어진다고 했습니다.

본래는 밝은 성격인 것을 잘 알고 있기에 당시 사원이었던 송 차장에게 격려를 통해 사기를 살려주는 방법을 찾기로 했습니다. 업무 실적이 없었기에 딱히 칭찬할 것은 없었기 때문입니다.

마케팅 업무를 하는 2명의 직원들에게 함께 작품을 만들 수 있는 프로젝트를 지시했고 2주가 흘러 멋진 아이디어를 도출해낼 수 있었습니다. 프로젝트 기간 내내 송 차장에게 열심히 하는 모습에 좋은 성과가 기대된다고 격려해 주었습니다. 프로젝트가 끝난 후 저는 송 차장에게 말했습니다.

"송 사원님은 충분히 잘하고 있으며, 동료와 함께하는 프로젝트에 본인의 역량을 충분히 투여하는 모습에 감동을 받았습니다. 이번 프로젝트처럼 앞으로도 마케팅 동료들과 함께 시너지

를 낼 수 있는 많은 과제를 성공시킨다면 더욱 회사에 큰 도움이 될 것 같습니다."

격려하기를 보름도 안 되어 송 차장은 점점 밝아지고 말도 많아지기 시작했습니다. 회의 때 꾸준히 아이디어도 냈습니다. 평소에 책을 좋아하는 것은 알고 있었는데 머릿속에 웅크리고 있던 멋진 업무 지식들이 줄지어 나오는 듯했습니다.

그녀는 활기와 열의를 되찾았고, 그 후 보직 변경과 요직을 거쳐 현재는 지금의 어엿한 차장 자리까지 올랐습니다.

칭찬보다 '격려'가 더 중요하다.

직장 내에서의 격려활동은 직원의 장점과 직원이 성과를 위해 시도하는 일에 대해 초점을 맞춤으로서 직원에게 '자신감'과 '자아 존중감'을 갖게 하는 또 다른 칭찬 방법으로 말할 수 있습니다.

사실 칭찬과 격려가 차이점이 없이 비슷한 유형으로 볼 수 있지만 상당한 차이가 있다는 것을 알 수 있습니다. 칭찬은 무슨 일을 잘했을 때 주어지는 결과에 대한 보상이고, 격려는 비록 결과물에 초점을 맞추는 것이 아니라 현재의 과정에 노력하는 것이 보이고 작게나마 향상되고 있을 때 주어지는 과정에 대해 힘이 되는 요소입니다.

따라서 격려는 직원이 스스로를 가치가 있다고 느끼도록 돕고 목표에 도달할 수 있도록 동기를 부여합니다.

격려를 하기 위한 첫 번째 원칙은 직원을 있는 그대로 받아들이고 행동의 긍정적인 측면을 지적하며 신뢰하고 있음을 보여주는 것입니다. 또한 직원이 본인 스스로를 믿게 해야 합니다.

두 번째 원칙은 성취를 요구하기보다는 노력과 향상을 인정해야 합니다. 직원들은 무한한 가능성의 소유자들이고 그 미래를 열어줄 수 있도록 돕는 것은 상사입니다. 직원들이 결정력에 대해 자신감을 가지며 다른 동료와 회사를 존중할 줄 아는 사

람으로 성장하길 바란다면 무한 격려를 해주어야 합니다.

과정에 대해 격려를 했다면 결과물에 '칭찬'을 하라.

앞서 말한 것처럼 칭찬은 성공을 한 사례, 목표에 도달했을 때 주어지는 결과에 대한 보상이고, 격려는 성공을 목표로 하는 과정에 에너지를 주는 것입니다. 직원들이 긍정적인 결과물을 선보였을 때 잘 한 것을 '잘했다.'고 말해주는 피드백은 중요합니다.

칭찬은 직원을 신명나게 합니다. 나아가 칭찬은 조직 분위기를 활기차고 재미있게 만듭니다. 일에 흥미를 갖게 하며, 노력을 통한 성과에 대해 귀함을 알게 됩니다.

직장 생활 속에서 하는 칭찬 실천은 그냥 바라만 본다고 잘되지 않습니다. 항상 직원들에게 관심을 가지고 의도적으로 칭찬거리가 없는지 살펴봐야 보이며, 보이면 즉시 칭찬을 해주는 습관이 중요합니다.

칭찬은 좌절을 희망으로 바꿔주고 시들어가는 생명도 되살아나게 하는 힘이 있습니다. 후배들의 심신에 활기와 열정을 불어넣고, 상사의 얼굴도 빛나게 합니다. 기억해야 할 것은 어떤 칭찬이든 반드시 칭찬할 사례, 사실이 있어야 합니다.

칭찬받을 사례가 없는데 막무가내식으로 칭찬하는 행동을 보여서는 안됩니다. 칭찬의 소재를 찾기 위해서는 일상에서 직원들 대상으로 관심을 깊이 가져야 잘 보입니다.

직원들의 업무 스타일과 주요 관심사가 무엇인지 빨리 익히는 것도 중요한 기초사항이 됩니다. 사실관계도 없는 일반적이지 않은 칭찬은 아무런 효과가 없으며, 오남용할 경우 부작용만 일으킵니다.

칭찬은 자연적으로 상호호환이 된다.

저 역시 직원들에게 많이 칭찬을 하는 상사가 되기 위해 노력하는 편입니다. 직무를 떠나서 여러 방면에서 칭찬을 해주자, 평소에 말수가 적은 직원들도 피드백을 줍니다. '감사합니다.'는 말과 저에 대한 칭찬으로 답변을 합니다.

이처럼 후배들에게 칭찬을 하면 덩달아 상사도 칭찬을 받아 서로 간 기분을 좋게 만드는 효력을 갖습니다. 즉, 칭찬은 긍정 피드백을 즉시 받을 수 있고, 조직 분위기를 향상시키는 효과도 탁월합니다.

구병희 반장님! 격려와 칭찬을 즐기는 습관을 가졌으면 합니다. 직원들이 기분이 좋고 행복할 때 일에 대한 활력도 찾을 수 있고 고객의 만족도까지 높일 수 있습니다.

《Summary》
● 상사가 직원들에게 반갑게 인사하고, 따뜻한 가슴에서 나오는 말 한마디를 통해 집단 전체가 좋은 기분을 가질 수 있다.
● 격려는 직원이 스스로를 가치 있다고 느끼도록 돕고 목표에 도달할 수 있도록 동기를 부여한다.
● 직원들이 긍정적인 결과물을 선보였을 때 잘 한 것을 잘했다고 말해주는 피드백은 아주 중요하다.
● 후배들에게 칭찬을 하면 덩달아 상사도 칭찬을 받아 서로 기분을 좋게 만드는 효력이 있다.
● 직원들이 기분이 좋고 행복할 때 일에 대한 활력도 찾을 수 있고 고객의 만족도까지 높일 수 있다.

◆ 저희 팀에 '일 잘하는 사람'이 없어서 고민입니다.

《Trouble》

　직원들이 개인적으로 활력이 넘치고 성격이 유쾌했으면 하는데 그것은 지극히 개인 성향이자 성격이라는 생각이 듭니다. 다만 일을 할 때는 정말 열정을 다해 온 힘을 쏟아 붙는 직원들이 많았으면 합니다.

　하지만 저희 미화반에는 '일 잘하는 사람'이 거의 없습니다. 후배들이 일을 잘하면 상사인 저 역시 배울 것도 생기고 함께 노력하는 조직이 되길 바라는데 현실은 그런 점이 희망사항만 될 뿐입니다.

'일'을 바라보는 관점이 변하고 있다.

　그린테크의 많은 직원들이 '일의 의미'에 대해 한번 생각해 볼 필요성이 있습니다. '일'이란 노동을 통해 수입을 벌어들이는 것 이상의 의미를 지니고 있습니다. 사회변화에 따라 일의 의미와 노동관점이 변하고 있습니다.

　우리나라 고용·노동 분야의 유일한 국책연구기관인 한국노동연구원이 말하기를 1960~70년대 노동자들은 헌신적으로 무작정 일만 하였다고 합니다. 당시에는 노동자가 조직화되지 못한 상태였고 고용 안정성이 취약할 뿐만 아니라, 정당한 대가도 요구할 수 없었습니다.

　노사관계 또한 대등한 관계라기보다 기업이 노동자를 보호대상으로 보는 관계였습니다. 기업을 옛날 가부장적인 집의 모습으로 생각한다면 이해하기 쉬울 것입니다. 이러한 관계는 산업화가 발전이 되고, 많은 제조업의 기반을 통해 국제경쟁력을 향상시키고자 했던 당시 국가정책과 산업 환경에서 자연스럽게

유지되어왔습니다.

그렇기에 낮은 임금에도 불구하고 노동자들은 '일자리' 자체를 유지하기 위해 묵묵히 일했던 것입니다. 근면하고 성실하게 일하지 않으면 '일을 못하는 사람'으로 간주했습니다.

1980년대에 들어서, 한국은 비약적인 발전과 경제성장을 이루었고 근로 소득도 급격하게 높아졌습니다. 이 시기에 사람들은 주어진 일을 하는 수동적 노동자에서, 능동적으로 일을 선택하는 노동자로 변합니다. 일의 의미에 대해 서로 질문을 던지기 시작한 것입니다.

이러한 태도의 변화는 노사관계에 많은 영향을 미쳤습니다. 1980년대부터 3D업종에 커다란 이슈가 시작됐는데, 3D업종이란 힘들고Difficult, 더럽고Dirty, 위험한Dangerous의 머리글자인 D자를 따서 만든 용어로 주로 제조업·광업·건축업 등이 꼽힙니다.

국민소득의 증가와 편안한 것을 추구하는 사회분위기로 인해 구직자들은 3D업종을 기피하기 시작했고, 경영계는 만성적인 인력난을 겪기 시작했습니다.

흥미로운 점은 한국노동연구원이 1990대 중순 공개한 보고서를 보면 '기업이 일하는 사람에게 새로운 비전을 제시해야 하고, 기업의 성장과 노동자의 승진 가능성이 함께 가야한다.'고 제안했다는 점입니다. 또한 '직장 분위기가 경직되면 일하는 사람들이 긴장하고 불만이 높아지기 때문에 인간관계에도 신경을 써야 한다.'고 지적 했습니다.

더불어 인격적인 대우와 상호 신뢰를 기반으로, 능력에 맞게 일을 배치할 것을 제안하며, 충분히 여가시간을 보낼 수 있도록 '조기 출퇴근제도'를 도입해야 한다고 주장했습니다.

약 30년 전에 제안한 이 주장들이 오늘날 얼마나 일터에서 현실화되었는지 생각해보면, 우리나라의 일터는 대부분 여전히 과거에 머물러 있다 해도 과언이 아닙니다.

한국은 단기간에 산업과 노동구조 변화를 경험했고, 특히 1990년대 후반에 발생한 외환위기는 일하는 사람에게 또 다른

주체가 될 것을 요구했습니다. 그렇다면, 2000년대를 지나 20여년이 훨씬 지난 오늘날, 사람들의 일하는 형태나 조직에서 요구하는 노동자의 상이 얼마나 달라졌을까요.

현 시대에 '일 잘하는 사람'이란 어떤 사람인가?

조직에서는 '일 잘하는 사람'이 입사하기를 바라고, 신입직원들 역시 '일 잘하는 사람'이 되기를 바랍니다. 모두가 일을 잘하는 것이 개인이나 조직에 이로운 것이라고 생각합니다. 하지만 조직에서바라는 인재상과 개인이 생각하는 인재상 사이에는 간극이 충분히 존재하고 있습니다.

신입직원들이 생각하는 '일 잘하는 사람'이란, 일에 대한 이해도가 높고 업무를 효율적으로 처리하며 동료와의 협업, 소통에 뛰어난 사람이라고 생각합니다. 반면에 기업은 여전히 조직을 위해 헌신하고, 희생할 수 있는 사람을 '일 잘하는 사람'이라고 평가를 합니다. 이 둘 사이의 간극은 조직 내에서 갈등의 원인이 되기도 하고, 나아가서 퇴사의 이유가 되기도 합니다.

늦은 시간까지 회사에 남아 있다고 '일 잘하는 사람'이 되는 것은 아니다.

일터에서는 정해진 업무시간보다 더 오래 사무실에 있는 사람을 회사에 기여하거나 '일 잘하는 사람'이라고 평가하는 문화가 존재하는 기업이 많습니다.

일터에 오래 있다고 해서 업무 효율성이 높아지거나 성과가 나는 것은 아니라는 점을 충분히 알고 있음에도 불구하고, 자리를 오래 지키는 것에 회사에 공을 들이고 있다고 평가합니다. 그러다 보니 일이 끝나도 상사와 동료들 눈치에 퇴근을 못하거나, 법적으로 주어진 휴가나 휴식마저 제대로 사용하지 못하기도 합니다.

제도적으로 휴식시간이 보장된 곳임에도 불구하고 눈치를 보느라 쉬지 못하는 현실과 기업을 신성시하고 일과 삶의 균형을 보장 받지 못하는 문화는 과로 사회를 유지하는 데 일조합니다.

늦은 시각, 오랫동안 일을 하는 모습을 통해 일에 대한 열정과 책임이 강한 직원들로 보이려고 공을 들이는 사람들이 늘어납니다. 겉보기에는 충분히 몰입하고, 높은 노동 강도를 참으면서 일하는 것처럼 보이지만 아쉽게도 일을 제대로 하는 사람들은 좀처럼 찾기 힘듭니다.

위와 같은 집단은 사실 능률이 시간이 흐를수록 낮아집니다. 말 그대로 항상 무리하는 사람이 회사에서 인정받고, 일을 잘 할 것이라는 분위기가 존재하면 인정받기 위해서는 당연히 무리를 해야 하는 문화로 잡힙니다.

진정한 '일 잘하는 사람'은 낮은 노동량으로 성과를 내는 사람이다.

그러면 기업이나 현 시대 신입사원들이 아닌 사회가 진심으로 인정하는 '일 잘하는 사람'은 어떤 사람일까요? 그저 경력만 오래 쌓았다고 상대적으로 높은 능력을 갖추는 것은 아닙니다. 또한 자기 착취와 희생을 불사르는 직원도 아닙니다.

일 잘 하는 사람은 첫째, 피드백을 잘 주고받습니다. 모든 업종에서 직원들의 피드백 능력이 뛰어나면 실시간으로 우수한 결과물을 내놓을 수 있습니다. 둘째, 회사가 성장하고 안정적으로 자리 잡기 위한 방법을 고민합니다. 성장하는 회사를 개인의 성장으로 꿈꾸기 때문입니다. 셋째, 지속적으로 다른 방식을 생각합니다. 진취적이고, 창의적인 생각을 하며 새로움이라는 틀 속에 자신을 갈아 넣을 정도로 아이디어를 냅니다. 변화와 개선을 통해 낮은 노동량으로 성과를 내는 목표를 갖고 있기 때문입니다.

그렇다고 제가 말씀드린 세 가지를 충족하지 못하는 직원이 '일 못하는 사람'으로 평가받아서는 안됩니다. 일을 잘하는 사람의 기준을 만들고, 기준이 생기면 반대로 능력이 부족하다고 평가되는 직원이 점차 늘고, 그럴수록 노동시장에서는 점점 배제되어 일터에서도 쓸모없는 존재가 되는 불상사가 일어날 수 있습니다.

우리는 작은 노동력으로 높은 생산성을 낼 수 있는 환경을 조성해야 합니다. 모두 '일 잘하는 사람'으로 만드는 것도 상사나 기업의 능력입니다. 직원을 '일 잘하는 사람', '일 못하는 사람'으로 나뉘는 시간에 '모두 다 일 잘하는 사람'으로 만들 수 있도록 창의적인 조직문화를 만들어야 할 것입니다. 희생과 헌신, 불편한 보상은 멀리하고 일터에서 소속감을 충분히 느끼고, 하고자 하는 일에 꿈을 펼칠 수 있는 분위기를 만드는 것이 중요합니다.

《Summary》
● 시대와 사회가 변화할수록 일의 의미와 노동관점은 변한다.
● '일 잘하는 사람'에 대한 정의를 신입직원과 기업이 서로 다르게 평가하고 있어 노사 갈등의 원인이 되기도 하고, 퇴사의 이유가 되기도 한다.
● 일터에서는 정해진 업무시간보다 더 오래 사무실에 있는 사람을 회사에 기여하거나, '일 잘하는 사람'이라고 평가하는 문화는 없어져야 한다.
● '일 잘하는 사람'은 진취적이고, 창의적인 모습을 띄고 있는데 이는 변화와 개선을 통해 낮은 노동량으로 성과를 내는 목표를 갖고 있기 때문이다.
● 직원을 '일 잘하는 사람', '일 못하는 사람'으로 나뉘는 것 보다 '모두 일 잘하는 사람'으로 만들 수 있도록 창의적인 조직문화를 만들어야 한다.

◆ 저는 뭘 해도 안 돼요.

《Trouble》
　언제인지 모를 적부터 회사에서 연차가 쌓일수록 더욱 자신감이라든지 자존감이 낮아지고 있는 기분이 듭니다. 일에 대한 두려움이 있는 것 같습니다. 두려움 때문에 모든 부분에 대해 흥미도 잃어가는 것도 사실입니다. 동료들이 나를 무시한다는 느낌을 받을 때가 많아서 회사에 나오기 싫을 때도 있습니다. 사실 극복하고는 싶은데 방법을 모르겠고, 어떤 일이든 뭘 해도 잘 안 되는 제 자신이 밉기도 합니다.

내가 어떤 상황을 겪고 있는지 알고 넘어가자.

　주위를 둘러보면 '나는 자신이 없어', '나처럼 되어서는 안 돼', '나는 뭘 해도 안 풀리는 케이스야' 등 자존감을 잃은 말을 내뱉는 사람이 많습니다. 저는 방금 말한 타입의 사람들에게 지금 겪고 있는 장애부터 짚고 넘어가야 된다고 말하고 있습니다. 낮은 자존감을 갖고 있는 사람들의 공통적인 특성은 자기평가를 개선시켜 줄 일을 하지 못하게 막는 양식화된 사고와 행동들이 습관화 되어 있습니다.
　수년간 제가 만나왔던 사람들은 대부분 나쁜 근무 평가에서부터 경영을 맡고 있는 리더들의 오만함에 이르기까지 모든 문제의 원인을 낮은 자존감으로 돌렸습니다. 낮은 자존감의 정의를 내리기가 모호하지만 저는 '자존감'보다는 '자신감'이라는 용어를 더 많이 사용합니다. 그 단어는 자신의 값어치에 대한 평가가 아니라, 자신이 할 수 있는 바에 대한 믿음을 말해주기 때문입니다.

'자신감'이 무엇인지에 대해 명확하게 알아야 한다.

자신감이 있는 사람들은 자신이 해야 할 일을 잘 할 수 있다고 믿습니다. 자신감의 근거가 되는 것은 가치 평가가 아니라 능숙함입니다. 더 많이 배울수록 자신감은 올라갑니다. 물론 학습이나 교육이 자존감에 영향을 미치는지 확신하기는 어렵지만 자신감을 키우고, 그로 인해 자존감도 올라가기를 기대해 볼 수 있습니다.

자신감이 무엇이고 어떻게 작용하는지 알면, 더 많은 자신감을 가질 수 있을 것입니다. 그만큼 단순하기도 하고 어렵기도 합니다.

'자신감'이나 '자신감 부족'은 일정한 상황에서 무언가를 훌륭하게 하거나, 혹은 형편없이 할 거라는 믿음과 생각입니다. 하려고 하는 일이나 그 상황을 잘 이해할수록 그 일을 잘하리라는 믿음은 커지게 됩니다. 자신감이 부족하다면 앞으로 맡게 될 상황들을 왜곡해서 예상할 수 있습니다. 모든 이들이 지켜보고 있으며, 일을 망치기라도 하면 모두가 기다렸다는 듯이 비웃고 비난할 것이라고 믿고 있을지도 모릅니다.

하지만 우리는 중견사원이고, 사회 초년 때와는 상황이 다릅니다. 직장에서 우리를 밀착해서 신경 쓰는 사람은 아무도 없습니다. 모두가 자기 일에 신경 쓰느라 바쁩니다. 어떤 일을 잘할 수 있다는 믿음을 가지려면 해야 할 일이 정확히 무엇인지, 그리고 어떻게 해야 하는지 정도는 알고 있어야 합니다. 그리고 무언가를 성공적으로 잘하려면, 계획을 세우고 연습을 해야 합니다.

자신감이 떨어지는 사람들은 자신감이 충만한 사람들이 모든 일을 무의식적으로 하며, 말과 행동은 그저 손쉽게 흘러나오는 것이라고 착각합니다. 전혀 그렇지 않습니다. 자신만만한 사람들도 남들만큼 아주 부지런히 연습을 합니다. 다만 남들만큼 걱정하지 않을 뿐입니다.

비난 받는 것도 내공을 쌓아야 한다.

'자신 있는 행동'과 '자신감'은 서로 다르지 않습니다. 겉보기에 유쾌하고 당당한 모습만을 얘기하는 것이 아닙니다. 자신감 있는 생각을 말하는 것입니다. 자신감이 있는 생각을 어떻게 하는지 알고 싶다면 '수전 제퍼스Susan Jeffers'의 작품 <자신감 수업>을 한번 읽어보시길 바랍니다. 삶에 변화가 필요하다고 느끼거나, 원하던 모습과는 다르게 살아가는 사람에게 '할 수 있다!'는 자신감을 통해서 원하는 삶을 찾아주는 내용의 책입니다. '할 수 없다.'는 생각이 들면 '할 수 있다!'고 생각하는 흉내라도 내야 합니다.

심리치료사들은 자신감이 낮은 사람들의 자신감을 높여주기 위해 자기 긍정적인 리스트를 적어보라고 합니다. 여기에 모순이 있습니다. 많은 리스트를 나열해도 비난 한마디에 그대로 자신감이 사라져버리는 것을 수없이 목격했기 때문입니다.

저는 자신감이 낮은 사람들에게 조용히 긍정을 연습시키기보다는 자신 비롯해 친한 친구와 가족에게 비난받는 연습을 시킵니다. 자신감을 기르고 싶다면, 아끼는 사람들에게 무자비하게 야유를 당해봅니다. 비난받는 내공을 쌓아야 합니다.

'일의 의미'를 부여하면 흥미를 얻게 되고 자신감이 따라온다.

주위에서 벌어지는 행위들에 어떤 '의미'를 덧붙이게 되면 사람의 인식과 행동이 좌우되기 마련입니다. 특히 업무에 의미를 부여할 경우 의욕과 흥미를 발산할 수 있습니다.

서로 다른 사람이 같은 업무를 하고 있다고 가정해 봅시다. 겉보기에 같은 일을 해도 어떤 의미를 덧붙이냐에 따라 의욕과 행동의 차이점을 확인할 수 있습니다. '어쩔 수 없이 상사가 시켜서 하는 의미'로 둘 경우와 '멋진 성장을 꿈꾸고 작은 일이지만 회사에 큰 도움이 될 수 있다는 의미'로 두는 경우가 있을

때 어떤 결말이 나올지 말하지 않아도 유추가 될 것입니다.

더 구체적으로 예를 들어보겠습니다. 많은 사람들의 입으로 회자되었던 유명한 일화이기도 합니다. 회사에 갓 들어온 여성 사원이 회의에 필요한 서류를 복사하고, 스테이플러로 철침을 장입하는 업무를 맡았습니다. 그 여성 사원은 신입이라서 회의에 참석하지 못하는 것도 서러운데, 단순히 자신의 일을 복사와 철침을 박는 일이라고 치부해 버리면 그 시간이 매우 고통스럽습니다. 그러나 자신의 일을 통해 회의 참석자들의 서류 퀄리티quality를 높이는 일이라고 여기며 의욕을 앞세웠습니다. 아주 단순한 일이지만 철침이 삐뚤어지거나, 종이서류 역시 순서가 뒤바뀔 일은 절대적으로 없었습니다. 시간이 흘러 그 여성사원은 그 회사의 최초 여성 임원이 되었습니다.

자기 자신의 의욕 향상, 즉 의미와 동기를 부여를 해야 합니다. 같은 일이지만 마음가짐으로 흥미와 행복을 덤달아 얻을 수 있습니다. 자신의 일에 의미를 부여하는 것이 얼마나 중요한지 꼭 알아두시기 바랍니다.

《Summary》
● 자신감 낮은 사람들이 겪고 있는 장애의 원인을 짚고 넘어가야 하는 이유는 모든 원인을 낮은 자존감으로 돌리기 때문이다.
● 일정한 상황에서 무언가를 훌륭하게 혹은 형편없이 할 거라는 믿음 때문에 자신감과 자신감 부족이 발생되지만, 하려고 하는 일의 상황을 잘 알수록 그 일을 잘하리라는 믿음은 커진다.
● 모든 일에 자신만만한 사람들도 남들만큼 아주 부지런히 연습을 하고 있으며, 남들만큼 많은 걱정을 하지 않는다.
● 자신감을 기르고 싶다면, 내공을 쌓기 위해 아끼는 사람들에게 무자비하게 비난을 당해보는 것도 방법이다.
● 업무에 의미와 동기를 부여할 경우 열정 가득한 의욕과 흥미, 그리고 행복을 얻을 수 있다.

◆ 직원들이 말을 듣지 않아 어쩔 줄 모르겠습니다.

《Trouble》

 직원들이 제 말을 듣지 않는다는 것을 저는 '일하기 싫어한다.'
고 판단합니다. 상사가 시키면 해야 하는데 대체적으로 제 말을
듣지 않고 게으름을 피웁니다. 가끔은 제가 업무지시를 잘 못하
는 편이라고 생각이 들어서 후배들과 이야기를 나누는 게 불편
하고 자신이 없습니다. 어떻게 업무지시를 해야 하는지, 어떻게
후배들을 대해야 되는지 가르쳐 주는 사람도 없고 마냥 고민만
할 뿐입니다.

직원들이 일을 하기 싫어서가 아니라 업무 지시를 못해서다.

 구 반장님께서 방금 말씀하신 것처럼 직원들이 일을 하기 싫
어서가 아니라 업무지시를 잘 못해서 생기는 일이 더 많은 것
은 사실입니다. 직장에서 흔히 후배들에게 인정받지 못하는 상
사가 주로 내뱉는 말이 있습니다. "김 대리, 오전에 내가 메일
보냈는데 제대로 읽지 않은 것 같다.", "박 주임, 어제 이야기
나눴던 거 어떻게 됐나? 지금 당장 나에게 보여줘 봐요."
 누구에게나 인정받고, 일 잘하는 후배들과 함께하는 비즈니스
리더가 되려면 최소한 위와 같은 말은 해서는 안됩니다. 사람
은 한 번 이야기를 나눴거나, 메일 한 통 읽은 정도로는 쉽게
기억하지 못합니다.
 작년 우리나라 굴지의 철강제조 기업에서 <일을 귀하게 주어
야 귀하게 받는다.>는 주제로 강의를 한 적이 있습니다. 업무
지시를 할 때도 비즈니스 룰이 있고 예의가 있는 법입니다. 저
는 업무 지시를 할 때 3가지 중점 사항을 전파하고 있습니다.
 첫째, 얼마나 구체적이며 충분하게 설명했는가? 둘째, 상황을
고려해서 업무 지시를 했는가? 셋째, 지시한 업무의 취지를 이

야기하였는가? 입니다. '일을 귀하게 줘라.'는 말은 조금 과장된 표현일지도 모르지만 현실적으로 정확하게 소통하기 위해서는 아주 중요한 일입니다. 특히 상대가 신입사원이고, 초보자이거나 반대로 너무 바쁜 관리직일 때 해당합니다.

업무의 전달뿐만 아니라 이해시키는 것 역시 매우 중요합니다. 친절한 설명이 따르고, 절대적으로 수긍해야 열심히 일하기 때문입니다. '중요한 일'일수록 지시받은 직원의 관점에서 전략에 대한 이해와 취지를 충분히 숙지시킨 후 대응방향 등을 꼼꼼하게 설명하며 동의를 구하는 것이 탁월한 방법입니다.

게으름뱅이라면 어떻게 해서라도 일하게 만들어라.

저희 회사에서 일했던 직원 중 추성욱 대리가 있었습니다. 재무 설계담당이라서 매출관리와 부가세 신고 업무를 했습니다. 직장 내 인간관계는 좋았지만, 뭘 하겠다고 해놓고는 제때 처리하는 경우가 없었습니다. 매출 전표가 오류가 있는 것 같아서 빠르게 수정 지시를 내렸지만 며칠이 지나도 피드백이 없었습니다. 연차 휴가를 가거나 출장이 잡혀 있다면 그 전에 일처리를 마무리 해 놓는 게 비즈니스 룰임에도 불구하고 추 대리는 부재를 핑계 삼아 일을 미루기가 일수였습니다.

하지만 재무 업무를 가장 많이 관여하고 있고 회계분석 실력도 높은 편이라 다급한 경우 다른 동료들이 업무에 손을 댈 수가 없었습니다. 추 대리에게 의지를 많이 했지만 일 처리가 굉장히 늦고 심지어 힘들다는 이유로 업무를 거절하는 날도 많았습니다. 상사들은 추 대리가 무슨 생각을 하고 있는지, 하루 일과를 무슨 업무로 보냈는지 감시하고 싶은 생각뿐이었습니다.

우리는 조직 내에서 일은 안하면서 일이 많다고 투덜대며 요리조리 빠져나가려는 사람들을 '게으름뱅이'라고 부릅니다. 요즈음은 '월급 루팡Lopin'이라고 부르기도 합니다. 최종적으로는 회사는 그들을 쫓아낼 수도 있습니다. 하지만 우리의 프로젝트

와 조직의 성과를 위해서 그들에게 일을 시켜야 합니다. 그러려면 '직원들이 어떻게 일을 하게끔 만드는가?'에 대한 기본적인 절차를 수립해야 합니다.

첫 번째 절차는 게으름뱅이들을 더 나은 직원으로 만드는 것이 아니라, 본인에게 주어진 업무를 정해진 시간 안에 정확하게 하기를 만드는 것입니다. 요리조리 눈을 피해 요령을 부리고, 최대한 일을 하지 않기를 원하는 그들의 속성을 유리하게 써먹어야 합니다.

예를 들어 게으름뱅이가 해야 할 일을 일정을 놓쳐 망치게 되면 잘했을 때에 비해 훨씬 더 고생하게 되는 상황을 만드는 것입니다. 고생이라고 한다면 일을 제때 못했다는 이유로 엄청난 양의 보고서를 요구할 수 있습니다.

두 번째 절차는 게으름뱅이들에게 우리가 무엇을 원하는지 정확하게 알리는 것입니다. 그들이 어떻게 해야 우리가 그들의 눈앞에서 지나친 관심을 낮추어줄지 가르쳐주는 것입니다. 그들 주변을 얼쩡거리는 것을 싫어한다면 더 자주 그들 앞에 나타나 업무 진행상황을 항상 체크한다는 것을 깨닫게 해야 합니다. 여기서 중요한 점은 이메일이나 전화 통화보다는 직접 대면하는 습관을 만들어야 합니다. 게으름뱅이들은 이메일 따위는 열어보지도 않거나 전화를 회피할 수 있기 때문입니다. 때로는 게으름뱅이들이 급작스럽게 변화된 환경에 퉁명스럽게 대응하거나, 업무 지시에 대해 불만을 표현한다면 당연한 것이니 그들의 반응을 그냥 무시합니다.

게으름뱅이의 치료약은 처벌이 아니다.

게으름뱅이들은 대부분 처벌을 받으면 자기 행동 때문이 아니라 몇몇 사람들이 자기를 싫어하거나 시기와 질투, 나쁜 사내정치라고 생각합니다.

대부분의 게으름뱅이들은 본인이 게으름을 피운다기보다는 몸

에 밴 습관으로 일반화되어 있습니다. 따라서 처벌은 응징의 수단이 아닌 하나의 개선 도구로써 사용해야 합니다.

게으름뱅이에게 탁월한 처방전은 일하는 방법을 다시 제대로 가르치는 것입니다. 가르치는 것이 최고의 학습법입니다. 사람에게 무언가를 가르치는 행위는 가르치는 중에 자신이 부족했던 부분을 깨닫게 되고, 다시 배운다는 점에서도 중요합니다. 또한, 기르치고 배우면서 서로에 대한 이해도 깊어집니다.

게으름뱅이가 아닌 성실한 직원들을 상상해 봅시다. 물론 그들 중에 처음부터 성실한 사람도 있었겠지만 대부분 시간이 흐르면서 학습의 효과를 받고, 경험을 쌓으면서 부지런한 힘을 키워 갔습니다.

게으름뱅이와 성실한 직원을 함께 프로젝트를 꾸리는 환경을 조성해 보는 것도 좋은 방법입니다. 게으름뱅이는 자연스럽게 성실한 직원들 본보기, 혹은 모델로 삼아 본인의 습관과 업무 성향을 개선하는 효과를 볼 수 있습니다.

이미지가 좋은 상사가 되면 후배들이 말을 잘 듣는다.

이미지가 좋은 상사는 어떤 사람일까요? 키도 크고 인물이 훤칠한 사람일까요? 옷맵시가 뛰어나며 말솜씨가 화려한 사람일까요? 앞에 말한 사람들은 아닙니다. 바로 '경청'을 중요시하는 사람입니다.

사실 직원들을 관리하는 직무를 가지거나, 평범한 선배 직원들은 자신의 이야기만 늘어놓는 함정에 자주 빠집니다. 후배들은 오로지 들어야만 하는 상황이 됩니다. 이런 상황은 후배 직원이 어떤 문제로 고민하고 있는지 알 수 없고 해결도 되지 않습니다. 또 후배 직원은 자신의 이야기를 하지 못하므로 마음만 답답해질 뿐입니다.

업무의 피드백이 원활하고 건전한 조직문화를 위해서 후배들과 소통하는 시간 대부분을 '경청'에 집중해야 합니다. '경청'은

상대가 하는 말을 들어주는 일입니다. 자신이 이야기하는 시간과 상대의 시간이 꼭 균형적일 필요는 없지만, 일반적으로 전체 시간의 80% 이상을 후배에게 주라고 말하고 있습니다. 그러면 후배는 하고 싶은 말을 했다고 느낄 것이며, 이야기를 나누고 있는 상사는 대하기 편한 인상을 주게 됩니다.

왜 말을 적게 하고 듣는 것에 집중하라고 할까요? 사실 세대 간격이 있는 후배와 이야기를 나눌 때 서로 공감대를 형성하기는 때론 어렵습니다. 반대로 상사가 말을 많이 할 때, 요즘 자주 사용하는 '나 때는 말이야'를 남발해서 후배와 오해를 고조시킬 수 있습니다.

후배가 말을 많이 하면 물론 예의에 어긋나는 행동과 단어를 사용할 수 있습니다. 하지만 상사는 후배에 대한 이해와 주어진 상황을 있는 그대로 받아들여야 하는 연습이 필요할 수 있습니다. 상사와 후배는 아직까지 동등한 위치로 보는 문화가 아니기 때문에 많은 것을 감소하고 너그럽게 받아들이는 것이 가장 중요합니다.

《Summary》
● 업무 지시를 할 때 상황을 고려 후, 충분히 구체적으로 설명하고, 업무의 취지를 반드시 이야기하라.
● 직원에게 일을 귀하게 줘야 귀하게 실행한다.
● 게으름뱅이가 주어진 업무를 정해진 시간 안에 정확하게 하길 만들고, 우리가 무엇을 원하는지 알리는 것이 목표이다.
● 게으름뱅이들이 본인이 게으름을 피운다기보다는 몸에 밴 습관이라고 생각하기 때문에 처벌을 내리는 것이 우선이 아니다.
● 게으름뱅이에게 탁월한 처방전은 일하는 방법을 처음부터 제대로 가르치는 것이다.
● 피드백이 원활하고 건전한 조직문화를 위해서 후배들과 소통하는 시간 대부분을 '경청'으로 보내야 한다.

◆ 사장 마인드로 일하라고 세뇌하는 것 같아요.

《Trouble》
　사장님께서 한 달에 한두 번은 현장으로 나와서 저희들을 격려해 주십니다. 사실 말이 격려라고 표현하는 것이지 뼈가 있는 말로 저희들을 훈계하시는데 많이 부담스럽습니다.
　'자기 자신들이 회사 사장인 것처럼 마음을 잡고 일하라.'며 자주 훈계하시 듯 말씀하십니다. 사장 마인드를 만들면서 일하는 것이 회사에서 인정을 받는 방법인지는 알고 있는데 회사에서 받는 처우는 너무 열악하니깐 쉽지 않습니다.

사장 마인드를 가진 척하는 것도 직장 생활 전략이다.

　많은 기업들의 경영자들이 주로 하는 말 중에 하나가 '사장의 관점을 갖도록 하라.'입니다. 하지만 직원들은 그 말을 이행하기가 참으로 어렵습니다. 단 한 번도 지금의 직장에서 사장이 되어본 적이 없었기 때문입니다. 그런데도 불구하고 사장의 관점을 갖지 않고 일개 직원 입장의 말과 행동을 하면 조직에서 인정받기는 정말 어렵습니다.
　기업은 사장의 관점을 갖지 않은 사람에게 냉정합니다. 진급이 빠르거나, 사장단에게 인정받는 직원들 역시 사장의 관점에서 보고를 하거나 운영전략을 펼칩니다. 이런 상황이기 때문에 직장에서 잘 처신하려면 가끔은 사장 마인드를 가진 척해야 할 때가 많습니다.
　하지만 사장처럼 생각하고 행동하지 말라고 이야기하는 것은 아닙니다. 회사의 운영 방침과 가치관을 어느 정도 이해해야 일을 할 때 효율적이며, 일의 종류에 따라서는 사장의 관점으로 판단해야만 하는 상황도 두루 있기 때문입니다.
　중요한 것은 사장이 '사장의 관점을 갖도록 하라'는 말을 남발

하고 있을 때 어떤 뜻으로 말했는지를 파악하는 것입니다. 즉, 사장의 의도를 알아내야 합니다. 시대에 맞지 않는 업무처리 프로세스가 있는지, 직원들이 좀 더 넓은 시각을 가지고 일할 수 있도록 키운다든지, 회사와 직원의 성장을 위해 집중하는 분위기를 조성하기 위해서라면 사장의 관점이 필요합니다.

반면, 회사를 운영하기에 있어 직원들에게 지급되는 인건비를 낭비로 생각하며, 일종의 프리라이더를 속출해 내는데 목을 매는 불편한 사장이 운영하는 기업이라면 직원들 자신이 '종업원'이라는 사실을 절대 잊어서는 안됩니다.

불편한 사장들은 자기가 가져가는 몫의 이익을 최대화하기 위해 직원들에게 지급되는 인건비를 낮추려고 계획합니다. 복리후생도 최대한 낮춰야 회사가 이득이라고 생각합니다. 비용 절감을 위해 근로기준법을 아무렇지 않게 위반한다거나 직원들의 임금을 깎고, 열정 페이를 받으며 야근을 하길 희망합니다. 야근을 해도 연장근로수당 따위는 지급하지 않습니다.

따라서 불편한 사장이 운영하는 기업에서 사장의 관점으로만 생각하면 이런 불법적인 행동이 정당화될 가능성이 있습니다. 사장의 이익과 직원의 이익이 대립하는 상황에서는 분명 직원의 입장에서 생각하는 습관을 들여야 합니다.

사장의 관점을 가졌다고 해도 직원들은 어디까지나 고용된 위치이다.

다소 안타깝겠지만 기업을 운영하는 대부분의 오너들은 '불편한 사장'으로 남아있는 현실이 대부분입니다. 자본주의 시대를 살아가는 이 상황을 인지해야 합니다.

한 가지 예를 들어 사장 마인드를 최대한 발휘해 자신이 고안해낸 회사의 경영전략을 사장에게 직접 찾아가 설명하는 장면을 상상해 보겠습니다. 거창하게 자료를 만들어 브리핑하겠지만 대부분의 불편한 사장들은 그런 직원을 진지하게 상대해 줄

리가 없습니다. 사장은 직원이 회사의 이익을 위해 행동하면 두 팔 들고 환영하지만 실제로 실질적인 경영에 참견하기를 바라지 않습니다.

물론 직원이 사장의 마인드를 갖고 회사의 이익에 공헌하면서 큰 성과를 낸다면 연봉이 올라가거나 승진이 빠를 수도 있습니다. 그러나 대단한 수준까지는 아닙니다. 직원이 아무리 사장처럼 생각하며 일한다고 헤서 회사가 진정 사장처럼 처우를 매겨주지는 않는다는 말입니다. 회사의 매출에 큰 획을 그을 수 있는 성과를 보인다고 해도 직원이 받는 것은 고작해야 성과급 정도입니다.

결국 직원이 가져야 하는 사장의 관점은 회사의 이익을 위해 억지로 만들어진 형식적인 것에 불과할 수도 있습니다. 일종의 불편한 사장들의 전략일 수 있습니다. 희생을 강요하고 위법이 난무하는 기업에서는 회사를 위해 필사적으로 일할 필요까지는 없습니다. 고용된 입장은 고용된 입장답게, 받는 처우만큼 일하는 것이 탁월합니다. 사장 마인드로 일해서 매출을 극대화해봤자 좋은 건 그 불편한 사장뿐인 것입니다.

《Summary》
● 사장의 관점을 갖지 않고, 일개 직원 입장의 말과 행동을 하면 직장에서 인정받기가 어렵다.
● 사장이 '사장의 관점을 갖도록 하라.'는 말을 남발할 때 어떤 뜻으로 말했는지를 의도를 알아내야 한다.
● 직원들이 좀 더 넓은 시각을 가지고 일할 수 있도록 직원의 성장에 목을 매는 기업이라면 분명 사장의 관점이 중요하다.
● 직원이 사장의 관점을 갖고 회사 이익을 위해 행동을 일삼아도 실제로 사장은 직원이 경영에 참견하기를 바라지 않는다.
● 불편한 사장이 운영하는 회사에서 사장 마인드로 일해서 기업을 성장시켜도 좋은 건 사장뿐이다.

◆ 다혈질적인 부장들 때문에 힘이 듭니다.

《Trouble》

  저희 클리닝 1팀 미화반은 반장인 제가 리더의 역할을 하고 있습니다. 하지만 1팀 소속의 팀장님과 부장님들로부터 업무 지시를 받거나 관리 감독을 받기도 합니다.

  업무를 진행하는 것도 힘이 들지만, 가끔 일 처리가 늦거나 고객사인 두풍기계로 부터 클레임을 받을 때는 부장들이 저희 미화해 반에 찾아와 고함을 지르며 짜증을 냅니다. 전화로 욕설을 하면서 화를 내는 일도 많습니다. 부장님들과 나이도 비슷한 세대이지만 직급이 상사이기도 해서 화를 낼 때면 감정을 섞어 말을 내뱉으니 정말 무섭습니다.

  저 역시 고객사 클레임이 들어와서 속상한데, 상사들이 찾아와 힘들게 하면 어깨 힘이 더 빠지는 느낌입니다. 이런 상황에서 계속 참으며 일하는 게 맞는지 모르겠습니다.

다혈질형 같은 상사와 대립하기 싫다면 친해져라.

  다혈질형 상사 밑에서 오랜 기간 일을 하다 보면 스트레스를 너무 많이 받아 정신적이나, 육체적으로 나쁜 결과를 맞이하게 될 가능성이 큽니다.

  의사들은 사람이 인내심을 갖고 최대한 견디거나, 신체적, 정신적으로 건강한 상태를 유지하면서 참을 수 있는 기간은 의학적으로 1~2년 정도임을 말하고 있습니다. 그 이상의 시간이 지남에 따라 어떤 무서운 일이 벌어질지 모릅니다.

  따라서 다혈질형 상사 밑에서 일함으로써 얻는 결과는 건강상의 이상 증후군을 만들게 되고, 생각지도 못한 스트레스로 고통의 하루하루를 보내게 됩니다.

그렇다고 해서 당장 그들을 피해 이직을 하거나 다른 진로를 찾기에는 여건 상 쉽지 않고, 자신감 또한 결여되어 있다고 해도 과언이 아닌 상황입니다. 다혈질처럼 변하는 상사들과 비슷한 나이 또래라면 친구 역할을 하면 그 밑에서 살아남을 수 있을 거라고 생각은 듭니다.

하지만 그들에게 복종하는 동안에만 넘길 수 있는 문제이기 때문에 쉽게 상황을 바꾸기는 어렵습니다. 그렇다고 해서 시도조차 포기할 필요는 없습니다.

다혈질형 상사의 친구가 되기로 했다면 일단 상사에게 충성을 맹세하고, 사람들 앞에서 그를 옹호하며 당신이 해낸 일을 상사에게 공으로 돌립니다. 그리고 일할 때면 늘 상사의 조언을 구하고, 사람들 앞에서 상사를 적극적으로 칭찬하는 전략을 만드는 것이 필요합니다.

이 후 시간이 흐르면 상사는 구 반장님이 많이 개선이 되었다는 평가를 주위에 알리게 됩니다. 구 반장님을 인정하고, 가치 있는 직원으로 생각한다는 것입니다. 살아남기 위해 이런 식으로 전략을 세우고 자기 자신에게 솔직하지 못하게 행동해야 하는 점에 대해 너무 자책하거나 실망할 필요는 없습니다. 다혈질 같은 행동 때문에 자신의 건강과 일상에 피해를 보는 것 보다는 훨씬 낫기 때문입니다.

괴로움이 지속되면 차라리 솔직하게 감정을 전달하라.

위와 같은 전략을 진행했음에도 불구하고 다혈질형 상사가 바뀌지 않고 계속적으로 구 반장님을 괴롭힌다면, 하루라도 빨리 그 문제를 해결해야 합니다.

그냥 참고 아무런 반응을 보이지 않으면 머지않아 또다시 공격의 대상이 될 것입니다. 상사가 최초 그런 행동을 했을 때 곧바로 참지 않을 것이라는 뜻을 전달해야 합니다. 돌려서 말하지 말고 솔직한 감정으로 직설적으로 말해야 합니다.

시대가 많이 변했습니다. 직장에서 우리는 정당하게 일을 하며 보수를 받고 있으며, 다혈질형 상사와 같은 나쁜 사람들로부터 괴롭힘을 받지 않을 권리가 있고, 법 또한 우리를 지켜주고 있기 때문입니다.

구 반장님의 생각과 굳은 의지를 알면 다혈질형 상사는 이미 본인이 잘못을 저지르고 있다고 알아챌 수 있습니다. 아니면 다혈질처럼 행동해도 좀 더 편하고, 아무렇지 않는 후배를 찾으러 떠날 수도 있습니다.

다혈질형 상사들은 자신보다 약해 보이는 직원을 먹잇감으로 삼기 때문입니다. 하지만 식육목食肉目 하이에나와 같은 상사가 계속 공격하도록 놔둔다면, 나중에는 말로는 힘들 것입니다.

상사에게 한 번 경고를 했는데도 불구하고 또다시 공격을 해온다면, 상사가 한 말이나 행동을 당신이 어떻게 이해했으며, 그런 그의 불쾌한 행동을 받아들일 수 없다는 뜻을 강력하게 상사에게 전달해야 합니다. 말로하기 어려우면 메일에 적어 보내도 좋습니다. 메일에는 상사가 그런 행동을 한 날짜와 시간, 장소도 함께 적습니다.

다혈질형 상사는 누군가가 글로써 자신을 비난하거나 잘못을 추궁하는 것을 무척 두려워합니다. 메일에는 '참조'과 '숨은 참조' 기능이 있기 때문입니다. 글은 채택하기 쉬운 증거이기 때문에 말보다 강력하며, 공격적인 성향을 갖고 있지 않은 사람이 사용하기에 유용한 방법이기도 합니다.

또한 글로 쓰면 마음을 가라앉히고서 자신의 생각을 명확하고 합리적으로 표현할 수도 있습니다.

자기 자신이 괴롭힘을 당하고 있다는 것을 인지하라.

앞서 말했듯 다혈질형 상사가 당신을 모욕할 때 받아들일 수 없는 행동에 대해 쉽게 참거나, 수동적인 반응을 보인다면 상사는 그런 행동을 다시 할 것입니다.

그렇다고 해서 맞받아서 순간적으로 공격해도 안됩니다. 단호하게 자기 입장을 표명하되, 절대로 공격적으로 행동하거나 상사가 당신에게 한 것처럼 상사를 모욕하거나 감정을 상하게 해서는 안됩니다. 단호한 모습으로, 상사가 한 행동은 도저히 받아들일 수 없다고 분명하고 논리적으로 말해야 합니다.

다혈질형 상사는 감정 컨트롤을 하는데 익숙하지 않은 사람들이 대부분이기 때문에 쉽게 흥분합니다. 따라서 순간적으로 모욕하거나 공격적인 행동을 하면, 그들은 구 반장님을 회사에서 비참한 상황에 처하도록 만들어 버립니다. 예를 들어 다른 부서로 옮길 수밖에 없는 상황을 만들거나 자발적으로 회사를 떠나게 만드는 것입니다.

여기서 중요한 것은 본인의 상황을 질책을 할 것이 아니라 현재 다혈질형 상사로부터 괴롭힘과 학대를 당하고 있다는 것을 인지해야 된다는 점입니다. 상대가 자신을 학대하는데, 둘의 관계를 지속해야 하는 합당한 이유는 없습니다.

안타깝게도 상사의 부적절한 행동을 지속적으로 참아왔다면, 이제 와서 상사와 구 반장님의 관계를 바꾸는 것은 쉽지 않다고 말씀드리고 싶습니다.

나쁜 상사들과 굳이 계속 함께할 필요는 없다.

어떤 업계든, 어떤 업종이든, 대다수의 회사에는 빌런Villain과 같은 다혈질형 상사들이 존재하고 있습니다. 따라서 누구라도 다혈질형 상사의 표적이 될 수 있습니다.

이러한 상사로부터 공격을 받으면 누구라도 신체적, 정신적, 경제적으로 황폐해집니다. 다혈질형 상사들은 상대의 나이, 경력, 업무능력에 관계없이 표적을 정합니다.

아이러니하게도 경험이 많고, 성과를 낸 이력이 많은 직원일수록 표적이 될 가능성이 높습니다. 그러한 직원들은 누구보다도 우월하고 싶어하는 다혈질형 상사의 욕망에 위협이 되는 존

재이기 때문입니다. 따라서 유능한 사람일수록 표적이 될 가능성이 높고, 상사는 그런 사람들의 성과와 명성을 훔치려 들 것입니다.

또한 다혈질형 상사들은 투쟁적인 사람보다는 협조적이고, 상사의 공격에 거의 저항하지 않으며, 성실하고 정치적이지 않은 사람을 표적으로 삼습니다. 직원들이 한 일 모두 자신의 공처럼 행세합니다. 이런 상사와는 스트레스 때문에 하루라도 버티기 힘들다면 굳이 함께 생활할 필요는 없습니다. 모든 짐들이 나에게 피해로 돌아오기 때문입니다.

하지만 그런 상황임에도 불구하고 다혈질형 상사 밑에서 아무런 대응책 없이 계속 일하기로 선택한다면, 이제껏 존중받지 못하는 상태를 스스로 선택했다는 사실을 인정해야 합니다. 학대받는 것은 당신 잘못이 아니지만, 그런 행동을 받아들이고 있는 것은 당신 잘못입니다. 사내 윤리부서 또는 노동전문가, 관련 상담사에게 의뢰해서 좀 더 상황을 효과적으로 다룰 수 있는 방법을 찾는 것이 시급합니다.

《Summary》
● 다혈질형 상사의 친구가 되어 옹호하고 충성을 맹세하며, 당신이 해낸 일을 상사에게 공으로 돌리고, 상사를 칭찬하는 전략을 만드는 것도 도움이 된다.
● 다혈질형 상사에게 공격적으로 행동하거나, 순간적으로 모욕을 하여 감정을 상하게 해서는 안 된다.
● 괴롭힘과 학대가 지속될 때 단호하게 도저히 받아들일 수 없다고 분명하게 전달해야 한다.
● 다혈질형 상사와는 스트레스 때문에 하루라도 버티기 힘들다면 굳이 함께 생활할 필요는 없다.
● 아무런 대응책 없이 계속 일하기로 선택한다면, 그렇게 존중받지 못하는 상태를 스스로 선택했다는 사실을 인정해야 한다.

◆ 사내 정치하는 사람들이 눈에 거슬려요.

《Trouble》

　우리 회사와 같은 작은 조직에서도 사내정치가 존재합니다. 바로 옆 부서의 고 반장과 그를 추종하는 직원들, 또한 클리닝1팀 리더를 따르는 세력들도 존재합니다. 저는 사내 정치를 가담한 적도 없고 평소에 눈에 기슬린다고 생각해서 그들을 때로는 미워하는 편입니다.

　하지만 정치하는 직원들이 성과를 내는 점도 있고, 직급 승진이 빠르며 매출 성장에 직접적인 도움이 많이 향상될 때 참으로 모순인 것 같습니다. 그래서 마냥 사내 정치가 나쁘다고 표현하기도 어색합니다.

　15년 이상을 근무하면서 사내 정치에 관심이 없었는데 저도 직장에서 살아남기 위해 발버둥이라도 쳐야되나 고민입니다.

사실 '사내 정치'라고 해서 전부 다 나쁜 것은 아니다.

　'사내 정치'라는 키워드를 먼저 접하면 흔히 부정적인 면을 먼저 떠올립니다. 하지만 사람도 좋은 사람, 나쁜 사람이 있는 것처럼 사내 정치도 '좋은 사내 정치', '나쁜 사내 정치'가 있습니다.

　'아리스토텔레스Aristoteles'가 <정치론>을 통해서 '인간은 태생적으로 정치적 동물이다.'라고 언급했습니다. 인간의 사회성은 자의와 이성에 의해 이루어지게 된다고 생각했기 때문입니다.

　아리스토텔레스의 이 유명한 구절은 인간의 사회적이고 정치적인 속성을 말할 때 많이 인용되고 있습니다. 아리스토텔레스가 지적했듯이 인간이 모인 직장에서도 정치는 있을 수밖에 없음을 전제해야 합니다.

정치를 통해서 무리가 생기는 것이고, 여러 가지 과제들이나 프로젝트를 맡았을 때 업무가 나누어지는 것이며, 과정의 질과 결과에 따라 사업의 성과가 달리지게 됩니다.

'좋은 사내 정치'는 직장 내의 인간관계, 관례적으로 안착된 관행, 명시적 규칙을 적절하게 활용하여 개인과 팀, 조직 전체에 이익이 되도록 하는 것입니다. 쉽게 말해서 회사의 성장에 이바지한다고 할 수 있습니다. 이런 정치력을 가진 사람은 분명 긍정적인 능력자라고 할 수 있습니다.

반면, '나쁜 사내 정치'는 오로지 개인의 이익 혹은 함께 어울리며 편승효과만 발생시키며 집단의 이익만 갈구합니다. 패거리의 이익만을 위해서 인맥과 관행, 규칙을 교묘하게 활용합니다. 인맥과 관행, 규칙을 활용하는 것 자체가 문제인 것은 아니지만 나쁜 목적을 두고 있음에 차이가 있습니다.

따라서 정치는 정직한 목적을 두고 접근해야 합니다. 안타깝게도 아무리 능력 있고, 성실하더라도 사내 정치 기술이 부족한 사람은 커리어를 더 끌어올릴 수 없게 되거나, 승진이나 프로젝트에 큰 성과를 내지 못하는 모습을 목격하기도 합니다.

예를 들어 자신을 지지해 주는 상사, 동료, 후배가 없다고 가정해 봅시다. 추진하고 싶은 일이 있어도 직접적으로 조력자가 되어서 도움과 피드백을 주는 사람이 없다면 업무에 애로사항만 생길 뿐입니다.

더 나아가 회사 입장에서 생각해 봅시다. 개인적 능력은 있지만 정치력이 없는 사람은 리더로 발탁하지 않습니다. 리더는 많은 직원들로부터 보호를 받고, 서포트력support力을 얻어 리더십을 발휘해야 하는 위치이기 때문입니다.

나쁜 의도가 목적인지, 공공의 이익이 목적인지 분별할 줄 알아야 한다.

저 역시 직장생활에서 사내정치는 일정 부분 필요하며 좋은

사내 정치 기술은 기업의 성과와 발전을 위해서 꼭 필요하다고 생각하는 사람 중의 한 명입니다.

다만, 많은 시간이 흐르면서 사내 정치가 개인의 성공만을 위해 활용한다는 점을 당연시하는 분위기로 왜곡되어 버렸습니다. 앞에서도 말했듯이 이것은 좋은 정치기술이 아닙니다. 좋은 정치기술은 직장 내의 가치, 이익, 권력의 복잡한 사슬을 파악해서 개인과 동료, 조직 모두에게 이익이 되도록 정치력을 발휘하는 것입니다.

그런데 나쁜 의도가 목적인 직원은 공공의 이익은 내팽개치고 자기 이익만을 위해서 정치를 하고 있어서 문제입니다. 성과와 업무능력을 기반한 리더십이 아닌 순전히 정치에 의해서 직장이 움직이면 구성원들은 스트레스를 받고 열심히 일할 동기를 잃어 생산성도 떨어지게 됩니다.

주위의 정치력이 높은 직원을 한번 생각해봅시다. 나쁜 의도가 목적인 직원인지, 아니면 공공의 이익을 위해 좋은 정치 기술을 가진 직원인지 어떻게 분별할까요?

우선 나쁜 의도가 목적인 직원은 첫째, 일을 등한시하고 권력이나 세력을 가진 상사에게 아첨하는 행동만 합니다. 주위를 둘러보면 일은 안 하고 인간관계만 신경 쓰는 사람이 있습니다. 일을 안 한다고 해서 직장에서 나쁜 사람으로 간주될 부분은 아닙니다.

진짜 나쁜 사람은 일은 안 하고 사내 정치에 몰입하기 위해 인간관계만 신경 쓰는 사람입니다. 그런 사람은 공과 사의 구별 없이 상사에게 아첨하고 적극적으로 추종합니다.

아첨을 떠는 것도 자기 이익을 위한 전략으로 하는 것이 대부분입니다. 상사가 관계의 중심이어서 높이 떠받드는 게 아니라는 것을 단번에 알 수 있습니다.

아첨하는 직원들의 단적인 예를 들자면 상사의 경조사를 끈질기게 챙기는 것입니다. 물론 회사에서 직원들에게 공유와 참여를 인정하는 경조사의 기준이 있음에도 불구하고 상사의 먼 친

척들 경조사까지 열심히 챙기는 것입니다.

　상사의 형제자매 돌잔치까지 참여하거나, 백숙부모 상까지 적극적으로 나섭니다. 물론 개인적으로 친분이 절실하다면 충분히 이해하기 쉬운 사례가 될 수 있으나 직장생활은 언제까지나 공적인 자리입니다.

　둘째, 본인이 상사에게 아첨하고 있다는 소문이 났을 때 오히려 더 즐거워합니다. 소위 직장에서 잘나가는 상사에게 아첨하고 있다는 소문이 나도 별로 개의치 않으며, 확실하게 라인을 타고 있다는 자신을 오히려 진행이 순탄하다며 뿌듯해 합니다.

　또한 그런 소문을 내는 사람들이 자기처럼 아첨하지도 못하면서 시기나 하는 사람들이라며, 사내 정치 능력이 없는 직원으로 분류하며 오히려 뒷담화를 합니다. 자신은 능력이 있으며, 회사로 부터 인정받기 위해 한 것이라고 쉽게 포장을 합니다.

　셋째, 다른 직원들 간의 갈등을 일으키기 위해 거짓말을 일삼습니다. 소위 자신과 다른 무리인 직원들의 인상과 평판을 의도적으로 무너뜨려 상사로부터 부정적인 이미지로 만들기 위해 조작하는 습관을 갖고 있습니다.

　상대방을 타락시켜 자신의 평판을 긍정적으로 만들기 위한 전략이라고 볼 수 있습니다. 이는 조직 간의 갈등과 다툼을 만들고 나아가서 회사의 운영 기반을 흔들 수 있기 때문에 아주 위험한 행동입니다.

　사내에서 근면 성실하고 인정받는 상사로부터 신뢰를 받고 있는 직원이 있다고 가정해 보겠습니다. 그 직원을 타겟target으로 일부러 안 좋은 소문을 퍼뜨립니다. 소문이 퍼지지 않으면 애써서 상사의 귀에 들어가게 본인의 입으로 말을 꺼내기도 합니다.

　나중에는 주위의 모든 인맥을 써서 그 직원이 업무 내외적으로 다른 도움을 받지 못하도록 분위기를 조성합니다. 더 무섭게는 그 직원이 회사에서 도태되도록 함정을 파기도 합니다.

　앞서 말한 것처럼 의도가 있는 나쁜 사내 정치는 오로지 개인

의 이익을 쟁취하기 위해 인맥과, 관행, 규칙을 활용합니다. 기업에서 이런 분위기가 조장되고 지속된다면 사내 분열, 유능인력 유출, 노사갈등으로 이어집니다.

반면, 공공의 이익이 목적인 정치를 하는 직원은 나쁜 의도를 가진 무리들을 뭉치지 못하게 만듭니다. 패거리 짓는 행위에 대한 큰 부작용을 예상하기 때문입니다. 불만이 있는 직원들을 날랠 줄 알며, 동료 간에 정서를 공유하는 등 끈끈한 집단을 구성합니다. 오로지 목표는 직장과 직원 개인의 성장이기 때문입니다.

이처럼 '좋은 사내 정치'와 '나쁜 사내 정치'를 잘 구분해서 모든 직원들이 정당하고 신뢰받으며 일 할 수 있는 환경을 만들어야겠습니다.

《Summary》
● 사내 정치가 마냥 나쁜 것이 아니라 긍정적인 효과를 나타내는 좋은 사내 정치도 얼마든지 있다.
● 좋은 사내 정치는 직장 내의 인간관계, 관례적으로 안착된 관행, 명시적 규칙을 적절하게 활용해서 조직 전체에 이익을 가져온다.
● 나쁜 의도가 목적인 직원은 공공의 이익은 내팽개치고 자기 이익만을 위해서 정치를 하므로 나쁜 의도가 목적인 직원인지, 공공의 이익을 위해 좋은 정치를 하는 직원인지 구분할 줄 알아야 한다.
● 나쁜 사내 정치를 가담하는 직원은 상사에게 아첨하는 행동을 하고, 다른 직원들 간의 갈등을 일으키기 위해 거짓말을 일삼는다.

◆ 관리장이 자꾸 직원들을 통제하려고 합니다.

《Trouble》

　클리닝 1팀의 영업 관리를 맡고 있는 배순업 관리장은 현장 직원들의 고충을 듣고 해결해 주려고 하며, 일 처리도 깔끔하다는 평이 나 있습니다. 앞으로도 승승장구할 일만 남은 사람들 중에 한 명입니다.

　하지만 일적인 면에 있어서 저희 같은 소속 팀원들을 강압적으로 통제하려 합니다. 개인들마다 업무가 분장되어 있는데 싹 다 무시해서 일방적으로 업무지시를 내린다거나 업무의 매뉴얼이 있음에도 불구하고 본인이 말한 대로 이행하지 않으면 예민해집니다.

　순간순간 본인의 판단이 더 정확하고 효율적이라고 말하면서 마음대로 직원들을 통제하고 있습니다. 정확하고 효율적으로 진행한 일들도 흠을 잡기도 하고, 또는 일 처리에서 문제가 생기면 본인 지시를 따르지 않고 마음대로 진행했다고 판단해서 엄청 몰아붙이기도 합니다.

여러 조직이 있으면 여러 성향의 리더들이 존재한다.

　팀에 직원들이 10명이 있다면 10명 모두가 만족하는 리더는 존재하지 않습니다. 9명이 팀장을 평소에 존경하면서 끝까지 함께 일하고 싶어 해도, 나머지 1명은 팀장의 업무스타일이 마음에 들지 않으며, 대체 왜 저러는지 도저히 이해할 수 없다고 말합니다. 왜 하는지 이해할 수 없는 서류 정리 작업, 단순 복사 작업을 본인에게만 시키기 때문입니다.

　팀장의 성격은 꼼꼼한 편이었습니다. 업무 구분에 있어서 명확한 기준과 절차를 준수하는 성격이라서 팀원 중에 가장 최근

에 입사한 직원에게 단순 업무를 지시했기 때문입니다.

성격이 아주 대범한 팀장도 있습니다. 목소리도 크고 화통한 성향으로 직원들에게 시기적절하게 카리스마를 보이며 업무지시를 내립니다.

하지만 너무 화통한 성격 탓에 말 한마디 쉽게 던지는 일이 많았고, 엉뚱한 말 한마디로 상처를 입는 직원들이 생겼습니다. 상처 입은 직원들이 한두 명씩 생기면서 팀장을 몰아낼 궁리까지 합니다.

이렇듯 아주 다양한 성향을 가진 팀장들이 존재합니다. 사실 상사는 실무자가 감탄할 만큼, 관리자로서 뛰어난 능력을 보여주면 됩니다.

우리가 알아야할 점은 나쁜 팀장의 특징입니다. 나쁜 팀장은 능력이 뛰어난 실무자가 결과물을 가져왔거나, 이행하고 있는 것을 그대로 통과시키면 안 된다고 생각하는 팀장입니다. 실무자가 팀장의 능력을 뛰어 넘는 모습을 인정하기 싫어서 어떻게든 흠을 잡으려 하는 성향입니다.

이런 팀장들이 조직에 많다면 큰 문제입니다. 조직에 우월한 능력을 가진 직원이 없다는 뜻입니다. 능력이 없으니 직장에서 공인된 우월한 지위를 이용해 직원들에게 갑질을 하고 있는 것입니다. 본인이 더 높은 수준으로 올라가는 게 아니라 상대를 더 깔아뭉개거나 흠을 잡아서 자신과 월등히 차이가 나 보이게 하는 것입니다.

통제력이 강한 리더는 직원들에게 수시로 흠을 잡는다.

지방 소재의 대형 유통마트에서 커뮤니티 문화 개선 프로젝트를 맡은 적이 있습니다. 대부분의 클라이언트들은 캐셔 직원들이었습니다. 캐셔 직원들을 관리, 감독하는 관리직들은 사무직원으로 분류되어 있었습니다.

그 중에 영업 관리부 사무직들이 직접적으로 캐셔 직원들을

관리하였는데 일이 잘못되면 혼내면서 고통을 주는가 하면, 자신들의 우월성과 통제력을 확인하는 문화가 잡혀있었습니다.

또한 캐셔 직원들을 통제하는 관리직원 중에 직원들의 잘잘못을 지속적으로 따지며 흠잡는 습관이 몸에 베인 직원이 있었습니다. 그 조직에서 별명이 '독사'라고 불릴 정도로 문제가 되는 사람이었습니다.

저는 업무를 떠나서 직원들을 흠잡는 행위는 일종의 고약한 나쁜 짓이라며 캐셔 직원들을 위로해주었습니다. 직원들의 질서와 윤리의식을 위해 통제력을 발휘하는 것이 아니라 사소한 것에 매달려 흠집을 내고 직장 내 갑질을 일삼는 행위라고 비판했습니다.

직원들의 흠을 찾고 괴롭히는 행위가 즐겁지 몰라도, 그런 성향을 가진 직원들 때문에 기업문화에 흠을 생기고, 직원들이 자연스럽게 정신적 피해를 입게 됩니다.

그렇다고 해서 그런 나쁜 관리 직원에게 반항하면 어떻게 될까요? 그들은 반항에 절대 굴복하지 않습니다. 자신이 갖고 있는 권력을 무시했다고 간주해서 갖은 꼬투리를 잡아 더욱 괴롭힘을 당하게 됩니다. 이후로 감정적으로 괴로워질 수밖에 없습니다.

여기서 문제는 나쁜 관리 직원에게 순응해도 피곤하다는 것입니다. 계속 통제력을 확인하려고 일을 더 많이 주고 괴롭힙니다. 일이 많아지면 지치고, 성과도 안 좋아집니다. 나쁜 관리 직원이 주는 일이 실제 회사에서 원하는 업무가 아니며, 전혀 방향성이 다른 엉뚱한 일이 많기 때문입니다.

회사에서 좋은 성과를 내기 위해 매뉴얼과 프로세스를 수립합니다. 하지만 나쁜 관리직원은 매뉴얼과 프로세스, 각자의 업무분장 등을 싹 다 무시합니다. 순간순간 자신이 하는 판단이 더 편리하고 효율적이라고 생각하기 때문입니다.

그리고 남을 자기 맘대로 통제하는 것도 즐깁니다. 그러다 문제가 생기면 자기 지시를 따르지 않고 마음대로 일해서 문제가

생겼다고 몰아붙입니다. 바로 나쁜 관리직원의 공통적인 성향입니다.

아크릴의 법칙(AHCHReel's Law)을 기억하자.

그렇다고 해서 마냥 버틸 수는 없는 노릇입니다. 하루라도 빨리 나쁜 관리지원들과 떨어져 지내고 싶습니다. 하지만 대부분 이렇게 그냥 시간을 보내려 합니다. 변화를 시도하고 싶지만 용기가 나지 않기 때문입니다.

버티는 쪽으로 마음을 정했다면 그 속에서 전략적 방법을 찾을 수 있습니다. 인내심이나 키우자는 생각으로 한발 물러서면 안됩니다. 중요한 것은 나쁜 관리직원은 직권을 남용하고 회사의 매뉴얼을 무시하다가 문제를 일으키게 되어 있습니다. 성과를 저해하는 나쁜 직원인 게 드러날 수밖에 없습니다. 회사의 높은 간부 또는 인사부서로부터 최대한 빠른 시일 내로 드러날 수 있도록 방법을 찾는 것입니다.

회사 역시 직원들에게 갑질을 하고 통제하는 관리직원을 싫어합니다. 사내에서 갑질에 정신적인 피해를 입는 직원은 행복하지 않다는 것을 누구나 알고 있기 때문입니다.

국내 노동연구가 '노정진'이 주장한 <아크릴의 법칙AHCHReel's Law>이 있습니다. 고객의 만족도를 높이기 위해서는 고용된 직원이 행복해야 이룰 수 있다는 전제 조건을 강조합니다.

고객의 만족도가 높을수록 기업이 자연스럽게 발전하며, 계속적으로 발전하는 기업은 직원을 행복하게 해주며, 기업에 행복한 직원이 많을수록 고객의 만족도를 높여 준다는 선순환적 이론입니다. 따라서 빨리 직원을 통제하는 나쁜 관리직원을 조직에서 제외할 수 있도록 해야 합니다.

컨설팅 당시에 제가 제시한 전략은 나쁜 관리직원에 대한 정보를 퇴직 예정자들에게 알리는 것으로 채택하였습니다. 퇴직 예정자 중에서도 회사 업무에 대한 능력이 뛰어나면서 협조력

이 뛰어난 직원들로 선정했습니다. 능력 있는 직원들이 회사를 떠나면서 갑질하는 그들을 회사의 발전을 도태시키는 원흉으로 지목하기를 바랬기 때문입니다.

《Summary》
● 진짜 나쁜 팀장은 실무자가 팀장의 능력을 뛰어 넘는 모습을 인정하기 싫어서 어떻게든 흠을 잡으려 하는 성향을 가진 사람이다.
● 직원들을 흠잡는 행위는 직장 내 갑질을 일삼는 행위와 같다.
● 아크릴의 법칙AHCHReel's Law은 고객의 만족도를 높이기 위해서는 고용된 직원이 행복해야 이룰 수 있다는 전제 조건을 강조한다.
● 나쁜 관리 직원에 대한 정보를 능력은 있는 퇴직 예정자들에게 알려서 직장을 떠날 때 회사의 발전을 도태시키는 원흉으로 지목하도록 만드는 것도 방법이다.

◆ 원청의 갑질 때문에 미치겠습니다.

《Trouble》

　우리 회사의 원청회사이자, 주 고객은 '(주)두풍기계'입니다. 오래전부터 두풍기계의 협력사로 지정이 되어 매년 계약을 통해 일감을 받고 있습니다. 두풍기계와 우리 회사와 계약 관계임에도 불구하고 두풍기계는 '갑'이라는 우월한 위치에 있음을 강조하며 계약에도 없는 서비스를 요구합니다.

　또한 원청회사 직원들은 조금이라도 청소상태가 마음에 들지 않거나 공장 내 오염된 부분을 조금이라도 발견하기라도 하면 화를 내거나 직접적으로 업무지시까지 내립니다. 나이가 한참 어린 원청 직원들이 반말로 소리를 지를 때도 있습니다. 시간이 지날수록 갑질을 하는 수준이 더 높아지고 있어 스트레스가 이만저만이 아닙니다.

불합리한 대우로 인해서 신고하기에 어려운 현실이다.

　굴지의 유명 대기업들은 하도급 협력사와 '상생'이라는 단어를 강조하면서 계약관계를 맺습니다. 실제로 유명 전자기업은 협력사와 동반성장 아카데미와 같은 프로그램을 운영하며 협력사의 인적자원개발을 지원하거나, 중소기업 대상으로 신기술 인큐베이팅incubating 지원 등 동반성장 생태계 조성을 위해서 많은 투자를 하고 있습니다.

　또한 협력사와는 거래 관계가 아닌 성장의 동반관계라고 칭하며 협력사들로부터 가장 신뢰하고 거래하고 싶은 기업이 되도록 이미지를 가꾸고 있습니다. 하지만 어디까지나 유명 대기업의 일부 사례입니다.

　규모가 어느 정도 되는 많은 기업들은 협력사와 계약을 통해

기업을 운영합니다. 같은 공장안에서 서로 소속이 다르고, 작업복이 다른 사람들과 일하고 있지만 그 속에서 많은 불법적인 행태가 발생하고 있습니다.

하도급 업체 소속직원에게 원청 직원들이 업무를 지휘하거나 감독하기도 하며, 일방적인 평가를 하며 작업방법을 지시합니다. 이는 엄연한 불법 상황이며 '위장도급'이라고 판단할 수 있습니다.

하지만 이런 상황을 쉽게 신고할 수도 없는 노릇입니다. 괜히 원청과 다툼이 벌어지면 소속회사에 피해가 가거나, 기업 간의 계약관계라도 종료가 될까 두렵기 때문입니다.

'갑'은 결정권을 쥐고 있기 때문에 합리적으로 대응해야 한다.

이론이나 이치에 합당하고, 헛되지 않은 계획적인 행동을 하는 것을 우리는 '합리적'이라고 부릅니다. 원청과 하청을 '갑을 관계'라고 표현했을 때 요즘은 이렇게 표현해서는 안 되지만 원청은 '갑'의 위치이고 하청은 '을'의 자리에 있습니다.

갑은 칼자루를 쥐고 있기 때문에 결정권이나 통제력을 갖고 있다고 말할 수 있습니다. 하지만 갑이 갖고 있는 힘을 비합리적 또는 반사회적으로 사용했을 때 우리는 '갑질'이라고 부르고 있습니다.

자신의 우월한 지위를 이용해 자신보다 약한 사람들에게 무례하게 하는 행태를 표현하는데, 유독 대한민국 사회에서 주로 나타납니다. 쉽게 말해 사회적으로 유리한 위치에 있는 자가 자신의 지위를 이용해 상대방이 자신의 방침에 강제로 따르게 하는 것입니다.

땅콩 회항, 라면상무 사건 역시 갑질로 유명한 일화입니다. 갑질은 영어로 'gapjil'이라고 쓰는데 우스꽝스럽게도 옥스퍼드 사전에도 올라가 영어 어휘가 하나 더 추가되었습니다. 'gapjil 이란 한국에서 우월적 지위에 있는 사람의 상대방에 대한 오만하

고 권위적인 태도나 행위다.an expression referring to an arrogant and authoritarian attitude or actions of people in South Korea who have positions of power over others.'라고 명시 되어있습니다.

막강한 힘을 가진 '갑'이라는 위치에 있는 사람들은 언제까지나 우세할까요? 절대 아닙니다. 갑은 언젠가는 '을'이 될 수 있으며, 현재 다른 한쪽으로는 '을'의 위치에 있을 수도 있습니다. 소위 먹이사슬 구조에서는 왼편으로 '갑'이면서 동시에 다른 오른 편으로는 '을'인 경우도 있기 때문입니다.

'갑을 관계'에서 갑은 을에 대해 권한을 행사하기 쉽기 때문에 최소한 인격적인 대우를 하는 자세는 반드시 필요하며, 모든 결정권에 있어서 합리적으로 이행을 하는 모습을 보여야 합니다.

갑의 입장에서 가장 조심해야할 행동 두 가지가 있습니다. 첫 번째는 화내는 행동입니다. '갑의 화'는 '을의 원한'으로 싹이 트기 때문입니다. 구반장님께서도 가장 공감하리라 생각이 듭니다.

두 번째는 앞에서 공감과 상생의 발언을 해놓고 뒤에서 업신여기거나 하찮게 여겨 깔보는 행동입니다. 갑은 태어날 때부터 '갑'이 아닙니다. 운이 좋게 갑의 집단으로 소속이 되면서 권한이 주어진 것이기 때문에 훗날에 갑과 을이 바뀌었을 때 큰 코를 당하기 쉽습니다. 실제로 주위에 입장이 바뀐 경우를 쉽게 찾아볼 수 있습니다.

2020년까지 유명세를 떨쳤던 A영상 오디오 보급업체가 있었습니다. 영화나 유명 드라마 제작에 여러 번 참여했습니다. 해가 지날수록 일감이 많아져 종업원 수가 동기대비 30%가까이 늘었으며 자연스럽게 매출 또한 늘었습니다.

이를 지켜보던 여러 금융업체들은 A업체가 보유하고 있는 퇴직충당금을 자신의 업체와 계약하여 자산관리를 하길 권유했고 A업체 사장단은 이를 빌미삼아 술자리를 요구하거나 개인적인 뒷돈을 요구하고, 심지어 개인 심부름까지 시키는 슈퍼 갑질을

일삼았습니다.

　금융업체들은 갑질을 참아가며 비위를 맞추었지만 계약은커녕 연락까지 끊어버리는 A업체로부터 분노를 느껴야 했습니다.

　마침내 코로나19로 인한 팬데믹pandemic이 일어났고 업체는 급작스럽게 돌아선 적자경영으로 금융권으로부터 대출의 손을 벌렸지만 모두 뒤돌아서 버렸습니다. 이후 기업회생절차를 밟게 되었고 끝내 부도처리를 하였습니다. 방금 말씀드린 이야기가 갑과 을이 바뀐 사례라고 볼 수 있습니다.

　갑의 위치에 있는 집단은 칼자루를 버리고 가끔 한 번씩 역지사지, 자기성찰의 자세를 갖는 습관이 중요합니다. 을의 심정을 진심으로 알기 위해 칼자루가 아닌 칼날을 쥐고 성찰해보자는 의미입니다. 갑은 여러 방면으로 권한을 가진 자입니다.

　권한을 가지고 있을 때 사용을 잘 해야 하고, 을에게 베풀 수 있을 때 베풀어야 합니다. 충분히 배려를 하고, 아량을 넓혀야 할 위치인 것입니다.

　'갑질'이 아니라 '값진 질質'을 하기 위해 더 많은 노력이 필요한 자리이기도 합니다.

불합리한 갑에게 맞서기 위해서는 전략이 필요하다.

　불가능하다고 생각할 수 있겠지만 을은 언젠가는 '갑의 자리'에 올 수 있습니다. 또한 지금 현재도 다른 한편으로 봤을 때 갑인 상황인 경우도 있습니다.

　을로 지낸 경험은 인간을 보다 성숙하게 하고 후일에 갑이 되었을 때 '값진 질'을 하도록 하는 밑거름이 될 수 있다는 것을 알아야 합니다.

　갑의 대항마가 되기 위해서는 첫 번째, 을로서 근성이 필요합니다. 본인 또는 회사 전체의 목표가 달성될 때까지 최선을 다해서 성과를 내는 것입니다. 탄탄한 내공을 쌓으면서 갑에게는 무조건 자세를 낮추는 겸손함과 겸허함을 보이는 것이 중요합

니다.

개인의 업무실력과 능력이 뛰어나면서 집단의 성과와 이익을 위해 무릎을 꿇는다면 꿇을 수 있는 내공까지 섭렵한다면 그 어떤 불합리한 갑도 인정을 해버립니다. 갑의 통제 아래에 있지만 갑으로부터 무언가를 얻어내야 하는 입장이기 때문에 얻기 전까지는 무조건 자신을 낮추는 자세가 필요합니다. 자본과 사원을 갖고 있는 갑으로부터 얻어내려면 자존심은 잠시 내려놓는다는 생각으로 일을 하는 것이 편합니다.

두 번째, 을은 '을'로서 성실해야 합니다. 업무를 하면서 거만한 태도를 보이고, 불성실한 모습을 나타나게 되면 나중에 독이 됩니다. 을의 겸손은 비굴하지 않으며 부지런한 모습으로 끝까지 물고 늘어지는 것입니다.

우리는 '갑을노동'이라는 사슬 속에서 갑과 을의 위치를 오가며 서로를 힘들게 하고 있습니다. 이러한 갑을노동의 사슬을 받아들이지 못한다면 자본주의 사회에서 어떠한 소득도 발생시킬 수 없을지 모릅니다. 사회 조직적으로 노동관계가 수직적으로 형성되어 있기 때문입니다.

노동관계를 수직적으로 표현할 수 있지만, 인격적으로 모든 사람은 수직적 관계가 아닌 평등한 관계입니다. 따라서 일을 하면서 비굴해질 필요까지는 없습니다.

비굴하지 않는 겸손함이란 어떤 모습일까요? 남을 높이어 귀하게 대하되 자신을 부끄러울 정도로 낮추지 않는 모습입니다. 비굴하지 않는 겸손함을 겸비한 채 본인의 업무를 성실히 하는 태도가 비춰질 때 갑은 사회 조직 내에서 을을 인격적으로 대우를 해줍니다. 성실한 사람에게는 절대 함부로 대하거나 비인격적인 행동을 할 수 없기 때문입니다.

A업체 사례처럼 과거에 갑이었다가 을이 된 경우는 많이 있습니다. 갑으로부터 원하는 바를 얻어내려면 과거의 갑의 시절 추억을 잊어야 합니다. 그러므로 을은 항상 겸손함과 겸허함을 잊지 말고 조심스러운 이미지로 갑을 대해야 합니다.

을의 최악의 행동은 거만하게 말하거나 행동을 하며, 자존심이 상한다는 이유로 갑에게 덤비는 행동입니다. 잠시 동안 갑은 어쩔 줄 몰라 굽히는 상황이 될 수 있으나, 짧은 시간 뒤 자신은 물론 소속된 회사에 쓰나미Tsunami처럼 큰 피해가 덮치는 나비효과가 나타날 수 있습니다.

《Summary》
● 원청 직원들이 하도업체 직원에게 업무를 지휘, 감독하고 일방적인 평가를 하며 작업방법을 지시하는 상황은 '위장도급'이며, 즉, 불법이다.
● 갑은 을에 대해 권한을 행사하기 쉽기 때문에 인격적인 대우를 하는 자세는 반드시 필요하며, 모든 결정권에 있어서 합리적으로 이행을 하는 모습을 보여야 한다.
● 을로 지낸 경험이 많은 사람일수록 성숙하며, 후일에 갑이 되었을 때 '값진 질質'을 하도록 하는 밑거름이 된다.
● 갑은 자본과 자원을 갖고 있기 때문에 얻어내려면 자존심은 잠시 내려놓는다는 생각으로 일을 하는 편이 낫다.
● 비굴하지 않는 겸손함을 겸비한 상태에서 업무를 성실히 할 때 갑은 사회 조직 내에서도 인격적으로 대우를 해준다.

◆ 불합리한 만행들을 고발해야 하나요?

《Trouble》

　회사는 직원들로부터 신뢰가 좋은 편은 아닙니다. 노사관계가 좋은 편이 아니라는 뜻입니다. 저 역시 회사를 불신을 하고 있는 쪽에 가깝습니다.

　처음 입사했을 때 근로계약서에 명시된 처우는 회사사정으로 변동이 되었다면서 축소하거나 미지급되는 경우도 많았으며, 사내 취업규칙을 찾아보려고 해도 어디에 감춰두었는지 찾아볼 수도 없습니다. 그래서 회사 규정을 알 수가 없습니다.

　시간이 흐를수록 처우가 개선될 만한 좋은 제도는커녕 직원들에게 불리한 제도나 정책만 생기고 있는 느낌이듭니다. 회사는 직원들을 소모품 취급하고, 행복과 안녕에는 관심이 없는 것 같아 자괴감이 생길 정도입니다. 이런 만행들을 어디에 고발해야 할지도 모르겠습니다.

불합리한 관행과 제도가 있다면 노동조합 또는 노사협의회를 찾아가라.

　노동조합의 단체협약에 정해진 근로조건은 근로계약이나 취업규칙에 위반되지 않도록 금지하는 규범적인 효력을 갖고 있습니다. 근로조건을 유지하고 개선한다는 목적을 갖고 있다는 말입니다.

　또한 근로자와 회사 간의 교섭이 결렬될 경우에는 단체행동, 즉 쟁의행위를 할 수 있습니다. 하지만 노동조합설립은 어디까지나 근로자의 자유로운 조직 및 가입에 있기 때문에 자주적인 설립으로 볼 수 있습니다.

　이에 비해 노사협의회는 30인 이상 근로자를 사용하는 기업은

무조건 설치 의무사항입니다. 『근로자참여 및 협력증진에 관한 법률근로자 참여법』 제4조에 따르면 노사협의회는 근로조건에 대한 결정권이 있는 사업이나 사업장 단위로 설치하여야 합니다. 다만, 상시 30명 미만의 근로자를 사용하는 사업이나 사업장은 협의회 설치 의무가 없다고 명시되어 있으나, 의무가 없다는 것뿐이지 설치해도 무관합니다.

설치 목적은 참여와 협력을 통해 노사공동의 이익을 키우고자 하는 점으로 볼 수 있습니다. 기업은 노사협의회로부터 경영상황을 보고해야 하며, 안건이 발생하면 노사 간 협의를 통해 의결을 할 수 있습니다. 의결사항 불이행에 대한 처벌이 있으므로 강행성이 부여되어 있습니다.

불합리한 제도나 관행으로부터 직원들이 고통을 받거나 부당한 대우를 받는다면 적절하게 판단해서 노동조합 또는 노사협의회를 찾아가는 것을 추천해 드리고 싶습니다.

직원은 노동을 함으로써 근로자의 권리를 찾고 법으로부터의 보호를 받을 수 있습니다. 하지만 불합리한 대우를 당하거나 근로자의 권리를 빼앗길 때 목소리를 높여 회사로부터 부당함을 알려야 합니다.

사회적으로 문제를 일으킬 위법이 있다면 근로감독관을 만나라.

기업이 여러 가지 사업을 운영하다 보면 근로자를 사용함에 있어 자칫 위법을 하는 경우가 종종 있습니다. 하지만 수준과 정도라는 것이 있습니다.

가파르게 변하는 노동정책으로 인해 운영상 딜레마에 빠져 위법을 행할 수밖에 없는 경우가 있는가 하면, 사업주의 이익을 위해 의도적으로 위법을 행하는 경우가 있습니다. 후자를 택한 상태에서 기업을 유지하고 있다면 우리는 고용노동부의 근로감독관을 찾아야 합니다.

노동자를 보호하기 위해 『근로기준법』이 있고, 이를 제대로 지키기 위해 '근로감독제도'를 두고 있습니다.

진정서를 받은 근로감독관은 사업장을 방문해서 근로기준법이 지켜지고 있는지 감독하고, 위반사항이 있으면 시정을 요구하거나 행정처분을 내리기도 합니다. 근로자가 사업주의 만행을 민·형사적으로 고발하는 것보다, 근로감독관을 찾아 도움을 청하는 것이 절차적으로 간소합니다. 처벌보다는 개선의 목적으로 접근한다면 매일 일터에서 마주치는 사업주와의 관계에서도 근로자입장에서의 불편함을 줄일 수 있습니다.

하지만 근로감독제도는 각 지방청마다 상주하고 있는 근로감독관의 수가 턱없이 부족하기 때문에 빠른 시일에 진단 또는 점검을 받거나 사업장을 돌면서 근로조건을 파악하기 어려운 실정입니다.

또한 신고 사건을 처리하는 과정에서 감독관이 사업주 편을 들거나, 법적 기준보다 낮은 조건으로 합의 또는 화해를 종용할 수 있습니다. 위반사항이 있더라도 시정지시에 머물기 때문에 직접적인 처벌이 드문 경우도 있습니다. 심지어 법 위반을 신고한 노동자가 불이익을 당하는 등의 문제가 발생하기도 해서 많은 직원들이 퇴사를 한 후 신고를 하는 현상이 나타나기도 합니다. 하지만 우리는 포기해서는 안됩니다.

기업을 운영하기에 있어 '제도', '정책', '체계'라는 것은 모든 행위에 있어 기준이 됩니다. 하지만 다른 한편으로 단점도 있기 마련입니다. 단점이 있다고 해서 당연시하게 받아들일 필요는 없습니다.

노동자의 권리를 찾고 불합리한 상황을 개선해서 동료와 후배들에게 좋은 일자리를 물려주기 위해서는 여러 방면으로 방법을 찾아 단점이 없어질 때까지 끊임없이 바꾸고, 또 변화를 주어야 할 것입니다.

근로감독제도와 같은 노동의 질을 개선해주는 것들이 사회에 잘 안착되고, 일터에서 관행처럼 여겨지는 위반사항들이 하루

빨리 개선될 수 있도록 근로자인 우리부터 노력해야 할 것입니다.

《Summary》
● 노동조합은 근로조건을 유지하고 개선한다는 목적을 갖고 있으며 회사와의 교섭이 결렬될 경우에는 쟁의행위를 할 수 있다.
● 노사협의회는 참여와 협력을 통해 노사공동의 이익을 키우고자 하는 목적을 갖고 있다.
● 근로자가 사업주의 만행을 형사적으로 고소하는 것보다, 근로감독관을 찾아 도움을 청하는 것이 절차적으로 간소하고 사업주와의 관계에서도 불편함을 줄일 수 있다.
● 근로자를 위한 정부 제도라는 것은 다른 한편으로 단점이 있을 수는 있지만 노동자의 권리를 찾고 불합리한 상황을 개선하기 위해서는 끊임없이 이용하고 관심을 기울여야 한다.

◆ 낮은 고과를 받고 회사에 가기 싫어졌습니다.

《Trouble》

매년 새해가 시작되는 1월 한 달은 인사고과 시즌입니다. 전 연도분의 개인 업적을 평가하는데 1월 말이 되면 회사는 직원 개인들에게 인사고과 결과표를 발송합니다.

결과에 크게 마음을 두지 않는다고 하시만 대부분 직원들은 신경을 쓰는 것은 사실입니다. 올해는 인사고과 결과표를 받고 마음이 많이 뒤숭숭했었습니다. 하마터면 사직서를 제출할 뻔했습니다. 최하위 등급인 'C등급'을 받았기 때문입니다.

다른 동료들보다 몇 배는 열심히 일한 회사에서 이런 평가를 받았다는 사실을 믿을 수가 없습니다. 저에게 조금의 문제가 있다는 생각하고 있지만 누구나 완벽한 사람은 없다고 생각이 들면서 며칠 간 회사에 가기 싫어서 매우 힘들었습니다.

너무 힘든 나머지 팀장을 찾아가 평가에 대한 정확한 기준을 묻고 피드백을 받고 싶었지만 꾹 참았습니다. 회사가 저를 해고하고 싶은 건지, 아니면 일부러 괴롭히는 건지 알고 싶습니다.

나쁜 평가 결과로 인해 매너리즘에 빠졌다면 본인만 손해이다.

사람들은 대부분 나쁜 평가를 받으면 머리에 무엇인가에 얻어맞은 듯한 충격을 느낍니다. 인신공격을 당한 기분도 들고, 마음 아프며, 두렵고, 창피하고, 화나고, 혼란스럽고, 누구에게든 자신을 두둔하고 싶어집니다.

그런 괴로운 순간에는 온갖 말들을 퍼붓고 싶을 것입니다. 하지만 인사고과를 기대한 만큼 받지 못했다고 인생이 끝나는 것은 아닙니다. 조금 늦게 출발한 것처럼 보이더라도 열심히 일한 사람들은 반드시 보상을 받게 되어 있습니다. 좀 더 멀리

보고 문제를 해결하는 과정이라고 생각하기 바랍니다.

인사 평가권을 갖고 있는 상사가 왜 'C등급'이라는 점수의 평가를 내렸을까요? 물론 평가의 결과에 대해 글이나 면담으로 피드백을 주는 회사가 있기도 하지만 그게 아니라면 그 숨어있는 메시지를 빠르게 추측하고, 알아볼 수 있는 힘을 길러야 합니다.

어떤 회사에서는 인사고과 평가가 아무런 의미도 없는 반면, 대부분의 회사에서는 인재관리에 중요한 의미가 있습니다. 평가권자들이 정해진 비율에 따라 'S급', 'A급', 'B급', 'C급'으로 등급을 매긴다든지, '최우수', '우수', '양호', '노력 필요'등으로 피드백을 주는 회사도 있습니다.

부정적인 평가의 의미를 더 넓은 맥락에서 찾아보고, 과거에 비슷한 등급을 받은 직원들이 직장 생활의 근태를 포함해서 어떤 수준의 이미지를 갖고 있었는지 곰곰이 파악해봐야 합니다.

인사고과를 엉망으로 준 상사에게 절대 흥분하지 마라.

낮은 인사고과 결과를 확인한 순간 얼굴에 열이 오르고 평가 점수를 매긴 상사에게 분노가 치밀 것입니다. 어느 누구라도 당연한 상황입니다. 하지만 흥분한 순간일수록 절대 조심해야 합니다. 당장 상사에게 '어떻게 제 고과를 이렇게 매길 수 있습니까?'라고 대들고 나면 그 다음으로 이어질 이야기는 생각만 해도 아찔한 스토리입니다.

만약 대들었다면 어쩔 수 없이 직장을 옮기든지 그게 아니라면 상사에게 절대복종하는 사람들의 험담과 악평에 시달려야 하는 상황이 닥칠 수 있습니다. 시간이 지나 회식자리나, 중요한 고비 때마다 상사에게 들이댄 용감한 사건은 두고두고 사람들의 입방아에 오를 것입니다. 다른 부서로 이동해 다른 상사를 만나더라도 꼬리표는 달고 다니게 될 것입니다. 절대 이런 후회할 짓을 해서는 안됩니다.

따라서 나쁜 평가 결과가 스트레스로 작용하여 더 이상 회사를 다닐 수 없을 정도의 상황이 아니라면 얼굴에 특별한 감정을 드러내는 일을 최대한 자제해야 합니다.

가장 중요한 시점은 평가 결과를 눈으로 최초 확인한 시점입니다. 실수를 범하는 사례를 보면 사람들이 평가 결과를 확인하고 그 시점에 감정 조절을 하지 못해 소란을 피울 때가 많습니다. 마인드컨트롤에 집중해서 그날 하루를 잘 넘겨야 됩니다. 하루만 잘 넘기면 어떻게 행동해야 하고, 어떻게 생각해야 회복탄력에 도움이 될지 방법이 떠오릅니다.

이번 인사고과를 통해 상사와 자신의 관계를 더욱 단단하고 튼튼히 만든 후 다음 고과 때는 좋은 평가가 나오도록 본인만의 전략을 구상해야 합니다.

정확한 전략을 짜고 싶다면 면담을 통해 답을 얻어라.

전략을 구상할 때 평가의 대상이 되는 해에 본인이 이뤄낸 업적을 정리해 볼 필요가 있습니다. 또한 회사나 직장 동료들에게 긍정적, 부정적 이슈를 던져주었던 사건과 상사와 협업으로 인한 성과라든지, 의견 충돌로 인한 트러블 등을 포함시켜야 합니다.

정리를 하는 과정을 통해 분명 전략을 찾을 수 있습니다. 어렵다고 생각이 든다면 상사에게 면담을 신청해 보는 것도 바람직합니다. 어떻게 보면 본인이 개선하기에 가장 효율적인 방법이라고 할 수 있겠습니다.

면담 자리에서 평과 결과에 대해 따지는 등의 실수를 범하지 않겠다고 명심하고 충분히 마음을 가라앉힌 상태에서 차근차근 이야기를 주고받아야 합니다. 어떤 부분을 개선해야 하며, 좋은 인사고과를 위해서 무엇에 더 몰입을 해야 할지 등 상사에게 직접적인 질문을 해도 상관없습니다.

상사는 분명 대환영이라는 생각을 할 가능성이 높습니다. 이

야기를 듣고 있으면, 상사가 나에게 어떤 점으로부터 부정적인 견해를 가지고 있는지 힌트가 쉽게 표출이 됩니다. 상사가 평가 이유를 설명하면서 쭉 열거하는 구체적인 내용을 귀담아 듣습니다. 하지만 그 속에 오해를 발견할 수 있습니다. 예를 들어 상사가 진상을 제대로 모르거나, 다른 동료로부터 잘못된 얘기를 듣고 평가를 했을 수 있습니다.

하지만 평과의 결과를 뒤집을 각오를 갖고 상사의 마음을 바꿀 답변은 해서는 안됩니다. 상사에게 그것은 잘못된 사실이라고 설득하려고 해봤자 소용없는 짓이며, 관계는 더 나빠질 수 있습니다. 평가 결과에 대해서 해명하는 자리가 아닙니다. 본인의 개선에 대해 목적을 두고 회사를 위해서 도움이 될 수 있는 많은 조언들을 듣겠다는 자세로 경청하며 상사를 바라본다면 그 자리는 충분히 구 반장님께 득이 될 수 있습니다.

면담은 더 나은 고과점수를 위해서 전략을 짜기 위한 시간이기 때문에 최대한 있는 그대로의 피드백을 기록하면서 이야기 나누는 자세가 필요합니다. 나중에는 분명 좋은 인사고과를 받는 주인공이 될 수 있습니다.

《Summary》
● 인사고과를 나쁘게 받았다고 움츠리지 말고 좀 더 멀리 보고, 문제를 해결하는 과정이라고 생각하라.
● 상사가 나쁜 점수의 평가를 내렸을 때 숨어있는 메시지를 빠르게 추측하고 알아볼 수 있는 힘을 길러야 한다.
● 다음 인사고과 때는 좋은 평가가 나오도록 본인만의 전략을 구상해야 한다.
● 전략 구상에 있어 어렵다고 생각이 든다면 상사에게 면담을 신청해 보는 것도 바람직한 방법이다.
● 면담의 자리는 충분히 감정적인 상황이기 때문에 최대한 있는 그대로의 피드백을 기록하면서 면담을 하는 자세가 필요하다.

◆ 생활 여건이 부족함에도 투잡을 못하게 합니다.

《Trouble》
　물가는 치솟고, 고금리 시대이며, 제 직업의 소득 역시 매년 올라가지 못하고 머무르다시피 해서 본업 외에 부업을 찾고 있는 것은 사실입니다. 본업에 지장이 없는 한해서, 생활비에 보태고 싶은 마음에 대리운전, 편의점, 식당 보조 등 퇴근 후에 할 수 있는 아르바이트에 대해 관심을 두고 있습니다.
　두풍기계 직영 직원들처럼 고소득자도 아닌 비정규직 협력업체 소속이라서 부수적인 소득이 없으면 가족들과 외식은커녕 전기 요금, 가스 요금 같은 유틸리티비용과 담보 대출금을 갚아 나갈 수 있는 수준이 안됩니다.
　하지만 회사는 부업에 대해 많이 부정적입니다. 부업을 한답시고 본업을 소홀히 한다거나, 근무 시간 중 피곤해서 졸고, 무단으로 근무지를 이탈하는 등의 사례는 만들지 않을 각오가 있는데도 말입니다. 원래 투잡은 불법인가요?

최저임금은 올랐는데 급여는 오히려 줄었다?

　우선 우리나라의 과거 노동현장을 말씀드릴게요. 비정규직 노동자는 1987년 '노동자 대투쟁의 날'을 시점으로 10여 년에 걸쳐 서서히 형성되었고, 1998년 IMF 경제 위기 이후 노동의 비정규직화가 급속하게 퍼졌습니다.
　최근 들어 가파르게 상승하는 최저임금 이유로 기업은 비정규직 채용을 자연스럽게, 더 많이 진행했습니다. 비정규직 노동자는 임금, 복리후생과 같은 처우에 대한 차별적 대우로 인한 불안정한 상태에서 노동을 할 수밖에 없는 상황이 이어져가고 있습니다.

『기간제 및 단시간 근로자 보호법』이 재개정되고, 강화되어도 마찬가지입니다. 그러면 비정규직 비율은 어느 정도일까요? 전체 근로소득자 중 40%에 가까이 육박하고 있습니다.

이러한 사회적 분위기와 더불어 우리나라의 경제적상황이 근로자들의 재정상황을 더욱 악화시켰습니다. 물가는 하늘을 찌르듯 높아졌으며, 기준금리가 덩달아 상승했습니다. 대출자들은 이자 부담에 어깨가 무거워졌습니다.

대부분의 근로자들이 수 천만 원 대 빚을 안고 있는 상황에서 이자 부담이 가중되고 있으니, 최저임금이 올라도 먹고살기는 더 어렵다는 말이 나오는 것도 어찌 보면 당연한 일로 생각이 됩니다.

좀 더 구체적으로 이야기해 보겠습니다. 근로자들은 고용노동부가 공시한 최저임금 인상률만큼 급여가 올랐을까요? 실질적인 최저임금과 물가 상승률 대비 임금 상승률은 현저히 낮았습니다.

기업은 상여금과 같은 월 급여 외에 지급되는 각종 수당을 최저임금 항목에 흡수시켜 해당 연도 최저시급에 맞추기 급급했습니다. 주 52hr 근로와 같은 연장근로 제한으로 낮아진 대근실적과 사라진 주말 근무 때문에 오히려 임금이 줄어든 경우도 생겼습니다.

정규직 근로자 역시 현실에 안주하여 살기가 힘겨운데 비정규직 근로자는 오죽할까요. 근로자들은 이러한 현실을 극복하고 기초적인 생활이라도 영유하기 위해 본업뿐만 아니라 부업을 포함하는 투잡Two Job의 전선에 뛰어들게 되었습니다.

하지만 기업은 근로자들의 투잡과 같은 겸업을 하는 상황이 못마땅한 입장입니다. 일부 기업은 법적인 처벌이라는 몽둥이를 들고 지켜보기도 합니다.

겸업을 바라보는 바람직한 자세

'평생직장'이라는 단어가 희미해지고 있습니다. 물론 새로운 취업전선에 뛰어들었을 때 현 시대가 원하는 강력한 무기스펙와 스킬을 갖고 있어서 어느 기업에서나 러브콜을 받는 전문 근로자들에게만 해당하는 현실이 참으로 안타깝습니다.

현실은 대부분의 기성세대들이 어렵게 들어간 지금의 기업에서 오랜 시간 동안 노동을 하고 있습니다. 하지만 월급만 빼고 물가가 오르는 시대에 발맞추기가 힘들어 퇴근 후 대리운전이나 배달원으로 겸업을 하거나 휴무일에 인터넷 블로거Blogger, 온라인 동영상 크리에이터Creator로 변신하는 근로자가 늘고 있습니다.

과연 기업은 겸업을 하는 이유로 근로자를 처벌할 수 있을까요? 정답은 '아니다.'입니다. 원칙적으로 『헌법 제15조』 '직업선택의 자유'가 보장되어 있으며, 겸업은 지극히 근로자 사적인 범주 안에 들기 때문입니다. 따라서 대한민국에서의 겸업은 원칙적으로 합법이라고 할 수 있습니다.

취업규칙에 '겸업금지 조항'이 있는 기업도 존재합니다. 다만 그 조항은 기업과 정한 근로시간 내에 효력이 있기 때문에 노무 제공이 끝난 시간 이후부터는 개인적인 생활을 규율하지는 못합니다.

추가로 말씀드리자면 고용노동부 역시 '근로자의 겸업은 사생활의 범주에 속하기 때문에 기업 노무에 지장이 없는 겸업까지 포괄적으로 금지하는 것은 부당하다'는 해석을 밝혀왔습니다.

하지만 기업은 『근로기준법』 제5조 '근로조건의 준수' 명분으로 근로자가 기업에서 성실하게 업무에 이행할 것을 고대합니다. 좀 더 거칠게 표현하자면 겸업을 하는 근로자가 업무시간 내에 피곤함을 호소하거나 딴 짓을 할 경우 처벌 대상이 될 수 있음을 명시한 것과 같습니다.

또한 근로자가 겸업으로 인해 본업 회사에서 손해를 끼친 경우 기업은 『민법』 750조 '고의 또는 과실로 인한 위법행위로 타인에게 손해를 가한 자는 그 손해를 배상할 책임이 있다.'의

조문을 참고하여 해당 근로자를 손해배상을 청구할 수도 있습니다. 더군다나 직원이 겸업으로 인해 본업에 지장을 줄 경우 징계해고 사유로 인정받을 수 있다고 고용노동부의 입장을 밝히기도 했습니다.

지금까지 드린 말씀을 듣고 겸업에 대해 다시 생각해 보는 분도 계실 거라고 생각이 듭니다. 맞습니다. 근로자 입장에서는 겸직을 하는 행위 자체가 부담이 될 수밖에 없는 현실입니다.

물론 소정근로시간에 생산력에 몰두하는 것은 근로자의 의무입니다. 하지만 근로자에게 최저임금 수준의 대가를 지급하면서 기초 생활을 하고 있거나 열악한 처우에서 겸업을 통해 벗어나고자 하는 근로자에게 처벌을 하려고 하는 기업의 행동 역시 바람직하지 않습니다.

바로 옆의 나라 일본의 상황은 어떨까요? 종신고용과 연공서열 등으로 기업문화가 보수적인 일본은 겸업을 원칙적으로 금지했던 노동법을 2018년도에 개정을 했습니다. 업무방식 개혁안의 일환으로 근로자가 근무시간외 다른 회사 업무를 종사할 수 있도록 정부가 직접 조치한 것입니다.

겸업을 적극적으로 권고한 사유는 무엇일까요? 바로 '인력 부족'의 문제 때문입니다. 이후 근로자들은 너도나도 할 것 없이 겸업 활동을 시작했으며 재택근무가 유행이 되면서 겸업 근로자 증대에 한몫을 하기도 했습니다.

특히 부업 일자리로 재택근무 시스템이 인기인데, 이동 없이 집에서 할 수 있는 아이템들이 증폭되기도 했습니다. 우리나라 노동인구 감소는 일본만큼이나 따라가고 있습니다. 어떻게 보면 일본보다 더 인구 감소율과 삶의 행복지수가 점점 떨어지고, 비정규직 근로자가 증대되는 우리나라가 먼저 겸업에 대해 한 발짝 빠르게 고민했어야 했습니다.

노동인구 부족 상황에서 인력이 없어 생산력에 공을 들이지 못하는 사업장 발생을 예방해야 합니다. 우수한 인재를 여러 기업들이 공유를 할 수 있는 분위기가 절실하기도 합니다.

따라서 우리나라도 앞장서서 직업선택의 자유를 강조하고 권고해야 되는 시점이라고 생각합니다. 이제는 겸업을 하면 눈치가 보이는 시대가 아니라, 겸업을 하면 자연스럽고 당연하다는 인식을 가질 수 있는 시대를 우리 대한민국 근로자 모두가 만들어 나가야 될 때이기도 합니다.

《Summary》
● 기업은 상여금과 급여 외에 지급되는 각종 수당을 최저임금 항목에 흡수시켜 해당 연도 최저시급에 맞추었고, 연장근로 제한으로 줄어든 연장근무수당 때문에 오히려 임금이 줄어든 경우도 생겼다.
● 근로자의 겸업은 사생활의 범주에 속하기 때문에 기업 노무에 지장이 없는 겸업까지 포괄적으로 금지하는 것은 부당하다.
● 일본은 인구근로자감소로 인하여 업무방식 개혁안의 일환으로 근로자가 근무시간외 다른 회사 업무를 종사할 수 있도록 정부가 직접 조치하였다.
● 겸업을 하면 눈치가 보이는 시대가 아니라, 겸업을 하면 자연스럽고 당연하다는 인식을 가질 수 있는 시대를 위해 우리나라도 앞장서서 직업선택의 자유를 강조하고 권고해야 되는 시점이다.

◆ 쓸모 있는 사람으로 인정받을 수 있을까요?

《Trouble》
　일을 하면서 제가 속해 있는 부서와 회사에 도움이 안 되고 오히려 폐를 끼치고 있다고 느껴질 때 자괴감이 생깁니다. 신입사원이라면 직무에 대해서 서툴 수도 있는데 '반장'이라는 직책 자리까지 올라간 저로서는 근로 자존감이 낮아지고 있다는 느낌이 듭니다.
　후배들과 회사에 인정받으면서 잘하려는 마음은 큰데 생각보다 너무 어려운 것 같습니다. 처음 입사했을 때 남들보다 일 처리 부분에서 다소 느렸지만, 동기들이 모두 회사를 떠난 후 홀로 근속연수를 오래 채웠더니 이 자리까지 오게 되었습니다. 자랑할 거라고는 한 회사를 오래 다녔다는 것밖에 없습니다.
　오래된 근속연수가 아닌 일에 대해 회사로부터 쓸모 있는 사람으로 인정받고 싶습니다.

'일 잘하는 사람'이 되고 싶은 욕구가 커질수록 불안해진다.

　대다수의 사람들이 일을 잘하고 싶어 합니다. 왜 그렇게 생각할까요? 답은 아주 쉽습니다. 일터에서 '일 잘하는 사람'을 원하기 때문입니다.
　회사는 쓸모 있는 직원이 많을수록 희열을 느끼기 때문에 직원 입장에서는 '일 잘하는 사람'이 되고 싶은 마음이 커질 수밖에 없습니다. 하지만 '일 잘하는 사람'이 되겠다는 욕구가 커질수록 불안감이라는 부작용이 따라오고, 업무적으로 실수가 반복되면 조직에서 쓸모없는 사람이라고 불릴까봐 스트레스를 받게 됩니다.
　국내에서 유명한 호텔을 컨설팅 했을 때 일입니다. 당시 오성

은 매니저를 만났었습니다. 카운터에서 방문고객 예약과 객실 배정업무를 했던 오 매니저는 누구보다 자신이 쓸모 있는 존재가 되기를 바랐습니다.

하지만 신분이 계약직이라서 정규직 전환을 꿈꾸며 누구보다 열심히 일했습니다. 외모와 건강을 위해 자기관리 시간에 적극적으로 투자를 했으며, 고객의 서비스 질 향상을 위해 다른 동료들보다 더 많은 아이디어를 냈습니다.

회사로부터 관심을 받기 위해 부단히 노력하는 직원 중의 한 명이었습니다. 아쉽게도 일터에서는 "너 말고도 일할 사람 많다."라는 말을 자주 들어야 했습니다. 오 매니저는 고객으로부터 클레임을 발생시키는 일이 잦았기 때문입니다.

클레임을 자주 발생시키는 경험이 있는 다른 계약직 동료들이 수시로 해고되거나 바뀌는 모습을 발견했고 정규직은커녕 본인도 그렇게 될 수 있다고 두려워했습니다. 그럴수록 일을 실수 없이 잘해야 한다는 압박은 커졌고, 작은 실수에도 자책감과 두려움을 느껴야 했습니다.

자신과 일을 분리해 낼수록 업무 성과가 올라간다.

오 매니저는 훗날 어떻게 되었을까요? 잦은 실수로 계약이 종료되었을까요? 아니면 정규직으로 전환되어서 회사로부터 인정받으며 일하고 있을까요? 정답은 후자였습니다. 회사와 자신을 분리해내는 내공을 만들었기 때문입니다.

굴지의 대기업인 <대우그룹>이나 국내 최고 규모를 자랑했던 <한진해운> 등의 대기업 부도 사태를 보면서 많은 사람들이 놀랐을 것입니다. 대기업의 부도로 인해서 사업이 이어진 협력사나 공급사는 줄줄이 부도를 막을 수는 없습니다.

현실이 그렇습니다. 지금은 '이 회사에 들어가기만 하면 평생 안심할 수 있어.'라고 장담할 수 있는 기업은 그 어디에도 존재하지 않습니다.

요즘 기업들 역시 '종신고용'이나 '연공서열'을 강구하는 HR운영 방식은 구세대적인 방식으로 생각하고 있기 때문에 현재 운영 트렌드와 동떨어진 얘기입니다. 이러한 고용시스템이 붕괴되어버린 이상 근로자가 회사로부터 필사적으로 인정받고 희생해야 되는 이유 또한 사라졌습니다.

회사가 직원의 평생고용을 보장해주지 못하는데 회사를 위해 인생을 전부 바칠 기세로 일하는 사람이 주위를 둘러보면 많이 있습니다. 이런 상황은 회사 입장에서 볼 때 대환영으로 받을 수 있는 이야기지만 직원 개인의 입장에서는 불쌍하기 짝이 없습니다. 인정받을 욕구가 지나칠수록 직무 스트레스로 인해 실적이 생각보다 뒤처지기 때문입니다.

오 매니저는 이쯤에서 현실을 인식하지 않으면 미래는 없다고 생각했습니다. 쉽게 말해서 정규직에서 탈락되고 계약이 종료되는 일이 생겼을 때 좌절감으로 인한 충격에서 빠져나오지 못할 것을 미리 예측했습니다.

그리고 마음을 비우며 현재 시간에 최선을 다해 하루하루를 필사적으로 보냈습니다. 매일 행복함을 느꼈습니다. 덩달아 고객을 대하는 태도와 표정이 살아나는 것을 느꼈습니다. 회사가 아닌 장소와 시간에는 더 이상 일을 생각하지 않았으며 몸과 마음을 리프레시 할 수 있는 환경을 만들었습니다.

오 매니저는 빠른 시간 안에 자연스럽게 자신과 일을 분리하는 데 성공했으며 업무 성과가 향상되고 있다는 것을 느꼈습니다. 계약만료 시점이 다가왔을 때 당일 오전 정규직 전환이라는 인사팀의 전화를 받고 세상 누구보다 행복한 표정을 지으며 하루를 보냈습니다.

다시 말하자면 오로지 회사를 위해 지나친 희생과 헌신을 하며 성실하게 일을 한다고 해서 행복해지는 시대는 이미 끝났습니다. 일에 중독이 되어 무리한 노동을 자발적으로 하는 근로자는 잠깐의 실적은 낼 수 있으나 장기적으로 봤을 때 결코 쉽지 않습니다.

앞으로 회사와 자신의 인생을 분리하고 적절한 거리를 두면서 일해야 됩니다. 그러기 위해서 자신의 위한 환경과 분위기 조성을 위해 개선이 필요합니다. 회사와 자신을 위해 더 나은 성과를 필요로 한다면 회사와 자신을 분리해서 생각해 볼 필요가 있다는 말입니다.

결코 워커홀릭workaholic처럼 일하는 '일 중독자'는 장기적으로 봤을 때 업무의 승산을 내기가 어렵습니다.

회사가 인정하는 '쓸모 있는 사람'이란 어떤 직원인지 정확히 파악하라.

직원 자신의 쓸모를 보여주기도 전에 해고당하거나, 그 쓸모를 보여줬음에도 불구하고 회사는 단순 업무만 시키거나, 모두가 꺼리는 위험하고 어려운 업무에 배치될 때가 있습니다.

직원이 분명 쓸모 있는 사람으로 인정을 받았어도 회사는 그 직원이 구성원이 아니라 소모품처럼 대할 수도 있으며, 직원 역시 회의감을 느끼며 회사 생활을 할 수 있습니다.

회사마다 쓸모 있는 사람이라고 구분하고 정의하는 방식이 모두 다릅니다. 경영자의 가치관마다 다를 수 있으며, 부서마다 다르고, 집단 기준에서 다를 수 있습니다.

예를 들면 상품 판매 실적이 높은 사람을 쓸모 있는 사람으로 판단하는 집단이 있는 반면, 안전사고를 내지 않는 사람을 쓸모 있는 사람으로 판단하는 집단이 있을 수 있습니다. 집단의 근로 행복지수를 위해 아이디어를 많이 내는 사람, 연구 결과 도출을 위해 몰입력이 강한 사람, 고객으로부터 받는 클레임이 현저히 적은 사람 등 쓸모 있는 사람의 정의 방식이 모두 다릅니다.

따라서 회사와 소속 부서에서 쓸모 있는 사람으로 불릴 수 있는 척도를 파악하는 습관은 중요합니다. 기업의 운영 가치관과 경영층의 인사, 신사업 개발 등의 이유로 척도가 수시로 바뀌

기 때문입니다. 기업은 이윤을 창출하는 집단입니다. 쓸모 있는 사람이라고 평가하는 척도가 이윤으로 연결되어 있습니다.

자신과 일을 분리한 상태에서 자신의 개발에 충분히 투자를 하고, 쓸모 있는 사람의 척도를 알고 점진적으로 개선해 나갈 때 일터는 지속 가능한 풍족한 삶을 제공하고, 장기적으로 가치를 실현할 수 있도록 조력자의 역할을 할 수 있습니다.

단기적인 성과 집착은 회사 자체의 존폐위기, 불안과 과로를 요구하는 분위기만 제공할 뿐입니다. 일을 통해 자아실현을 할 수 있도록 충분한 휴식과 자기관리, 자기계발을 할 때 우리는 자연스럽게 '쓸모'라는 무기를 얻게 될 수 있는 것입니다.

《Summary》
● 일 잘하는 사람이 되겠다는 욕구가 커질수록 불안감이 생기고 잦은 실수의 반복으로 스트레스를 받게 된다.
● 평생 종신을 약속하는 기업은 그 어디에도 존재하지 않으며 종신고용, 연공서열과 같은 HR 운영 방식을 고집하는 기업은 보기 힘들다.
● 회사와 자신의 인생을 분리하고 적절한 거리를 두면서 일할 때 더 나은 성과와 긍정적인 메시지를 기대할 수 있다.
● 기업의 운영 가치관과 경영층의 인사, 신사업 개발 등의 이유로 '쓸모 있는 사람'으로 불릴 수 있는 척도가 수시로 바뀌기 때문에 분위기를 파악하는 습관은 중요하다.
● 충분한 휴식과 자기관리, 자기계발을 할 때 우리는 자연스럽게 '쓸모'라는 무기를 얻게 된다.

PART 3. 강강술 달강 이야기

◆ 내가 과연 리더의 자질이 있을까요?

《Trouble》

안녕하세요. 저는 클리닝 1팀의 리더를 맡고 있는 김강덕 팀장입니다. 올해 들어서 3년차로 리더의 역할을 하고 있는데 자질이 맞지 않는 것 같아서 여러 번 사장님으로부터 면담을 신청한 경험이 있습니다. 하지만 피드백이라고는 조금만 더 참고 견디면 괜찮아 질 것이라는 말뿐이었습니다.

직원들을 통솔하고 경영층으로부터 인정을 받아야 되는데 그릇이 못되는 것 같습니다. 사실 '그릇'이라는 말에 대해 많이 부담감을 느낍니다. 저는 어떤 일을 해 나갈 만한 능력이나 도량이 현저히 부족한 것 같고, 단점 투정이기 때문에 고민입니다.

직원들이 행복하고 즐겁게 회사생활을 하면서 자연스럽게 성과를 낼 수 있는 문화를 만들고 싶은데 방법을 모르겠으며, 너무 힘에 겨워 포기하고 싶을 때도 많습니다.

덩달아 조직 분위기가 능력이 부족한 저를 닮아 갈까봐 겁이 나기도 합니다. 제가 리더의 자질이 있는지 모르겠습니다.

본인 그릇의 단계를 깨달을 때 개선점을 찾을 수 있다.

법인이나 사람마다 그릇의 사이즈가 있다고 흔히들 말합니다. 특히 사업이 크게 성장을 했거나, 유망하게 성장하고 있는 기업에 대해 그릇을 평가하고 있으며, 소속되어 있는 근로자들의 그릇까지 비례가 되는지 바라보고 있습니다.

국내를 포함하여 세계적으로 유명해진 기업은 대기업으로 성장하는 과정에서 회사를 만든 창업자의 그릇이 크다는 말에 어느 누구도 반론하기는 어렵습니다. 그만큼 리더의 그릇은 기업의 수명과 성장에 가장 중요한 요소임은 틀림없습니다.

조직 문화가 건강하고, 건재하다는 것은 회사가 지극히 생산적이며, 성장하고 있다는 말입니다. 그런 문화를 이끌고 있는 리더 밑에서 직원들은 좋은 사람으로 성장할 확률이 높으며 회사를 쉽게 떠나거나 업무 능력이 떨어질 가능성은 약합니다.

좋은 조직문화와 기업의 성장을 만드는 핵심은 그 조직을 이끄는 리더의 그릇 사이즈입니다.

누구나 조직이 리더의 단점을 닮아가는 것을 싫어한다.

어떤 리더든 자기 성향이나 가치관 중에서 조직이 절대 닮지 않기를 간절히 바라는 측면이 있기 마련입니다. 조직은 리더의 모든 면을 닮고 있습니다. 본의 아니게 자연스럽게 리더의 성격과 성향이 조직의 분위기를 만들고 있습니다.

우선 팀장님의 단점이 무엇인지 신중하게 생각해보세요. 그런 단점이 부서가 갖고 있는 기업문화에 주입하고 싶지 않다는 생각을 하시고 계신 것 같은데, 모든 리더들이 공통적으로 갖고 있는 생각입니다. 아주 당연한 것입니다.

기업이 리더의 장점만 닮길 바라지 잘못되었거나, 어느 누구나 비난하고 슬기롭지 못할 그런 단점을 닮길 바라는 리더는 아무도 없습니다.

저 역시 제가 운영하고 있는 회사 분위기에 보고 싶지 않은 제 성격의 단면들이 있다고 가끔 느껴집니다. 가령 저는 새로운 의식의 흐름은커녕 틀에 얽매여서 이론적이고 진취적인 성격을 배제한 채 끝없이 대화만 하려는 성향이 있습니다.

이 성격은 모든 사업 트렌트를 앞서 나가야하는 경영컨설팅 비즈니스와 조직문화 개선에 전혀 도움이 되지 않는다는 것을 나중에야 알게 되었습니다. 틀에 얽매여 행동하고 판단하는 제 자신을 극복하기위해 오랜 시간 동안 부단한 노력을 기울였습니다.

다양한 직무를 가진 조직이 일사분란하게 움직이고 수없이 많

은 업무들을 명확히 수행할 필요가 있을 때는 모든 대화에서 비롯된 다양한 솔루션을 샅샅이 파헤칠 시간이 없습니다. 그것은 비현실적에 가깝습니다.

제 단점을 극복했다고 해도 해결하는 도중에 제가 가지고 있었던 본연의 성향이 또다시 밖으로 나타날까봐 상당히 힘들었습니다. 저의 단점이 극도로 싫었기 때문에 기필코 오래된 성향 자체를 머릿속에서 잊으려고 했습니다.

어쨌든 나의 그런 성향이 내가 운영하는 회사 발전에 걸림돌이 되지 않도록 효과적으로 대처하는 방안을 구축해야 했었습니다.

나와 단점과 반대의 성향을 가진 모든 존재를 주위에 배치하라.

미래경영컨설팅을 최초 설립할 때는 저와 같은 성격이든지 가치관과 철학이 비슷한 사람들로 인력이 구성되었습니다. 하지만 이 모든 것들이 잘못된 인사체계라고 늦게 깨달았습니다.

저의 아이디어라든지 컨설팅 직무스킬에 대해 전체 임직원들 중 의구심을 갖는다든지, 질문을 한다든지, 반대 의견을 내는 사람이 없어서 사실은 회사가 올바르고 정확하게 나아가는지 모른 채 시간을 보냈습니다.

나중에 저와 정반대의 성격과 특성을 가진 직원들로 내 주변을 채웠습니다. 직원들은 가능한 일찍 저와의 대화를 끝내고 본인들의 생각을 접목시켜 새로운 방향을 제시하기도 했습니다. 저는 현재 이런 분위기를 더 선호하고 있습니다. 충분히 만족합니다.

지금은 이런 분위기가 완전한 문화로 자리가 잡혔습니다. 단계별로 작성된 안건과 논리가 뚜렷한 질문, 누구나 예상할 수 있는 리스크를 제시하지 않는 회의가 소집되면, 우리는 그것을 실패한 회의라고 간주하기로 했습니다.

저는 수시로 직원들에게 제가 갖고 있는 모순된 성향이 보이면 거리낌 없이 말해달라고 했습니다. 그것이 우리 회사가 발전되고 직원 모두가 능률을 올릴 수 있는 최고의 방안 중에 하나라고 생각했기 때문입니다.

직원들 앞에서 공개적으로 약속했고, 실제로 많은 조언을 받았습니다. 그런 다음 직원들의 안목이 신경 쓰여서 제 스스로 올바른 행동을 하도록 채찍질하는 방법까지 터득했습니다.

이렇게까지 노력했는데도 회사는 비효율적인 저의 대화 성향이 불러오는 부작용에서 완전히 해방되었다고 할 수는 없었습니다.

하지만 꽤나 성공적이었다고 자부합니다. 단숨에 바뀔 수 없지만 틀을 깨고 더 많은 아이디어를 제시하고 이야기를 나누는 기업으로 서서히 변하는 게 보였기 때문입니다.

직원들이 열심히 일할 수 있는 환경을 우선적으로 주입하라

회사가 닮고 있었던 자신의 단점이 서서히 모습을 감추기 시작하면 이제는 프로젝트의 목적을 달성할 수 있도록 팀장님께서 원하는 문화와 연결시키는 단계로 들어가야 합니다.

기업은 오로지 이윤을 창출하는 집단입니다. 성과를 내고 목적을 달성하기 위해서는 열심히 일하는 것이 방법이라는 것은 누구나 알고 있습니다. 직원들이 열심히 일하도록 동기를 부여하기 위해 사내 분위기를 바꾸는데 몰입을 하셔야 합니다.

팀장님께서 추구하고, 주장하는 무엇인가가 팀장님이 선천적으로 갖고 있는 좋은 감수성과 맞을 때 언행을 일치시키기가 훨씬 쉽습니다.

예를 들어 팀장님께서는 서면 보고를 할 때면 늘 표식화해서 누구나 알아보기 쉽게 정리를 잘 하신다고 가정해보겠습니다. 보고 받는 자는 이해하기 쉽고 보고하는 자 역시 정확하게 의사를 표현할 수 있고 빠르게 피드백 받을 수 있습니다. 직원들

은 결정권자가 선호하는 보고형식을 정확하게 인지하고 있으면 피드백에서 훨씬 더 좋은 영향을 받고 일처리도 빨라집니다. 효율적으로 열심히 일할 수 있는 분위기가 형성됩니다.

만약 직원들이 엉뚱한 데이터를 사용하거나 표식화가 없이 중구난방식의 보고서만 제출한다면 어땠을까요? 어떠한 피드백을 전달하기도 전에 무슨 말인지 해석하는데 시간을 더 소모했을 것입니다.

즉, 팀장님의 감수성을 평가할 필요가 있고 조직의 문화는 리더의 감수성을 반영할 필요가 있습니다. 리더의 단점만 닮은 기업이 변화하고 개선되는 모습이 없거나, 좋은 감수성 따위는 전혀 전파가 되지 않는 상태에서는 절대 추구하는 목표를 달성하기가 어렵습니다.

나의 단점과 장점을 정확하게 파악하고 변화를 주도하고 싶다면 주위에 있는 직원들과 많이 소통을 하는 것이 빠른 방법입니다.

리더의 의식 수준이 조직의 문화와 기업의 성장을 결정한다.

나의 단점과 장점을 파악했다면 이제는 그릇을 키울 차례입니다. 우선 일본의 '경영의 신'이라고 불리는 '이나모리가즈오ぃなもりかずお' 회장에 대해 말씀드리겠습니다. <일본항공인터네셔널>의 이나모리가즈오 회장이 관심을 갖는 분야는 자기가 운영하는 회사가 잘 되는 것에 머물지 않았습니다. '어떻게 하면 회사가 사회에 도움이 될 것이냐?'가 그의 핵심 주제입니다.

사회가 잘 돼야 직원들과 나도 잘된다고 생각하고, 늘 사회에 도움이 되는 행동을 하려고 했습니다. 일할 때 그는 늘 '지금하고 있는 이 일이 옳은 일인가?'를 가장 먼저 생각했습니다. 아무리 큰 수익을 내는 일이라도 사회적으로 옳지 않은 일은 하지 않고, 단기적으로 힘들고 큰 비용이 들어도 옳은 일을 하는 성향을 갖고 있었습니다.

회사가 번창할 때나, 위기를 맞았을 때 어떻게 하면 사회에 도움이 되는가를 생각했습니다. 특히 이동통신 업계에 진출한 것, 파산 직전의 항공사 <JAL>을 살리려 한 것 등이 대표적인 예입니다. 모두 사회에 도움이 된다고 생각했기에 한 일입니다.

과연 이나모리가즈오 회장은 본인의 보수 때문에 발버둥을 치며 살았던 것이었을까요? 그는 80세가 넘은 나이까지 무보수로 근무해왔습니다.

제 앞에 계신 팀장님의 그릇 사이즈는 어떠하신가요? 혹시 현저히 낮은 단계에 있으면서 위대한 조직문화를 꿈꾸거나 더 큰 개인 성장을 목표로 하는지 뒤돌아 볼 필요가 있습니다.

리더들은 개인의식 수준을 높이고 그릇을 키우기 위해서는 '일이란 무엇이고, 왜 일을 하는가?', '유능한 직원과 무능한 직원을 어떻게 코칭을 해야 하는가?', '왜 사업을 유지하는가?' 등 '왜?'라는 질문을 항상 던지는 습관을 들여야 합니다.

그리고 고민 뒤에는 행동을 해야 합니다. 회사와 개인의 성장을 위해서라면 비윤리 행위 등을 포함해서 무슨 일이든 하겠다는 생각과 회사의 성장에 도움이 되더라도 사회 통념상 누구나 '나쁜 행동'이라고 간주하는 일은 절대 하지 않겠다는 마음가짐 중 어떤 것을 택하든 본인의 판단입니다. 하지만 판단 후에는 책임이 따릅니다.

물론 팀장님께서 어떤 생각을 갖고 계신지 모르겠다는 것이 아니라, 인간이라면 누구나 물질적인 또는 여러 차원의 욕구 충족을 위해 충분히 생각할 수 있는 부분이기에 강조를 해드리는 것입니다.

나쁜 행동을 일삼는 조직은 결코 건강하고 성장을 돋우는 조직문화를 가질 수 없습니다. 특히 조직을 이끄는 리더는 더욱 그래야 합니다. 거듭 강조하지만, 조직문화는 기업의 성장을 연결하는 자동차의 엔진과 같습니다. 엔진이 건강해야 오래 달릴 수 있습니다. 리더의 의식 수준이 조직의 문화, 더 나아가 기업

의 성장을 결정합니다.

그릇이 큰 리더는 무엇이 중요한지 정확하게 안다.

다음은 <버그셔 해서웨이Berkshire Hathaway Inc>의 '워런 버핏 Warren Buffett' 회장에 대해 이야기를 해보겠습니다. 여러 산업에 투자를 집중적으로 하는 투자 지주회사인 버그셔 해서웨이는 20년간 가장 존경받는 기업 순위에 6번이나 이름을 올렸습니다.

투자 및 자본 배분에 있어서는 워런 버핏이 독단적으로 결정하기 보다는 '찰스 멍거Charles Munger' 부회장과 상의를 통해 결정하는 프로세스를 지니고 있습니다. 무려 40만 명에 육박하는 직원을 계열사 이하로 두고 있으나, 본사에는 약 20명 정도만 근무를 하고 있습니다. 기업의 매출 구조는 여러 계열사 직원들이 투자실적을 S&P500 지수의 수익이상으로 유지하되, 초과된 수익을 본사로 보내는 구조입니다.

버그셔 해서웨이가 지난 40여 년간 기록한 평균 성장률은 20%이상을 유지하고 있으며 투자 섹션중에 30% 이상을 차지하는 항목도 무수히 존재합니다.

워런 버핏 회장은 에세이, 자서전 등과 같은 저서는 남기지 않았습니다. 대신 매년 버크셔 해서웨이의 주주들에게 주주서한을 보내는데 60년 동안 써온 덕에 그의 투자 철학과 방식에 대해 많은 것을 유추해 볼 수 있었습니다.

규칙적인 서한 때문일지라도 워런 버핏이 생각하는 가장 중요한 것에 대해 아무도 의문을 품지 않습니다. 이 회사는 올바른 사업에 투자하고, 유능한 경영층에게 결정권을 위임하는 것을 가장 중요시합니다.

투자기준과 인수기준도 명확합니다. '미래 전망', '흑자 또는 적자 전환 가능성'과 같은 단어유추의 뜻과 가까운는 쳐다보지도 않았습니다. 쓸데없는 미팅과 자료를 보는 시간에 투자하지 않았

으며, 주주들에게 회사가 무엇을 가장 중요하게 여기는지 아주 분명하게 보여주었습니다.

워런 버핏의 뚜렷한 경영 가치관으로 인해서 주위의 사람들이 어떤 의혹도 불확실성도 없다는 평가를 내립니다. 따라서 그릇이 큰 리더는 가장 '소중한 것'을 제일 먼저 해야 한다는 마음가짐을 갖고 있습니다.

일을 잘한다는 것은 일처리의 우선순위가 명확하다는 것입니다. 이는 세계적으로 유능한 기업가들이 어디에 시간을 쓰느냐를 보면 알 수 있습니다. 우선순위를 잘 알며, 중요도를 분별할 줄 아는 아량을 갖게 되면 비로소 성공의 지름길로 갈 수 있습니다.

그리고 리더는 성공을 맛보며 누구에게나 인정받을수록 주변 사람의 이야기를 들으며 자신이 잘못 생각할 수도 있다고 되돌아봐야 합니다. 영향력이 크다는 것은 그만큼 치명적 실수를 할 가능성이 높다는 것이므로 절대 자만해서는 안 된다는 점 기억하셨으면 합니다. 팀장님께서 잘 새겨들으셨을 거라고 믿습니다. 앞으로 더욱 성장하는 리더가 되셨으면 합니다.

《Summary》
● 리더의 그릇은 기업의 수명과 성장에 가장 중요한 요소이다.
● 그릇의 등급을 나열했을 때 가장 큰 그릇의 리더는 기업과 직원, 더 나아가 이해관계자 모두 원만하게 살아가게 하며 사회 전반의 변혁을 가져오게 하는 인물이다.
● 회사 성장에 도움이 되더라도 사회 통념상 누구나 나쁜 행동이라고 간주하는 일은 절대 하지 않겠다는 마음가짐이 필요하다.
● 그릇이 큰 리더는 일의 우선순위가 명확하다.
● 리더는 더 높은 자리로 올라갈수록 주변 사람의 이야기를 자주 듣고, 자신이 잘못 판단할 수도 있다고 되돌아보는 습관을 가져야 한다.

◆ 사장님의 일가 사람들이 종종 채용이 됩니다.

《Trouble》
 사장님의 집안사람들이 회사에 입사하는 일이 종종 있습니다. 작년 클리닝 2팀의 현장직원이 입사했는데 사장님의 사촌동생 아들이라고 했습니다.
 클리닝 2팀 직원들은 신입사원이 일이 서툴러도 업무에 대해 조언이라든지 코칭Coaching을 해줄 용기가 나지 않는다고 합니다. 단순히 업무를 가르치고 있는데, 누군가가 보기에는 신입사원에게 혼쭐을 내고 있다고 이상하게 오해를 하게 될까 신경이 쓰인다고 했습니다.
 총무부서에도 부장님 한 분이 계신데 실제로 회사에는 출근하지 않고 인사 명부에만 이력이 등재되어 있습니다. 부장님이 사장님의 친형이라고 알고 있습니다.
 저 역시 한 달에 한두 번밖에 만나보지는 못하지만, 월급은 계속 지급되고 있습니다. 오래전부터 운영되었던 사례라 직원들이 아무렇지 않게 생각하지만, 저는 문제가 크다고 생각합니다.

윤리적이지 못한 기업은 사회적으로 존경받을 수 없다.

 친족으로 임직원을 구성한 기업은 비윤리적인 행동을 할 확률이 큽니다. 물론 그렇지 않은 회사도 많이 있지만, 친인척들이 대거 경영에 관여하는 경우 오너와의 친분을 과시하면서 기업 내의 부정한 일에 관여함으로써 조직의 기강을 흔드는 사례가 발생하게 됩니다.
 기업은 이윤을 남기고 이익을 추구하는 조직인데 최고경영자와 친소관계를 중시하는 그런 조직으로 탈바꿈하게 되면 기업의 고유 목적이 깨지게 됩니다. 이런 조직이라면 어김없이 각

종 거래 관계에서 부정이 쉽게 끼어들게 됩니다.

윗선에서부터 불공정한 일이 벌어지면 중간과 아래에서도 너나 할 것 없이 비슷한 일이 연쇄적으로 일어나게 됩니다. 실제로 한 기업에서 근무한 친인척들이 기업의 재산을 일종의 공유재산으로 생각하고 사적 이윤을 극대화하려는 경쟁이 벌어지는 사례도 많았습니다.

웬만한 부정에 대해서는 조직도 어쩔 수 없이 모른척해 준다든지, 눈을 감아주게 됩니다. 시간이 흘러 이러한 조직의 결과는 대부분 몰락에 이르게 됩니다.

기업의 사회적 영향력은 시대가 흐를수록 커져가고 있으며, 지역사회에서 성장하면서 직원들에게 자긍심을 가져다줍니다. 덩달아 국내를 뛰어넘어 세계적 글로벌 시장에서 거두는 멋진 성과는 온 국민들에게 자긍심을 가져다주게 될 것입니다.

이와 반대로 윤리적이지 못한 기업은 직원들과 국민들로부터 존경받을 수 없습니다. 좋은 일보다 나쁜 일을 행했을 때 사람들의 입으로 쉽게 오가기 쉽습니다. 이제는 소셜 네트워크Social Network를 통해 거의 모든 정보가 실시간으로 일반 대중들에게 알려지게 되었습니다.

과거와 같으면 용인될 수도 있었을법한 일들임에도 불구하고 세상에 널리 알려져 곤란한 상황을 맞는 기업을 종종 목격하게 됩니다. 기업들은 윤리원칙을 이행하며, 도덕적 책임감을 유지해야 합니다.

사람들이 우리 회사를 어떻게 생각하는지 항시 점검하라.

단순히 법을 어기거나, 어기지 않는 상황을 떠나서 우리 회사의 의사결정이나 사업방향, 정책이 지역 사람들에게 어떻게 비치고 있으며, 그들이 어떻게 생각하는지에 대해서 기준을 갖고 매사를 점검해야 합니다.

영향력과 권력은 언제나 그에 걸맞은 책임을 요구합니다. 따

라서 기업들이 법적이행 유무를 넘어서 더 많이 윤리적으로 처신해야 합니다. 단기적으로는 비용이 들고, 험난하고, 고통스러울 수도 있지만 중장기적으로는 성장하는 기업, 존경받는 기업으로 가는 데 필수적인 단계입니다.

여기서 기업이 합법적이고 윤리적이어야 한다는 말은 기업의 제도나 정책뿐만 아니라 기업 구성원 개개인의 행동에 대해서도 명확한 가이드가 있어야하며, 이에 대한 교육이 함께 이뤄져야 함을 뜻합니다.

특히 기업의 대표 경영진이나 오너 일가 그리고 경영층처럼 지도층에 있는 사람들의 합법과 윤리성은 지역 주민들과 단체의 지대한 관심거리가 될 것입니다. 따라서 항상 일반 사람들의 눈에 우리는 어떻게 비치고 있는지를 의식해야 합니다.

문제가 발생되었다고 방법이 없는 것은 아닙니다. 원천적으로 비난받을 소지가 있는 부분에 대해서는 예방을 위해 각별한 주의가 필요하지만, 일단 그런 문제가 발생했을 때도 효과적으로 대응할 수 있는 자체적인 기구와 프로세스를 갖추고 있어야 합니다.

위기 상황이 발생했을 때 허둥대지 않고 효과적으로 대처하기 위한 매뉴얼은 필수입니다. 사장님의 친족이 채용되고 있는 것은 불법은 아닙니다. 하지만 고 실업, 저 경제성장으로 고민을 겪고 있는 사회에서 비윤리적인 행동임은 틀림없으며, 친인척들이 종사하며 운영하는 기업이라는 이미지는 '사회적 책임을 다하는 지역사회 중심의 기업'이라고 불리기에는 어렵습니다.

분명 회사에 우호적이지 않는 환경이 조성될 확률은 크다고 봅니다. 합법적인 테두리 내에서 행동하는데 무슨 문제가 있을지 생각할 수 있겠으나, 정치사회적인 측면에서 거센 저항을 불러일으킬 수도 있음을 기억해야 합니다. 특히 기업의 영향력이 인지도 측면이나 경제적으로 약할 때는 별반 문제가 되지 않지만 성장함에 따라 상당한 저항에 직면할 수도 있습니다.

중소기업 역시 사회적으로 이슈가 될 수 있다.

대부분의 작은 기업체를 운영하는 경영층이나 직원들은 자신들의 힘을 과소평가합니다. 긍정적이거나 논란의 이슈는 대부분 대기업에서 시작되기 때문입니다. 위험한 점은 이슈가 될 확률이 낮은 중소기업일수록 지나치게 자기중심적으로 의사결정을 내리거나 불합리한 행동을 쉽게 하고 있다는 것입니다.

더욱 안타까운 점은 기업은 이미 영향력 면에서 훌쩍 커버렸는데 기업의 구성원들만 그렇게 평가하지 않는 경우가 있습니다. 따라서 의사결정을 내림에 있어서 의식하지 못한 사이 사회적인 반발을 크게 불러일으키게 돼 주위로부터 비난을 받는 사례들이 종종 발생하기도 합니다.

경제적 측면에서 문제가 없는 의사결정이라 하더라도 민감한 문제에 있어서는 사회적 측면까지 고려의 대상이 되어야 합니다. 지금 회사에서 벌어지고 있는 친족 채용으로 인해 내부적으로 발생될 수 있는 리스크를 대응할 수 있는 자체적인 제도는 반드시 필요하며, 또한 사장님의 의지 변화에 솔루션이 될 수 있는 방안을 갖춰야한다는 것을 말씀드리고 싶습니다.

《Summary》
● 경영자와 친소관계를 중시하는 조직은 공적 이윤을 추구하는 기업의 생리적 본질이 깨지게 되며, 각종 거래 관계에서 부정이 쉽게 끼어들게 된다.
● 항상 일반 사람들의 눈에 우리 회사가 어떻게 비치고 있는지, 어떻게 생각하고 평가되는지를 의식해야 한다.
● 규모가 작은 중소기업일수록 지나치게 자기중심적으로 의사결정을 내리거나 불합리한 행동을 쉽게 하고 있다.
● 친족 채용으로 인해 내부적으로 발생될 수 있는 리스크에 대해 기업 사장은 충분히 인지해야 한다.

◆ 사장님에게 불만이 생기는 것 같습니다.

《Trouble》

　회사의 사업 방향성을 고민하고 진행하기에 앞서 경영진들이 아랫사람들에게 의견을 물어보지는 않아도 최소한 내용 공유 정도는 하는 것이 최소한의 도리라고 생각하는 저로써는 사장님이 무엇을 생각하고, 일을 꾸미려고 하는지 궁금하고 의심쩍어서 잠이 오지 않을 때고 있습니다.

　회사의 고유 사업과 프로젝트에 관련된 계획적인 사항 같은 것은 직원들에게 의견을 물어보고 장, 단점을 함께 분석할 수도 있는 것인데 도통 사장님이 무슨 생각을 하시는지 알 수가 없습니다. 지난 과거를 봐서 윤리적이지 못한 행동까지 의심이 됩니다.

사장과 대립하는 행동은 자제하라.

　누군가가 "사장과 직원들 사이의 불편함이 회사에 어떤 영향을 미칠까요?"라고 물었을 때 대부분 부정적인 답변을 할 것이라 예상됩니다. 하지만 그 답변이 '맞다'고 할 수는 없습니다.

　우리 모두는 이 불편함을 일터에서 겪고 체험하면서 직장 생활을 하고 있다고 말하고 싶습니다. 사장의 목표가 기업이 최소비용으로 최대 이윤을 창출하는 것이라면, 직원들은 더 높은 처우와 복지, 다양한 발전기회와 행복을 얻는 것이 목표입니다.

　서로가 생각하는 것이 달라도 이렇게 다르니 당연히 충돌이 일어날 수밖에 없는 운명입니다. 하지만 팀장님께 말씀드리고 싶은 것은 회사에서 공공연하게 사장님과 대립하는 일은 자제하는 것이 더 낫지 않을까 하고 조심스럽게 의견을 드립니다.

　5년 전쯤 약 50여명의 근로자가 있는 소형 보험사에서 기업 문화 개선 컨설팅을 맡은 적이 있었는데 작은 에피소드가 생각

이 납니다. 영업 1팀에서 근무하는 이상주 차장은 다재다능하고 업무 능력이 출중한 회사의 기대주였습니다. 그런 그녀에게 딱 한 가지 치명적인 단점이 있었으니, 바로 불같은 성격이었습니다. 이 차장의 성격 때문에 사무실의 직원들은 늘 이 차장의 눈치를 보게 되었습니다.

이 회사의 임금지급 형식이 기본급 외에 판매 실적에 따라 영업 성과수당을 지급받기 때문에 무엇보다 고객 관리가 중요했습니다. 한번은 이 차장이 외부 미팅이 있어서 밖으로 나간 사이에 한 VIP 고객이 전화 상담이 온 일이 있었습니다.

예약 상담이었는데 때마침 전화를 대신 받은 송 대리가 그만 깜빡 잊고 전하지 않은 일이 있었습니다. 뒤늦게 그 사실을 알게 된 이 차장이 다급하게 고객에게 전화를 해봤지만, 이미 버스 떠난 뒤에 손 흔들기가 되고 말았습니다.

이 차장은 전화기를 내려놓자마자 송 대리에게 불같이 화를 내기 시작했는데 얼마나 심하게 닦달을 했는지 주위에서 일하던 사장님을 포함한 임원들까지 나서서 그녀를 말렸습니다. 하지만 그 당시 이 차장의 눈에는 사장님도 보이지 않는듯했습니다. 오히려 말리는 사장에게도 분을 참지 못했습니다.

며칠 뒤 인사팀에서 공고를 냈는데 이 차장을 외지에 있는 분점으로의 발령이었습니다. 더 이상 참고 지켜볼 수 없었던 회사의 최후 통보인 셈이었습니다.

사소한 사례에 연연해 경영층의 권위에 맞서고 상사의 체면 따위는 안중에도 없다면, 기업의 근간을 흔드는 일이 아닐까요? 능력이 출중한 이 차장이지만, 후배들에게 쉽게 화를 내고, 임원들에게 한 하극상을 눈감아주면서까지 데리고 있을 이유는 없어 보였던 사례가 문득 생각이 났습니다.

경쟁이 치열하고 일자리를 구하기도 힘든 현실에서 사장은 직원의 생존권을 쥐고 있는 존재나 같습니다. 설령 직상 생활에 흥미가 낮아졌거나, 더해서 사장에 대해 불만이 극심하다고 해도 그만둘 생각이 없는 한, 사장과 대립각을 세우고 권위를 침

범하는 일은 피해야 합니다.

　직장은 전쟁터와 같다고 하지만 내부에서 적군을 만들 필요는 없습니다. 기업의 방향을 좌우하는 사장의 직책을 조직과 개인의 성장, 발전의 도구로 이용하고 외부 영업에 있어 적극적으로 활용하는 등 업무 효율성을 극대화하는 데 충분히 적용하는 전략을 세우는 것이 바람직합니다.

직원으로써 알 범위는 따로 구분되어 있다.

　팀장님께서 사장님이 회사와 관련된 것들의 내용 공유가 적절히 이루어지지 않는 것에 대해 불편함을 느낀다고 하셨습니다.
　물론 많은 내용들이 공유가 되고 전파가 되면 업무 진행에 대해 공감대 형성, 올바른 진행 가이드라인이 쉽게 이루어지는 것은 사실입니다. 하지만 그 문제점에 대해 너무 많이 스트레스를 받지 않았으면 합니다.
　직원이 회사와 관련된 정보를 많이 알려고 하는 것은 당연한데 사장과 직원으로써 알 범위는 따로 구분되어 있습니다. 공유에 심각하게 목말라 하고 너무 많은 것을 알려고 공을 들이려 하면 자칫 오해를 삼게 되며, 심리적으로 불안감만 증가하게 됩니다.
　예를 들어 회사에서 좋은 제도를 도입할 계획이 있다고 가정하겠습니다. 직원들 입장에서는 단순히 직장 생활의 질이 높아질 것이라는 기대감과 설렘이 가득 찰 수밖에 없습니다.
　하지만 사장의 입장에서는 제도 도입에 따른 예산과 생각지 못한 부작용, 도입에 따른 또 다른 파장, 효과까지 고민하게 됩니다. 충분히 사장만이 알고 있으려 하는 비밀을 만들 수도 있습니다.
　따라서 디테일한 내용 공유, 경영진의 생각까지 알려고 하는 등 굳이 넘을 필요가 없는 경계는 넘지 말자는 것입니다. 어떻게 보면 업무에 대한 과욕으로 불릴 수 있습니다.

'상사의 비밀을 절대 알려고 하지마라.'는 말이 있습니다. 이 말은 현재 직장인이거나 직장 생활을 해본 사람이라면 누구나 굳이 말로 하지 않아도 고개를 끄덕이며 이해하는 말입니다.

윗사람의 치부내외적으로 전체적인 모든 것를 알게 되었다고 해도 아는 척해서는 안 되고, 뜬소문 따위는 알려고 하지 않는 자세가 필요합니다. 사람들은 뜬소문이 궁금하기도 하며 실제 동료들로부터 알려고 노력을 기울입니다. 다른 이들의 입을 통해 들은 것은 자신의 입으로 옮기는 순간 이미 우리는 해서는 안 되는 행동을 한 꼴입니다.

세상에 완벽한 사람은 없다.

< 애플Apple >의 최고경영자였던 '스티브 잡스Steve Jobs'의 업적들을 살펴보면 그가 얼마나 천재적이고 혁신적인 인물이었는지를 세계 모든 사람들이 인정을 할 것입니다.

기업들이 그의 경영전략과 비전을 모티브하고, 많은 사람들이 롤 모델로 삼아 따라 하는 등의 열풍을 이어가고 있습니다. 하지만 그가 만들어낸 제품과 관련해서는 세상을 바꾼 위인이라고 불릴 수 있지만 그 역시 완벽하지 않습니다.

초기 동업자가 만든 프로그램을 1,000달러에 팔고서는 반값에 팔았다고 거짓말을 하고, 자신의 앞날을 위해 연인 사이에서 생긴 아이를 자신의 아이가 아니라고 부인하기도 했습니다.

물론 앞서 말한 내용은 사적인 부분이지만 회사 내에서도 다르지 않았습니다. 애플에서 종사하는 수많은 사람들에게 상처가 되는 말을 쉽게 내뱉으며 해고를 했으며, 자신과 회사를 위해서는 비윤리적인 행위도 서슴지 않았던 경영자였습니다.

우리나라 기업가도 완벽한 사람은 없다고 생각합니다. 전자제품 세계 인류의 기업인 <삼성전자>도 마찬가지로 비윤리적인 면이 존재했습니다.

1세대 창업주인 '이병철' 선대회장 때부터 내려온 무노조 경영

을 '이건희' 회장이 그대로 이어받았으며 노조활동을 방해하는 여러 일화들을 만들며 언론에 노출되기도 하였습니다. 특히 공장 내에서 노조 결성이 의심되는 직원들의 휴대폰, 직통전화 감청은 물론이고 미행까지 서슴지 않았던 기록이 있습니다.

통화 내용을 얻기 위해 수단과 방법을 가리지 않고 통신사에 의뢰하여 노조활동이 담긴 통화내역을 발췌해 직원을 해고하는 역사를 남겼습니다.

또한 2007년 3월 삼성반도체 노동자가 공장에서 근무하던 도중 백혈병에 걸려 사망하는 사건이 발생했었습니다. 유족 측은 근로복지공단을 상대로 산업재해로 인정해 줄 것을 요구했으나, 삼성과 근로복지공단 측에서는 이를 인정하지 않다가 장기간의 법정투쟁 끝에 대법원 최종 판결이 나고서야 산업재해로 인정하게 되어 국민의 원성을 사기도 했습니다.

범삼성계도 다르지 않았습니다. 이건희 회장의 여동생이 운영하는 기업 <신세계>의 사업장인 대형마트에서 <전태일 평전>이 발견되었다는 이유로 관련된 직원들을 일일이 찾아 퇴사에 이르도록 했다는 이야기는 유명합니다.

이처럼 초 인류기업을 이끄는 총수도 흠이 있고 불완전한데, 다른 대기업, 중소기업 사장들도 마찬가지입니다. 어떤 사람이든, 분야든 간에 불완전함이 본질적인 것입니다.

인위적인 잣대에 의한 불편함은 늘 존재합니다. 그러므로 자연이나 사회현상에 있어 불편함의 존재도 당연한 것입니다. 세상에는 완벽한 것이란 없습니다. 사람 또한 완벽한 사람이 없다는 것입니다. 이를 명심하고 받아들인다면 앞으로 살면서 완벽해지기를 기다리느라 아무것도 달성하지 못하는 실수는 범하지 않습니다.

기업을 운영하는 사장이 '비윤리적'이라는 것은 회사가 '비윤리적'이라는 말과 같습니다. 안타깝게도 직원이 사장의 나쁜 가치관과 행동을 개선하려고 하는 것은 실질적으로 어렵습니다.

오히려 돌아오는 것은 나쁜 인사고과일 수 있습니다. 스님이

절이 싫으면 떠나면 되는데 스님 입장인 우리의 판단은 본인의 몫입니다. 우리는 직장 상사를 우월하게 보는 의식에 머릿속에 있습니다. 직장 밖에서는 그저 그런 사람들일 뿐인데 내가 다니는 기업을 운영하고, 직원들에게 돈을 지급하고, 업무를 누구보다 더 잘 알기에 머리와 가슴이 '상사는 우월하다.'는 의식을 만들어낸 것뿐입니다.

회사를 떠나는 것이 최선의 방법이 아니라 오랫동안 회사를 지키고자 한다면 너무 완벽함을 바라지 말고 함께 직장 생활을 하고 있는 동료들의 성장 과정을 바라보시길 바랍니다.

조직을 위해 신선하고 창의적인 분위기로 쇄신해 보는데 고민하는 것이 더 나을 것입니다. 리더가 만들어낸 창의적인 환경이야말로 건강한 기업문화로 이끄는 데 큰 힘이 될 것이라고 생각합니다.

《Summary》
● 경영층의 권위에 맞서고 상사의 체면 따위는 안중에도 없는 말과 행동을 하는 것은 기업의 근간을 흔드는 일이며 나쁜 인사 고과 결과를 초래한다.
● 회사와 관련된 정보 공유에 목말라 하고, 너무 많은 것을 알려고 하면 자칫 회사로부터 오해를 삼게 되고, 심리적인 불안감만 증가하게 된다.
● 세상에는 완벽한 기업, 완벽한 사람은 없으며, 이를 명심하고 받아들인다면 앞으로 살면서 완벽해지기를 기다리느라 아무것도 완성하지 못하는 실수는 범하지는 않는다.
● 완벽한 기업, 완벽한 직장 상사를 바라지 말고 창의적인 분위기를 조성해서 건강한 기업문화로 개선하는 것에 몰입하라.

◆ 과도한 의전이 당연시된 분위기입니다.

《Trouble》

　불합리하고, 비윤리적인 행동을 일삼는 사장님에 대해 잘 알면서도 지나치게 의전을 하는 직원들이 많아서 골치가 아픕니다. 의전인지 아부를 하는 것인지 옆에서 지켜만 봐도 구분이 될 정도로 지나칩니다.

　과도한 의전을 이해하지 못하겠으며, 임직원 간 의전은 시간적, 금전적 낭비일 뿐이라고 생각합니다. 제 생각으로는 윗사람에서 시작되었다 하기보다는 아랫사람이 윗사람에게 잘 보이기 위해 시작했는데 윗사람이 좋아하니까 그게 전통이 된 것 같습니다.

　정확한 의미에서 쌍방이 함께 만든 것 같습니다. 의전이 과도함에 있어서 사장님이 용납을 했고, 내심 즐겼을 거라는 생각에 확신이 듭니다.

적당한 의전의 기준은 모호하다.

　'의전'이라는 용어는 실제 공무원들 사이에서 자주 쓰이는 단어입니다. 예를 갖추어 베푸는 각종 행사 등에서 행해지는 예법으로 표현할 수 있는데 조직 단위, 국가 또는 국제간의 공식적인 관계에서 적용할 때를 일컫습니다.

　사조직에서도 역시 '의전'이라는 용어를 사용하며 윗사람에게 예를 갖춰 모시는데, 조직마다 그 성격이나 수준이 광범위하게 다르다는 것을 알 수 있습니다. 의전의 수준이 높고 낮음을 떠나서 의전 자체가 좋고 나쁨을 구별하는 척도가 뚜렷하지 않지만 사회통념상 지나치거나 과도한 의전은 분명 문제점을 안고 있다는 것은 사실입니다.

　사례를 들어 설명해드리겠습니다. 생산 공장 조업시간에 컨베

이어 앞에 다소 긴급한 작업 자세로 업무에 집중을 하고 있습니다. 갑자기 고객사의 주문량이 늘어서 바쁘게 움직일 수밖에 없는 상황입니다. 그때 지위가 높은 임원 한분이 작업장을 지나갑니다. 이 상황에서 여러 가지를 예측할 수 있습니다.

모든 직원들이 긴급작업에도 불구하고 하던 일을 그대로 멈추고 임원을 바라보며 허리를 굽혀 큰소리로 인사를 할 것인가? 임원이 온 건 알았지만 일부 직원들만 묵례를 하고 다들 하던 일을 계속할 것인가? 아니면 아무도 아는 체를 하지 않고 하던 일을 계속할 것인가? 팀장님께서 지금 생산 공장에 근무 중이시라면 어떻게 행동하셨을까요?

이번에는 팀장님께서 사장이라고 가정하고 상상해 봅시다. 평소대로 아침에 출근을 했습니다. 그리고 영업 1팀 리더와 영업 2팀 리더를 각자 다른 시간대에 호출을 했습니다.

1팀 리더는 정확한 시간에 깔끔한 정장을 입고 조용히 방으로 들어왔습니다. 간단하게 업무지시를 했고 리더는 메모를 한 뒤 가볍게 목례를 하고 돌아갔습니다.

이후 2팀 리더가 방으로 들어왔습니다. 2팀 리더는 사장이 아침에 즐기는 녹즙을 들고 들어왔으며 시음해 보라며 권유합니다. 업무지시를 하는 내내 무조건 진행하겠으며 꼭 성사시키겠다는 말투로 말을 잘 듣습니다.

미팅이 끝날 때 즈음 2팀 리더는 사장의 자녀가 평소 갖고 싶어 하는 게 무엇인지 물어봅니다. 며칠 뒤 사장 딸의 생일이라는 것을 알고 있었기 때문입니다. 사장은 쉽게 대답을 하지 않았는데 근사한 것을 준비하겠다면서 허리를 굽혀 큰소리로 인사를 한 뒤 돌아갑니다.

팀장님은 어떤 조직을 원하시는가요? 사실 정답은 없습니다. 기업마다 의전문화도 다르며, 윗사람을 모시는 분위기, 임원들마다 성향이 모두 다르기 때문입니다. 하지만 사회통념상 이야기하는 의전 수준을 두고 봤을 때, 적당한 기업과 과도한 기업을 나누게 되면 각 기업의 미래가 어떨지는 충분히 예상할 수

있습니다.

과도한 의전은 조직의 성과를 방해하는 잘못된 문화다.

의전과 관련해 많은 기업들이 개선을 하고 있으며, 임원들의 세대교체를 통해 완화되는 분위기를 보이고 있습니다. 그 이유 중의 하나가 과도한 의전을 요구하는 것 자체가 임직원 간의 갑질이며, 시대 분위기상 맞지 않기 때문입니다.

또한 과도한 의전을 하는 직원들을 보면 촌탁을 목적으로 행하는 것으로 인식되기 때문입니다. '촌탁'이라는 단어가 원래는 '타인의 마음을 내가 헤아린다.'는 뜻이었으나, 요즈음은 '윗사람이 구체적으로 지시를 내리지는 않았으나 눈치껏 알아서 그 사람이 원하는 대로 행동하는 것'으로 재정립되었습니다. 뜻이 나쁘게 변화한 예입니다.

과도한 의전의 그림자는 대가代價라는 목적이 자리 잡혀있습니다. 어느 집단에서나 대가의 목적으로 진행한 과도한 의전을 통해 부작용을 오래전부터 겪어 왔고, 잘 알고 있기 때문에 뜻이 변질되었습니다.

사실 주변에 의전을 열심히 하는 직원이 있으면 상사 입장에서는 많이 편하고 기분이 좋은 것은 사실입니다. 상사의 마음을 미리 알아채고, 알아서 척척 챙겨주니 정말 편할 수밖에 없습니다. 하지만 과도한 의전 행위가 분명히 문제가 있습니다.

첫 번째 문제는 기업의 조직문화를 해친다는 것입니다. 가장 큰 폐해는 올바른 소통의 방해입니다. 좋은 정책을 수립하려면 좌우로 비판과 단점을 충분히 대응해야 올바른 제도를 만들 수 있습니다. 하지만 일방적으로 상사의 의견에 긍정적인 모습만 드러낼 경우 기업의 운영 체계는 서서히 무너지게 됩니다. 즉, 뼈가 탄탄한 건설적인 소통을 가로막게 되는 것입니다.

게다가 분위기의 전파속도가 매우 빠릅니다. 한 명의 과도한 의전 행위를 방치하면 순식간에 여러 명의 동일 인물을 양산합

니다. 처음에는 괜찮아 보이지만 이 문화가 조직문화로 자리 잡으면 그 피해는 이루 말할 수 없습니다.

소통을 단절시키고 조직의 목적을 변모시키는 나쁜 요소로 바뀝니다. 임원들은 자신에게 과도한 의전을 하는 직원들로 하여금 의존하게 되고 그들은 이러한 특권을 오랫동안 유지하며, 절대 놓치지 않으려 온갖 수단을 찾습니다. 그런 조직은 결국 활력을 잃고 서서히 침몰하게 됩니다.

두 번째 문제는 빠르게 자리 잡은 의전문화를 되돌리기 어렵다는 것입니다. 회사의 윗사람이라고 불리는 임원들 주변을 거닐며 의전을 목숨을 다해 열심히 하는 직원이 있으니 아주 신이나면서도 자신이 조직의 최고 권력인줄 착각하게 됩니다.

직원들이 자신의 마음을 일찍 알아채고, 필요한 것이 있으면 말하지 않아도 재 때 알아서 챙겨주는 문화에 심취해 버립니다. 세상 편할 수밖에 없으니 의전 문화를 없애기 싫어할뿐더러 오랫동안 지속되길 원할 뿐입니다.

최고의 결정권자가 합리적인 의전 기준을 내려야 한다.

저는 많은 기업들을 대상으로 기업문화 컨설팅을 할 때 반드시의 과거의 시스템을 찾아봅니다. 즉, 히스토리를 중요시 생각하기 때문입니다.

과거에는 상사와 함께 미팅을 하거나, 회의 등과 같은 시간에 상사에 대한 최소한의 예의만 갖춰 업무와 관련된 의견을 주고받는 것이 대부분이었습니다. 하지만 시간이 흘러 요즘은 상사와 사적인 소통을 위해 상사의 정보를 일일이 살펴보고 좌지우지하는 조직이 늘어나고 있는데, 분명 부정적인 미래가 올 것이라고 판단을 합니다.

공과 사를 철저하게 구분하고 직원들과 건전한 커뮤니케이션을 진행하려 노력하는 상사, 현장의 목소리가 가감 없이 전달되게끔 하는 조직, 듣기 불편한 내용이더라도 포용하려는 문화,

즉, 이 세 가지가 공존하고 있어야 건강한 조직문화를 만들 수 있습니다.

대가의 목적이 숨어있는 의전은 충분히 방지할 수 있습니다. 최고 결정권자가 과도한 의전은 회사 성장을 방해한다는 의식을 제대로 갖추고 이를 부정한다는 의사를 분명하게 직원들에게 밝혀야 합니다.

과도한 의전문화가 자리 잡았다는 것은 상사가 그 문화를 허용했으며 즐겼기 때문입니다. 겉으로는 손사래를 쳤지만 실제로는 의전을 해주길 바랐으며, 좀 더 자신을 높은 권력을 가진 사람으로 비치고 싶었던 것입니다.

다시 말해서 의전은 그 자체로는 나쁘지 않지만 정도가 지나치면 문제입니다. 상사는 직원들이 의전에 신경 쓰느라 해야 할 일을 못하는 것, 과도한 의전 뒤에는 직원들의 다른 속셈이 있다는 것, 이런 것들이 쌓이고 쌓여 조직의 성과를 뺏기고 있었다는 것을 명심해야 할 것입니다.

《Summary》
● 직원이 사장에게 과도한 의전을 한다는 것은 '대가代價'라는 목적의식이 있기 때문이다.
● 과도한 의전을 받는 사장은 소수의 측근 직원들에 의존하게 되고, 자연스럽게 대상 직원들은 이러한 특권을 절대 놓치지 않으려고 한다.
● 과도한 의전에 심취한 사장은 회사 생활이 편할 수밖에 없으니 의전문화를 없애기 싫어할뿐더러 지속되길 원한다.
● 공과 사를 직접 구분하는 상사, 현장의 목소리가 가감 없이 전달되게끔 하는 조직, 듣기 불편한 내용이더라도 포용하려는 문화, 이 세 가지가 건강한 조직문화를 만들 수 있다.
● 직원들이 의전에 신경 쓰는 점과, 속셈이 있는 직원들로 통해 조직의 성과가 뺏기고 있다.

◆ 감정을 주체하지 못하는 제 자신이 밉습니다.

《Trouble》
 임원 분들이 저의 능력을 인정해주셔서 난이도가 높은 프로젝트 업무에도 많이 참여하고 있는 편입니다. 프로젝트 기간에는 한 달을 거의 회사에서 지내다시피 근무를 하며 점심을 커피로 때우며 성과를 내기 위해 몰입을 합니다.
 최근 진행하는 사업에 있어서 걸림돌이 자주 생겼습니다. 같이 작업하는 직원들과 데이터를 검증하는 가운데 오류가 발생하는가 하면, 전산 시스템이 실행이 안 되거나 일 할 사람은 부족한데 직원들은 돌아가면서 휴가를 써버리고, 프로젝트가 얼마나 중요한지 뻔히 알면서도 다른 부서들은 아무런 협조도 안 해주는 분위기였습니다.
 프로젝트 마무리 시즌에 또 데이터에 오류가 발생되었고, 저는 거기서 폭발하고 말았습니다. 이 프로젝트를 진행하는 동안 직원들이 얼마나 무성의하고 대충 진행했는지 눈에 훤해서 있는 힘을 다해 고함을 질렀고, 사무실은 분위기는 어두워졌습니다.
 몇몇 직원은 입을 떡 벌린 채 빤히 쳐다봤고, 무서워 어쩔 줄 모르는 직원도 있었습니다. 이렇게 행동하면 나중에 후회할 것을 알면서도 가끔 감정을 주체하지 못하는 제 자신이 밉습니다.

자신의 감정을 제어하지 못하는 습관은 경력에 독이 된다.

 팀장님께서 현재 고민하시는 부분이고, 위험성을 충분히 인지하고 계신부분이라서 다행이라는 생각이 먼저 듭니다. 그리고 지속적으로 노력을 해서라도 무조건 개선을 해야 하는 부분이라고 강조해드리고 싶습니다.
 우리는 직장생활에서 본인의 감정을 드러내는 일이 잦다면 심

각한 결말을 초래할 수 있습니다. 참지 못하면 실패하고, 직장이라는 게임에서 패배하는 것이라고 생각할 필요가 있습니다.

현재 팀장님께서 조직의 맨 꼭대기 자리에 있지 않다면 감정을 폭발시키는 것은 경력에 독이 됩니다. 하지만 조직의 맨 위에서 업무를 보고 있다 하더라도, 몇몇의 직원들은 상처를 받을 것이고 저하된 근무 분위기로 인해 어색해할 것입니다.

더 나아가서는 유능한 인재를 잃게 되는 경우가 발생할 수 있습니다. 대부분의 회사에서 감정을 절제하지 못하는 직원은 아무리 정당한 상황이었다고 변명은 할 수 있으나, 요란스럽고 위협적인 인물로 간주되고, 승진에 적합하지 않은 직원으로 분류가 될 것입니다.

스트레스가 아무리 심하고, 일의 진행에 있어 매끄럽지 못하더라도 자신의 감정을 다스릴 줄 알아야 합니다. '출근할 때 자신의 감정은 집에 두고 회사에 가라.'는 말이 있습니다. 우리를 폭발시키는 것은 스트레스 자체가 아니라 스트레스를 다루는 방식입니다.

반대로 분노와 폭언이 묵인되는 조직과 부서들도 있습니다. 이런 곳에서 일한다면 제가 권하는 조언들을 무시해도 좋지만, '칼로 흥한 자는 칼로 망하고, 총으로 흥한 자는 총으로 망한다.'는 진리를 잊어서는 안됩니다.

감정을 터뜨리지 않으려면, 그리고 감정을 터뜨렸을 때 피해를 최소화하려면 두 가지 'Stop 습관'을 말씀해 드리니 명심하시길 바랍니다.

첫 번째 Stop 습관은 '부정적인 생각에 파고 또 파고드는 습관'입니다. 감정의 폭발이 난데없이 툭 튀어나오는 것은 아닙니다. 좌절이나 분노의 작은 불씨가, 잘못된 모든 일들을 속으로 되뇌면서 큰 불길로 솟아오르는 것입니다.

문제가 생겼을 때 솔루션을 찾기보다는 자신도 모르게 그전의 모든 잘못된 일들을 되뇌고 있다거나, 앙숙 관계인 특정한 직원이 같은 실수를 또 했을 때 그의 전적들을 되뇌고 있다면 이

미 감정 폭발을 준비하고 있는 것입니다.

이럴 때에는 속에서 되뇌고 있는 말들을 두고두고 되풀이할 것이 아니라, 현재에 닥친 문제를 해결할 방법과 아이디어를 강구해야 됩니다.

두 번째 Stop 습관은 '스트레스를 방치하는 습관'입니다. 놀랍게도 사람들은 스트레스를 받으면, 스트레스를 해소하기 위해 필요한 활동들을 제일 먼저 그만둡니다.

운동을 하거나 음식을 제대로 먹을 시간을 만들지 않습니다. 명상을 하지 않고, 신문을 읽지 않으며, 외국어 수업을 빠지고, 스쿼시와 골프약속을 취소합니다.

그러면 그 시간에 무엇을 하는 것일까요? 스트레스 속에서 몇 시간을 더 일하거나, 밤에는 긴장을 풀려고 알코올에 의지를 하게 됩니다. 술을 마시며 스트레스를 방치하다 보면, 감정 폭발을 더 쉽게 만드는 습관을 키우게 됩니다.

구체적으로 말해 알코올은 스트레스 속에서도 원기를 잃지 않기 위해 뇌에 꼭 필요한 화학적 균형이 무너뜨리기 때문에 스트레스 해소에 전혀 도움이 되지 않습니다.

차라리 얼른 화를 멈추고 자리에 앉아 업무에만 집중하라.

사람이라는 동물은 100%의 학습 효과를 누릴 수는 없습니다. 만약 사무실에서 감정을 분출하고 있는 중이라면, 과음을 지르는 자신의 입을 즉시 다물어 버리는 것입니다.

감정을 터뜨리기 시작했다면 빨리 멈출수록 좋습니다. 자리를 떠나 사무실에서 나가든, 친구에게 전화를 하든, 무슨 수를 써서라도 스스로를 막아야 합니다. 변명이나 해명은 시도하지 않는 것이 좋습니다. 그 시도를 통해 감정만 격해질 뿐입니다.

모든 의지력을 총동원해서 감정을 낮춰서 피해를 최소화해야 합니다. 하지만 이미 감정 폭발을 표현했다면 재빨리 사무실 분위기를 회복시키고, 본인의 마음을 다잡아야 합니다. 빠르게

업무로 돌아갈 필요가 있습니다. 굳이 사과는 할 필요가 없습니다. 사과를 하면 더욱 약해 보이며 오랫동안 쌓아온 리더십과 통솔력에 흠일 생길 것입니다.

변명의 여지가 없는 일이라면 굳이 변명 역시 시도할 필요는 없습니다. 중요한 것은 하루 한시라도 빨리 사무실의 분위기와 본인의 마음을 원점으로 되돌리는 것이라는 점을 명심하시면 됩니다.

《Summary》
● 감정을 절제하지 못하는 사람은 오히려 약자로 낙인이 찍히고, 인사고과에 불이익을 당하기 쉽다.
● 문제가 생겼을 때 솔루션을 찾기보다는 그전의 모든 잘못된 일들을 되뇌고 있다거나, 실수한 사람의 전적들을 되뇌고 있다면 이미 감정 폭발을 준비하고 있는 것이다.
● 스트레스를 방치하면, 감정 폭발을 더 쉽게 만드는 습관을 키우게 된다.
● 분노를 참지 못해 사무실에서 감정을 분출했다면 하루 한시라도 빨리 사무실의 분위기와 본인 마음을 원점으로 되돌리도록 노력하라.

◆ 위기 상황에 어떻게 리더십을 발휘해야 할까요?

《Trouble》

 현실적으로 팀 간의 사이가 좋은 기업들이 많이 있을 거라고 생각하지 않습니다. 제가 몸담고 있는 우리 회사 역시 팀끼리 보이지 않는 벽이 있기 때문입니다.

 최근 저희 팀 사업장에서 정부에서 주관하는 위험성평가 우수 사업장 인정을 받은 사례가 있었습니다. 사장님께서도 사업장을 직접 방문하셔서 극찬을 해주셨습니다. 하지만 옆 팀의 리더와 직원들은 심복이 어떻게 됐는지 축하해 주기는커녕 업무 소통을 혼란스럽게 만드는가 하면 조직 내 정보를 공유해 주지 않으려고 하는 분위기로 바뀌었습니다.

 사실 예전부터 팀 간의 관계가 호의적인 편은 아니었지만, 우리 팀에서 생긴 좋은 일 뒤에 팀 간의 관계가 더 나빠진 것 같습니다. 더구나 피해를 보는 사람은 우리 팀원들입니다.

 다른 부서에서 전달해주는 데이터가 없으면 회의 때 아이디어조차 생기지 않습니다. 이렇게 막상 조직 내에서 위기가 닥쳤을 때 리더인 제가 어떻게 행동해야 하고, 어떻게 대처해야 할 지 모르겠습니다.

위기의 조짐부터 상세히 파악할 줄 아는 능력이 중요하다.

 직장 생활을 하면 누구에게나 사건, 사고로 인해서 위기가 닥칠 수 있습니다. 리더들은 위기에 대응하기 위해 자연스럽게 방법을 마련합니다. 위기의 수준과 범위가 높아질수록 긴장감과 두려움이 큰 것은 사실입니다.

 우선 우리는 위기의 조짐부터 파악해 볼 필요가 있습니다. 집단 내에서 전조 반응이 없이 오는 위기, 위험은 없습니다. 다만

직원들이 그 조짐을 감지하지 못하거나 익숙하지 못해서 그 시기를 잘 알지 못할 뿐입니다. 위기가 발생하기 전의 징후나 그 조짐을 알 수 있는 방법이 없다는 것을 당연시해서는 안됩니다.

그러기에 앞서 리더는 무엇보다 예지력豫知力이 강해야 합니다. 예지력을 키운다는 점 역시 조직의 위기 극복에 에너지를 보탤 수 있는 방법입니다. 국내의 기업경영 연구자들이 조직의 위기 조짐을 느끼는 평균적인 2가지 징후를 알려주고 있습니다.

첫째, 조직 내에서 업무소통에 혼란을 주는 직원이 한두 명씩 보이기 시작합니다. 해당직원의 심정이 어떠한지 정확하게 파악하기 어렵지만 부정적인 심정을 갖고 있으면 이때부터 위기가 싹틀 수 있음을 주의해야 합니다.

부정적인 마음가짐으로 타 구성원의 질투를 야기할 수 있고 이로써 음해 따위도 생기게 됩니다. 동시에 자신의 탐욕, 즉, 나쁜 목적이 무엇인지 뚜렷하게 나타나게 되어 언젠가는 방대한 영향을 미치게 되는 나비효과를 만들 수도 있습니다.

소위 업무 능력으로 인한 성과가 아니라 사내 정치를 통한 성과를 내는 조직으로 배양할 수 있습니다.

둘째, 사내에서 좋은 일이든, 나쁜 일이든 이슈가 생겼을 때 조직의 관심도가 현저히 떨어질 때입니다. 더구나 무엇을 이루었거나 성취했을 때 조짐을 파악하기 더 쉽습니다.

자신이 운영하는 팀이 프로젝트에서 성공을 했고 기쁨에 도취되어 있을 때 주위의 팀 표정이 아무렇지 않거나, 어두운 분위기로 침체되어 있으면 가장 위험한 때라고 표현할 수 있습니다.

이슈가 생기기 전에 다른 조직과의 오해가 분명 존재하거나, 공적인 또는 사사로운 감정에 누군가가 피해를 보고 있다는 징조입니다. 조직을 이루는 구성원끼리, 혹은 서로 다른 조직끼리 스스로 수시 점검하여 밝고 상호 소통하는 분위기를 유지하는 것이 중요합니다.

평상시 팀 조직끼리 상부상조할 수 있는 인프라 구축을 중요시하면 위기를 극복할 수 있는 동반자가 될 수 있습니다. 그러면 막상 위기가 닥쳤을 때는 어떻게 해야 할까요?

총명하게 위기를 대응하기 위해 두 가지를 기억하라.

막상 위기가 닥쳐올 때 대응할 수 있는 다양한 대처 방안이 있으나 효과성이 높은 두 가지 방법론을 알려드리겠습니다.

첫째, 위기를 통해 생겨난 조직 내 피해를 우선적으로 파악해야 합니다. 쉽게 말해 치료부터 하는 것이 우선이며, 누가 왜 어떻게 했기에 이렇게 되었는지 등의 그 원인은 추후에 따져야 합니다.

대부분의 리더들은 자신의 조직이 피해를 입었다는 사실을 확인하면 감정에 휘말려 위기를 제공한 인물을 찾는데 에너지를 낭비하곤 합니다. 반대로 총명한 리더는 조직의 피해 수준을 조사하고 본래의 상태로 복구할 계획을 수립합니다.

둘째, 평소에 공과 사를 뛰어넘어 자신을 보호해 줄 수 있으며 차분한 분위기로 해결책 제시에 도움을 줄 수 있는 사람을 찾아갑니다. 보호해 줄 수 있는 자란 주로 직장 상사나 멘토 정도로 생각하면 됩니다.

조직 안팎으로 멘토를 두는 것은 참으로 바람직한 자세인데, 위기가 닥쳤을 때 효율적으로 활용할 수 있기 때문입니다. 스승이 없는 참 제자는 있을 수 없습니다. 물론 스승이 사람일 수도 있고 전문 서적이나 또 다른 매체가 될 수 있습니다.

언제나 겸손한 자세로 무엇이든 수시로 상담하고 지도를 받을 수 있는 방법이 필요합니다. 멘토에게 위기사실을 말하면서 인정할 것은 인정하고, 잘못된 부분은 시인해야 합니다. 정직한 사실관계를 제공해야 탁월한 대응책이 제시되기 때문입니다.

위기를 많이 격은 리더가 더 강하다.

조직에서 발생된 위기에 흥미를 느끼거나 위기를 겪으며 행복해하는 리더는 아무도 없습니다. 하지만 우리는 위기를 겪게 될 수밖에 없는 직장 생활을 살고 있습니다. 위기가 없는 기업은 없습니다.

　그렇다 하더라도 위기가 두렵고 무서워서 도망갈 필요는 없습니다. 위기가 발생하면 마음 자세만 곧게 세우면 됩니다. 아무리 거센 위기라도 '이 또한 지나가리라.'는 생각이 우리에게 도움이 될 수 있습니다. 아무리 풍전등화風前燈火의 상황이 눈앞에 나타나더라도 '이 또한 지나가리라.'는 생각으로 멘탈Mental을 관리하는 것이 중요합니다.

　사람이 태어날 때부터 위기 대응을 잘 하고, 멘탈이 강한 사람은 없습니다. 리더 역시 처음부터 리더의 선천적 특성을 지닌 것이 아닙니다. 직장 생활을 하면서 리더십을 기르는 방법을 배우고 터득하며, 조직의 직원들을 고무시키며 적절한 피드백을 주면서 실력을 쌓아왔습니다.

　선천적인 능력이 아니라 후천적으로 학습을 통한 기술, 행동양식으로 사고가 정립되었습니다. 또한 위기를 겪으면서 스스로 내공을 쌓으며 주위의 뛰어난 리더의 공통된 속성이나 특성을 참고하면서 대응해왔습니다.

　태어나면서부터 리더의 자질이 뛰어나 리더답게 행동하는 게 아니라, 그것을 배우고 신장시킬 수 있다고 암시하며 자신을 성장시키는 습관이 굉장히 중요합니다.

　광범위한 비즈니스 현장에서 뚜렷한 결과를 내고 싶은 리더, 항상 리더십이 부족하다고 느끼는 리더, 자신의 후배 직원들에게 멋진 리더십을 보이고 싶은 리더 등 이 세상 모든 리더들이 제대로 학습만 한다면 리더십을 발휘할 수 있습니다.

　또한 리더의 입장에 서면, 후배 직원이 리더십을 발휘하도록 능력을 개발하는 일의 중요성을 깨닫게 됩니다. 기업 입장에서 귀한 인적자원이란 리더십을 발휘하는 직원을 말합니다.

현재도 가치가 있는데 위기 시 값어치를 제대로 하기 때문입니다. 위기 시 탁월한 방법으로 대응할 줄 아는 차세대 리더를 키우는 일이 지금 리더들의 중요한 역할이며 회사의 성장과 개인을 위해서 당연히 해야 하는 기술입니다.

《Summary》
● 조직의 위기 조짐을 느낄 수 있는 예지력豫知力 여시 조직과 기업의 발전 큰 도움이 되는 조건이다.
● 대부분의 리더들은 자신의 조직이 피해를 입었다는 사실을 확인하면 감정에 휘말려 위기 제공자를 찾는데 힘을 빼게 되지만, 총명한 리더는 피해 수준을 조사하고 본래의 상태로 복구할 계획을 수립한다.
● 조직 내·외에 위기가 닥쳤을 때 효율적으로 활용할 수 있는 멘토를 두는 것은 바람직한 자세이다.
● 리더는 후천적으로 위기를 겪으면서 내공을 쌓고, 주위의 뛰어난 리더의 공통된 속성이나 특성을 습득하는 방법으로 실력을 키운다.
● 위기 시 탁월한 방법으로 대응할 줄 아는 차세대 리더를 키우는 일은 지금 리더들의 중요한 역할이다.

◆ 직원들이 생산성을 올리려고 생각하지 않습니다.

 매 주 월요일이면 다른 부서의 팀장들과 함께 주간회의를 시작합니다. 지난주에 사업장에서 생겼던 이슈사항을 공유하고 한 주의 계획 역시 전파합니다.
 회의가 끝나면 팀장들과 현장을 방문해서 직원들이 열심히 일하고 있는지 확인을 하고 격려도 해주고 옵니다. 다만 회의시간이나 현장 방문시간에 직원들 대상으로 업무를 지시할 때가 많은데 피드백이 없습니다.
 제가 주문한 업무지시에 대해 결과를 보고하는 것이 많이 누락되는 것 같습니다. 심지어 제가 어떤 업무를 지시했는지 모르는 경우도 봤고요. 저는 직원들이 생산성을 올리기 위해 많은 일들을 빠르게 처리했으면 하는데 제 말을 듣지 않는다는 것은 생산성을 올리려고 생각하지 않는 것 같다고 생각합니다.

기다림과 인내심은 모든 기업인의 숙명이다.

 대한민국의 우수한 기업 중에 하나는 <삼성그룹>이라고 해도 누구라도 반박할 사람이 없다고 생각합니다. 기업 운영 체계라든지 생산 전략은 세계의 많은 기업들이 벤치마킹하고 있는 만큼 단단한 기업입니다.
 하지만 삼성이라고 해서 조직이 갖고 있는 흔한 속성이 없는 것은 아닙니다. '관리의 삼성'이라는 문구가 있는 삼성그룹에서 회장의 한마디는 엄청난 위력을 지닙니다.
 1991년, 이건희 회장은 지난 10년 전부터 지금까지 계열사 및 비서실에 지시한 내용을 모두 취합하고, 그것들이 어떻게 이행되었는지 각 사별로 종합해서 보고하라는 지시를 내린 적이 있었습니다.

황당한 요청으로 인해 비서실이 발칵 뒤집혔지만 즉시 이행했습니다. 지시 내용을 취합한 결과, 1981년 이후 이 회장이 내린 지시 사항은 무려 A4용지로 300페이지에 가까웠다고 합니다.

그렇다면 이행 실적은 어땠을까요? 결과를 먼저 말씀드린다면 이행 실적은 미미한 수준이었습니다. 이건희 회장의 지시 사항 상당 부분이 이행은커녕, 실종되고 말았던 것입니다. 삼성이 이 정도인데 다른 곳도 마찬가지입니다.

한 가지 사례를 더 말씀드리겠습니다. 이건희 회장은 1993년 일주일 동안 도쿄에서 해외 임원 회의를 가진 적이 있었습니다. 100여 명의 임원진이 참석한 대규모 회의였습니다. 회의 장소에서는 회장의 질타의 목소리가 들렸습니다.

"지금 삼성에는 이사급 임원이 800여명 있는데, 내 얘기를 심각하게 받아들이고 귀 기울이는 사람은 10% 남짓 될까 말까 수준입니다. 부장급도 회장이 무슨 얘기했는지 아는 사람이 10%가 안됩니다. 삼성에서 회장과 위기의식을 공유하는 사람이 5%가 있으면 많이 있는 거라고 생각합니다. 내가 말하기 시작한 지 몇 달이 됐는데도 회사가 움직이지 않습니다. 내 말을 안 듣는 것 같습니다."

오너가 이처럼 심하게 질타하면 조직은 일사불란하게 한바탕 소동을 일으키기 십상입니다. 그런데 그게 아니었던 모양입니다. 도쿄 임원회의 이 후 두 달이 흘러 서울 본사에서, 주요 계열사 사장단 10여 명이 모여든 가운데 이건희 회장이 탁자를 치면서까지 매우 흥분된 어조로 말했습니다.

"내가 그렇게도 강조하고 지시했던 것들의 후속 조치들이 제대로 이뤄지고 있는지 피드백이 오지 않고 있습니다. 어떻게 회장인 내가 말해도 안 되는 겁니까? 어떻게 하면 내 뜻을 이해하고 이행 할 수 있습니까? 그룹 대표들인 여러분이 방안을 찾아보세요!"

삼성그룹의 오너 회장이 이렇게까지도 펄펄 뛰어야 한다면,

기다림과 인내심은 대한민국 모든 기업인들의 숙명인지도 모를 일이라고 생각합니다.

때로는 직원들을 소홀히 관리하라.

그러면 어떻게 해야 직원들을 부지런히 움직이게 할 수 있을까요? <GE General Electric>의 최연소 최고경영자가 되어 독특하면서도 뛰어난 경영 방식으로 GE를 세계 최고의 기업으로 성장시킨 '잭 웰치Jack Welch' 회장은 리더들에게 직원들을 소홀히 관리하는 법을 배우라고 했습니다.

이 말은 모든 일에 일일이 간섭하지 말라는 의미입니다. 직원들을 정중히 대한 다음 그들이 기업에서 중요한 역할을 하고 있다고 느끼게 만들고 확신을 준 후 그들의 바운더리에서 빨리 빠져 나오라고 말했습니다.

회사에 헌신히고 있는 직원들을 인간적인 도리로 대하고 인격적으로 존중할 때 그 이후의 사정은 소홀히 생각해도 결과는 긍정적으로 봐도 된다는 것입니다.

리더가 되더라도 관리자가 되지 마라.

리더는 직원들이 어떻게 하면 일을 더 잘 할 수 있는지 분명한 방향을 제시하는 일을 합니다. 반면 관리자는 관리가 수준 높은 임무라고 여기며 자신이 남들보다 더 위에 있으며, 똑똑하다는 인상을 주려고 합니다.

관리자는 직원들을 통제하고, 숨 막히게 하고, 사소한 일들에 시간을 낭비합니다. 직원들을 감시하며, 멀리서 노려보는 것이 그것입니다. 그들은 직원들에게 비전 또는 자신감을 줄 수 없습니다.

그렇다면 진정한 리더들은 어떻게 행동해야 할까요? 직원들이 자발적으로 일을 할 수 있도록 옆으로 물러나야 합니다. 직원

들이 스스로 성장하고 험난한 일터에서 승리하도록 허용하며, 그것을 이루었을 때는 적절한 보상을 해주면 됩니다. 잭 웰치 회장은 자신의 역할에 대해 이렇게 말했습니다.

"내가 해야 할 일은 이런 것이다. 자원과 돈을 적절하게 배분하고, 아이디어를 전파한다. 그것뿐이다. 또 올바른 직원을 찾아야 하고, 올바른 사업에 적절한 양의 돈으로 투자해야 하고, 이 사업에서 저 사업으로 빠르게 아이디어를 전파해야 한다. 관리자라는 말은 '통제'와 같은 말이다. 폐쇄적이고, 차갑고, 무정하고, 열정이 없는 통제다. 나는 좋은 TV프로그램을 어떻게 만드는지 모른다. 엔진을 만드는 방법도 전혀 모른다. 하지만 나는 우리 회사의 지분이 있는 NBC의 사장이 누구인지는 알고 있다. 그리고 이것만 알면 된다. 내가 해야 할 일은 최고의 인재를 찾아내고 그들에게 투자를 하는 것이다. 나는 열정을 갖지 않고 사업하는 리더를 본 적이 없다."

열정의 소유자였던 잭 웰치 회장은 무조건 기다리지 않았습니다. 그는 좀 더 적극적인 쪽을 택했습니다. 그는 회사에 꼭 필요한 중요한 아이디어가 있을 때 그것이 조직 내에 완전히 스며들어 사람들의 생각이 바뀌는 순간까지 전달하고, 또 전달하며 공유해야 한다는 사실을 알고 있었습니다.

자서전을 통해서 그는 이런 말을 했습니다. "나는 직원들이 무엇을 할 때마다 귀에 딱지가 앉을 정도로 끊임없는 격려와 촉구의 북소리를 울려댔다. 모든 주도권의 성공은 얼마나 집중적으로, 얼마나 열정적으로 그것을 수행하느냐에 달려 있다. 직원들에 대한 격려와 촉구의 북소리를 절대 멈춰서는 안 된다."고 강하게 언급했습니다.

또한 어떤 아이디어나 메시지를 조직 전체에 전달하고자 할 때, 한 번도 이 정도면 충분하다고 말해본 적이 없었습니다. 그는 아이디어가 있으면 수년에 걸쳐 온갖 종류의 회의 때마다 수없이 반복해서 강조하고 또 강조했습니다. '100번 말해야 1번 알아듣는다.'는 말도 그 당시에 빈번하게 유행했습니다.

나중에는 아예 신물이 날 지경이었다고 회고할 정도였습니다. 천하의 GE도 직원들의 귀에 딱지가 앉을 정도로 강조해야 움직이는데, 피드백이 느린 직원들 때문에 너무 고민하지 않으셨으면 합니다.

《Summary》
● 글로벌 대기업이라고 해도 총수의 오더Order에 대해 속단속결로 진행되지 않는다.
● 직원들을 정중히 대한 다음 그들이 기업에서 중요한 역할을 하고 있다고 느끼게 만들고 확신을 준 후 자발적으로 성장하도록 하라.
● 올바른 리더는 자원과 돈을 적절하게 배분하고, 아이디어를 전파할 줄 안다. 하지만 관리자는 폐쇄적이고, 차갑고, 무정하고, 열정이 없는 통제를 즐긴다.
● 직원들에게 100번 말해야 1번 알아듣는다.

◆ 작은 일까지 꼼꼼하게 챙겨야 할지 모르겠습니다.

《Trouble》

　신입사원 때는 사무실이나 탕비실에 필요한 소모품의 발주코드까지 모두 외울 정도로 꼼꼼하게 일했고 업무 프로세스를 하나도 빠뜨리지 않을 정도로 철저히 진행했었습니다. 당시 선배님들께서 칭찬도 많이 해주셨습니다.

　10여 년이 흐른 지금은 팀장이라는 직책을 맡았지만 그때처럼 작은 일까지 모두 챙겨야 할지 모르겠습니다. 후배 직원들이 제가 챙기지 않아도 알아서 척척 일을 진행한다면 제 일에 더 몰입을 할 수 있는데, 작은 일 하나부터 열까지 제가 관여하지 않으면 일이 엉망이 되는 사례가 종종 발생합니다.

　리더와 후배 직원과의 일을 구분하고 싶은데 그게 사실 쉽지 않습니다.

후배 직원의 일도 내 일처럼 생각하라.

　작은 일에도 완벽하고 꼼꼼해서 아쉬울 일은 하나도 없습니다. 작은 일이 하나하나 쌓여 큰일을 이루는 것이므로, 무슨 일이든 일단 자기가 맡은 일이면 완벽을 기하는 습관을 들여야 하는 것은 중요합니다.

　물론 팀장이라는 직책을 가진 사람은 직책과 지위에 맞는 일들에 대해 완벽히 습득해 놓는 것이 맞습니다. 다만 소속 직원들의 업무 모든 것들을 파악하고 관여하기에는 시간과 여유가 없다는 것은 당연한 현실입니다.

　하지만 팀장이라면 시의적절時宜適切하게 피드백을 줄 수 있어야 하므로 후배들의 일을 상세히 알고 있어야 합니다. 성공한 사람들의 여러 면을 보면 하나같이 작은 일부터 시작해 큰 성

과를 거두었습니다.

그들에게 남다른 점이 있다면, 후배와 같은 다른 사람들의 일도 내 일이라고 생각하고 회사의 일인 모든 것들을 결코 작은 일이라고 여기지 않았다는 것입니다.

팀장이 후배 직원의 일을 잘 모른다는 것은 있을 수 없는 일입니다. 팀원을 목표 수준으로 이끌기가 어려워질 수밖에 없습니다. 선배를 대하는 것보다 후배를 대하는 것이 더 어렵다는 말이 있는데 사내에서 훌륭한 실무자로 평가받던 사람이 리더나 관리자의 자리로 올라서서는 리더십이 부족하다거나 팀원을 이끄는 능력이 떨어진다는 평가를 듣기도 합니다.

후배 직원들이 따르는 좋은 리더는 조금 전에 말씀드린 것처럼 피드백을 정확하고 시기에 적절하게, 기술적으로 행할 줄 아는 리더입니다.

존경받는 상사는 피드백의 중요성을 알고 있다.

후배 직원들이 팀장이 챙기지 않아도 알아서 척척 일을 진행한다는 말은 사실 공감이 되지 않습니다. 후배들은 리더의 피드백을 통해 일을 진행하고 마무리를 지을 수 있는 것입니다.

직장인들의 개인 성격과 업무 스타일이 모두 다르듯 후배들 또한 제각기 다릅니다. 배움에 대한 열정과 성취욕이 남다른 후배가 있는 반면, 직무에 대한 배움이 다소 느리고 업무 스트레스를 해소하는데 어려움을 겪는 후배가 있을 수 있습니다.

앞에 설명한 후배는 업무에 대한 정확한 컨펌confirm과 프로젝트의 방향이나 향 후 목표에 대한 비전을 설명해주고 독려하는 것이 바람직합니다. 다른 후배는 업무를 차근차근 배울 수 있도록 분위기를 형성해주고, 업무 스트레스의 원인을 파악하고 해소할 수 있도록 도움을 주는 것이 필요합니다.

더불어 요즘 시대에는 문책에 가까운 피드백을 줄때는 때와 장소를 가려서 하는 것은 필수입니다. 사소한 일에도 사사건건

감정적이고 공개적으로 혼내기보다는 때로는 조용한 분위기 속에서 후배가 잘못을 스스로 돌아볼 수 있도록 조언해 준다면 팀장에 대한 애정을 느끼기 쉬울 것입니다.

후배의 상황과 태도에 따라서 적절한 방식으로 피드백을 조절할 수 있는 것도 팀장의 능력이자 업무스킬이라고 생각해야 합니다.

팀장님도 업무 중에 피드백하거나 받은 적이 있을 겁니다. 피드백은 상대의 좋은 점을 바르게 평가하고 부족한 부분이 있으면 이유를 함께 생각하는 등 일을 원만하게 진행하고 기술향상과 동기 부여를 위해 매우 중요한 행위입니다.

피드백을 정확하게 전달하기 위해서는 관찰력, 커뮤니티력 community力 등 많은 기술이 필요합니다. 이러한 기술들의 종합체인 리더십을 키우기 위해서라도 피드백을 소홀히 해서는 안됩니다.

리더가 갖고 있는 '일의 철학'은 평사원 때와 같아야한다.

제가 사회 초년시절 친하게 지냈던 동생 중에 노연서 라고 있었습니다. 연서는 대학 졸업과 동시에 중견급 제조업 공장의 현장 생산팀에 취직했습니다.

지방 소재의 모바일 배터리 생산 기업이었어요. 공장 현장에서 사용하는 자재를 재고 정리를 하고, 당일 사용한 자재는 정리정돈을 하면서 정위치하는 일부터 시작했는데, 매일 반복되는 단순 노동에 점차 지쳐갔습니다.

나름 대학에서 공부할 때 상위권 학점을 유지했고, 덩달아 장학금을 받는 우수생이었지만 사회에 진출한 연서는 어느덧 자신의 일에 회의가 들었습니다. 하지만 일을 그만두고 싶어도 여성의 입장이라 취업의 문도 훨씬 좁고, 경기가 좋지 않아 새 직장을 구할 엄두도 내지 못했습니다.

한번은 사내에서 나름 존경하는 멘토와 상담을 했는데 '피할

수 없다면 즐겨라.'라는 피드백을 받았습니다. 연서는 다시 마음을 다잡고 이 일을 즐기면서 할 수 있는 방법을 찾아보기로 했습니다. 그녀는 옆에 있는 동료에게 누가 더 빨리, 많이, 그리고 정확하게 일을 처리하는지 내기하자고 제안했습니다. 매번 내기에 이긴 사람은 연서였습니다.

그렇게 시간이 흘러 연서의 빠른 일 처리, 정위치하는 솜씨는 공장에서 정평이 났고, 팀장을 포함한 경영진도 그런 연서를 눈여겨보았습니다.

몇 년 후, 연서는 마케팅부서로 발령 나면서부터 연속 승진의 신화가 시작되었습니다. 유창한 외국어실력을 뽐낼 수 있었고, 문서작성이라든지, 탁월한 영업능력을 선보일 수 있었습니다.

그리고 20년 후, 그녀는 마침내 이 제조업체의 임원으로 발탁이 되었습니다. 최초 여성임원이기도 했습니다. 만약 젊은 시절 일을 대하는 태도를 바꾸지 않고 자신의 '작은 일'을 마지못해서 겨우겨우 했다면, 연서는 여전히 현장 생산팀에 머물러 있었을 것입니다.

사람들은 연서가 그저 운 좋게 높은 사람들의 눈에 들어 승승장구한 것뿐이라고 하면서 내심 부러워할지도 모릅니다. 하지만 그녀의 성공은 결코 우연이 아니었습니다.

그녀는 재고정리를 하고 단순 정리정돈만 하는 단순 업무를 하면서 보통 사람은 상상도 하지 못할 의지력과 끈기로 달인의 경지를 보여주었습니다. 공장 내 자재창고에 혁신기술을 담아 VM Visual Management를 도입하기도 했습니다.

작은 고리들이 모여 하나의 사슬을 이루듯, 일의 성과도 그렇게 쌓았습니다. 작은 일이 하나둘씩 모이면 업무의 기본을 파악할 수 있고, 자연스럽게 하나의 프로젝트가 완성된다는 것을 기억하며 일을 진행했습니다. 작은 일 하나도 소홀히 하지 않는 책임감이 오늘날의 그녀를 만들었습니다.

물론 운이 좋아 성공한 사람들도 존재합니다. 하지만 진정한 성공은 우연이 아닙니다. 작은 일이라도 어떻게 처리하는가에

따라 그 사람의 성공은 이미 필연이 될 가능성을 충분히 내포한 셈입니다. 작은 일의 가치를 알고 완벽하게 처리하는 사람이 큰일도 충분히 이룰 잠재적인 능력을 갖고 있는 셈입니다. 직장에서 인정받고 성공하고 싶다면, 작은 일도 꼼꼼하고 완벽하게 하는 사람이 되어야 합니다.

《Summary》
● 성공한 사람들의 공통된 특성은 처음부터 작은 일부터 시작해 큰 성과를 거두었다는 것이다.
● 후배들은 리더의 피드백을 통해 일을 진행하고 마무리를 지을 수 있기 때문에 리더는 시의적절하게 정확하고, 기술적인 피드백을 제공해야 한다.
● 후배의 상황과 태도에 따라서 적절한 방식으로 피드백을 조절할 수 있는 것도 팀장의 능력이자 업무스킬이다.
● 작은 일의 가치를 알아야 하고, 어떤 일이든 완벽하게 처리하는 사람이 큰일도 충분히 이룰 잠재적인 능력을 갖고 있는 셈이다.
● 직장에서 인정받고 성공하고 싶다면, 작은 일도 꼼꼼하고 완벽하게 하는 사람이 되어야 한다.

◆ 새로운 변화 도입에 대해서 두려워하는 편입니다.

《Trouble》

　회사가 안정기에 들어섰다고 생각은 합니다. 하지만 더 이상의 발전과 성과를 도모하지 못하고 있는 것 같아요. 팀장으로서 기업문화를 좀 더 발전시키지 못한 것이 부끄럽지만 회사의 분위기가 많이 고립되어 있으며, 정체되어 있어 변화를 두려워하고 있습니다.

　경영층뿐만 아니라 중견 직원들 대부분이 새로운 문화를 받아들인다는 것에 부담감을 갖고 있으며, 갑자기 변화추진자들이 등장한다고 할지라도 대부분 지치거나, 기존 문화에 굴복하게 되는 현실입니다.

　보수적인 분위기가 기업차원에서 새로운 것을 배우고 변화하는데 심각한 장애물이 될 수 있다고 생각은 하는데 쉽지 않네요.

새로운 조직문화를 확립할 수 있는 대책을 세워야 한다.

　우리나라는 선진국으로 도약하고 있는 단계입니다. 아니 이미 선진국에 포함되어 세계적으로 경제활동을 하고 있는 단계로 와있는 상태라고 할 수 있지요.

　국민 1인당 소득이 3만 달러에 가까운 시대로 진입했다는 점 하나만으로 증거가 되고 있습니다. 우리나라는 해외 선진국들과 어깨를 나란히 하며 산업 기술화의 대세 국가 중의 한 국가로 불리고 있으며, 지금도 계속해서 기업들의 기술 수준은 한층 더 올라가고 있는 상황입니다.

　이런 관점과는 달리 요즘의 기업문화는 어떤 모습인지 생각해볼 필요성이 있습니다. 권위적이고 통제된 문화, 관료적 조직은 이제 찾아보기 어려울 정도로 옛날의 기업문화로 이미 지나갔

다고 느껴지시나요?

　현재 우리나라의 기업문화의 현실을 곰곰이 파헤쳐 보면 지금의 우수한 성적을 내는 산업 환경을 어떻게 만들어 냈을까? 하는 생각이 들 정도로 지나치게 더딘 속도를 내며 기업문화를 개선하고 있습니다.

　4차 산업이라는 단어가 이제는 오래된 것처럼 느껴질 만큼 익숙해져가고 있습니다. 과거 2016년 '다보스포럼Davos Forum'이라 불리는 세계경제포럼에서 '4차 산업혁명'이라는 용어를 처음 사용했습니다.

　그때부터 우리나라 기업들은 사물인터넷, 인공지능, 빅 데이터, 로봇 등이 대표되는 4차 산업시대에 발맞춰 나가기 위해 굉장히 빠른 속도를 내며 세상을 변화시키고 있습니다. 하지만 아무리 기술력이 좋다고 해도 인간의 사상과 정서가 없이는 변화를 시킬 수 없는 것이 바로 기업조직문화입니다.

　사실 직장 생활에서 기업문화를 바꾼다는 것은 굉장히 어렵습니다. 더군다나 세대 간의 생각과 사상 차이 때문에 더더욱 힘들게 합니다. 개선은 경영층이나 여기계신 팀장님 혼자서 할 수 있는 부분이 아닙니다.

　기업이 생산성과 효율성을 극대화하려면 세대 간의 간극을 줄여야 경영상 많은 문제점이 발생되지 않는다는 것을 알기 때문에 무시할 수가 없는 상황입니다.

　만약 어떤 형태로든 지나치게 낙후되어 있는 우리나라 기업들의 조직문화를 개선하지 않고 무시하고, 방치해 놓았을 경우 어떻게 될까요? 그 기업은 젊은 몸체를 갖고 있을지라도 늙은 마인드를 갖고 있는 기형적인 운영 형태를 갖게 됩니다. 이러한 기업은 시대적 흐름에 맞추지 못해 일찍 위기에 빠지게 됩니다.

　그렇다면 선진 조직문화를 확립할 수 있는 대책은 과연 무엇일까요? 바로 '트렌드'를 잘 알거나, 시대상 '트렌드'가 되어 있는 직원들과의 커뮤니티입니다. 그 처방전이야말로 몸과 마음

이 젊고 신선한 기업, 대세가 되어 앞서나갈 아이디어를 내는 기업으로 변모할 수 있는 효능을 가지고 있습니다.

세대를 포용하고, 시대에 맞춰가려는 자세가 중요하다.

마케팅 부서에서 일하거나 마케팅업을 하는 프리랜서들은 다음 세대에 대해 늘 연구를 합니다. 다음 타자로 등장할 허리층 세대들이 기존의 기성세대들과는 분명 차별화된 가치관을 갖고 있다고 주장하고 있으며 그들이 트렌드가 되어 많은 문화를 바꾼다고 말하고 있습니다.

신세대들이 다시 기성세대로 변하면서 또다시 등장하는 후세대가 독특한 생각과 아이템을 들고 등장하는 점에 대해 이는 자연스러운 현상이라고 이야기합니다.

새로운 세대에 대해 분석하고 대응할 수 있는 가이드라인을 제시하는 매체들이 많습니다. 시대상 대세영향력이 있는 결정적 형세에 대한 소재를 이용했기에 기업들뿐만 아니라 새로운 생산 아이템을 강구하는 많은 집단들이 즐겨 찾고 있습니다.

기성세대들은 새로 진입한 세대를 향해 독특한 사고방식과 튀는 행동으로 부담을 갖고 있는 것은 사실입니다. 하지만 신세대들이 대한민국 시장을 움직이고 있습니다.

이러한 상황에서 기성세대가 신세대의 의식을 변화시키려고 하거나, 직장에서 선배들은 젊은 신입사원들이 갖고 있는 가치관을 회사에 맞추기를 기대해야 할까요? 아니면 있는 그대로 포용하고 인정해야 할까요?

저는 후자라고 생각합니다. 이미 현 시대는 트렌드가 되어 있는 세대에 맞춰 모든 소비재가 만들어지고 있습니다. 놀라운 것은 독특하고 자신감 넘치며 꽤나 진부하지 않은 그들의 사고방식에 부정적인 시각을 주는 시선이 없이, 세상은 그들에게 적응하고 맞추고 있다는 것입니다.

HR영역에서 트렌드를 맞춰간 기업은 생산력도 앞서갑니다.

세계 최대의 영상 스트리밍 기업인 <넷플릭스NETFLIX>는 혁신의 역사를 갖고 있는 미국 실리콘밸리에서도 유별난 기업으로 불립니다.

휴가, 출장, 경비 규정이 없고, 수백만 달러짜리 계약도 상사의 결재가 필요 없습니다. '규칙이 없다.'는 것이 이 회사의 규율입니다. 민감한 재무 정보도 매주 전 직원에게 공개합니다. 말단 직원도 창업자인 CEO에게 솔직하고 자유롭게 피드백을 던지는 문화를 갖고 있습니다.

CEO인 '리드 헤이스팅스Reed Hastings'는 "직원을 관리하고 감독하는 대신, 직원 스스로가 회사에 가장 이로운 선택을 할 수 있게 자율적이고 주체적인 환경을 만드는 게 재창조의 원동력"이라고 말했습니다.

그는 또 회사를 '스포츠 구단'이라 생각하고 직원을 '프로'라고 여깁니다. 넷플릭스가 현재까지의 성장을 거듭한 것은 직원을 포용하고 존중하는 기업문화 덕분이라고 말합니다.

넷플릭스는 직원에게 하여금 업계 최고의 인재라는 점을 확신시켜주고, 업계 최고 수준의 보상을 하며, 자유를 제공하고 독특하고 신선한 아이디어를 낼 수 있도록 조력을 해주고 있습니다. 젊은 직원들이 생각하는 모든 것들이 창조물이 될 수 있도록 인정하는 자세를 취하고 있는 것입니다.

미국의 인기 비즈니스 잡지 <포춘지>는 글로벌 유통기업 <아마존Amazon>의 '제프 베조스Jeff Bezos'를 한 번도 혁신을 멈춘 적이 없는 미래지향형 기업인이라고 칭송하며 '최고의 CEO' 1위에 선정한 적이 있습니다.

미국의 유명 기업 또는 속된 말로 잘나가는 IT기업 대부분이 실리콘 밸리에 위치하고 있다는 것을 알고 계실 겁니다. 직원들은 회사가 제공한 형형색색 메뉴의 무상 점심을 먹거나 휴게시간을 이용해서 회사가 지원하는 무료 마사지를 받으러 가는 사람도 있습니다.

그만큼 기업들이 직원들에게 제공하는 복리후생이 후하다는

증거입니다. 하지만 아마존은 실리콘 밸리가 아닌 시애틀에 자리 잡고 있습니다. 전직 직원이 아마존을 대상으로 쓴 글을 보면 복리후생이 동종업계에서 많이 약하다고 표현했습니다. 이점은 제프 베조스 역시 인정하는 부분이었습니다.

제프 베조스는 기자와 인터뷰에서 "아마존은 다른 유명 기업들처럼 무료 마사지나 기타 복리후생을 제공하는 컨트리 조직문화 같은 것은 만들지 않는다. 왜냐하면 직원들이 복리후생을 누릴 이유 때문에 회사에 머무르는 것은 원치 않기 때문이다."라고 말한 적이 있습니다.

기업이 복리후생을 최상급으로 제공하면 처음에는 많은 직원들로부터 인기는 얻을 수는 있습니다. 다만, 지금은 직원들이 최선을 다해 열심히 일하면서 본인의 업무에 전문성을 갖게 하고, 성공적으로 진행함으로써 조직을 발전시키는 데 성취감을 느끼는 환경을 만들어 주고 싶다는 취지이기도 했습니다.

즉, 입사를 해서 복리후생을 얻는 성취감보다는 회사에 기여함으로써 얻는 성취감이 더 값지다는 것을 알려주려고 한 뜻이기도 합니다.

그렇다고 해서 아마존은 직원의 처우에 인색하다는 것은 아닙니다. 아마존에 새로 입사한 직원들은 '멘토 사이트'에 접속하게 됩니다. '멘토 사이트'란 아마존이 사내에서 멘토가 되길 희망하는 사람들을 등재한 사이트를 만들었고, 아마존에서 잘 적응하고 성장하길 원하는 직원들을 위해서 멘토를 선택해 지식과 스킬을 배울 수 있는 환경을 제공했습니다.

직원들은 멘토링 과정을 통해서 지식을 배울뿐더러 인간적인 유대감을 얻고 직장 내 소통을 실감하게 됩니다. 아마존은 소통의 가치를 높게 여기고 있습니다. 또한 직원들이 실질적으로 필요한 것이 무엇인지를 알고 있습니다.

아마존은 조직문화 참여에 강압을 두지 않아도 직원들 스스로 참여를 하게끔 만드는 강력한 힘을 갖고 있습니다. 나에게 직접 필요한 부분이라고 느끼는 것들을 프로그램화해서 조직문화

를 형성하고 있기 때문입니다.

우리나라 기업들은 조직문화에 관련된 아이디어가 현저히 부족하다는 점을 직시해야 됩니다. 구성원들이 생각하고 있는 점이 무엇인지를 꿰뚫어야 하며, 조직문화에 참여하고 행동할 수밖에 없는 환경을 만들어 주어야 합니다. 그래야 모든 세대가 소통할 수 있는 적극적이고 새로운 조직문화를 형성할 수 있는 것입니다.

해외 기업뿐만 아니라 우리나라에도 HR 관리를 트렌드에 맞춰간 기업이 있습니다. 바로 음식 배달 플랫폼 '배달의민족'을 운영하는 기업인 <우아한형제들>입니다.

우아한형제들은 '일을 더 잘하는 법 11가지'를 정하고 이런 규율을 기반 삼아 선후배들끼리 자유롭고 수평적인 문화를 만들며 다양한 프로그램 제작에 몰입을 할 수 있도록 관리하고 있습니다.

또한 인사평가나 보상관리 측면에 있어서 공정성이 요즘 세대들에게는 화두인 만큼 평가 결과나 과정이 합리적이었는지 체크합니다. 그리고 평가를 받는 입장에서 신뢰할 수 있는 평가인지 등을 다각도로 검증하는 프로세스를 갖고 있습니다.

이는 신세대들의 가치관과 사상을 반영했고, 직원들을 충분히 배려하는 부분이라고 말할 수 있습니다. 공정하고 형평성 가치를 우선시하는 새로운 세대를 존중하고 있다는 증거입니다.

우아한형제들의 HR 부서는 리더들에게 계속해서 수시로 젊은 구성원들과 커뮤니티하고 피드백, 코칭을 할 것을 주문하고 있습니다. 성공적인 HR 관리의 궁극적인 목적은 구성원의 성장이기 때문에 직원들을 존중하고 포용하는 자세를 잃지 않으려고 합니다.

앞서 소개해 드린 기업뿐만 아니라 대한민국의 많은 기업들이 트렌드에 맞거나 시대에 앞서나가는 HR 관리가 이루어지길 기대합니다.

유행을 만들고 대세가 되어 이 시대의 트렌드가 된 대상과의

소통은 굉장히 중요합니다. 사회주의의 몰락을 건너 민주주의의 역사를 맛보고, 이제는 자유주의로 거듭나고 있는 시대에서 우리나라 기업들은 4차 산업시대에 걸 맞춰 생산기술력을 더 나은 단계로 발전시키려면 새로운 세대들과 함께 기업문화를 재정비하고 그들의 목소리에 귀를 기울여야 하겠습니다.

《Summary》
● 기업의 생산 기술력이 아무리 좋다고 해도 인간의 생각과 사상, 정서가 없이는 변화를 시킬 수 없는 것이 바로 기업문화이자 조직문화이다.

● 지나치게 낙후되어 있는 조직문화를 개선하지 않고 무시하고, 방치해 놓았을 경우 기업은 시대적 흐름에 맞추지 못해 일찍 위기에 빠지게 된다.

● 몸과 마음이 젊고 신선한 기업, 대세를 앞서나갈 아이디어를 내는 기업으로 변모하기 위해서는 직원들과의 커뮤니티를 중요시해야 한다.

● 젊은 직원들이 생각하는 모든 것들이 창조물이 될 수 있도록 인정하는 자세를 취할 때 기업문화는 서서히 시대에 따라갈 수 있다.

● 성공적인 HR 관리의 궁극적인 목적은 구성원의 성장이기 때문에 직원들을 존중하고 포용하는 자세를 잃지 않아야 한다.

◆ 인력관리와 업무분장이 가장 어려운 것 같습니다.

《Trouble》
 신입사원 때부터 사람을 채용하고 관리하며, 퇴직자가 발생했을
때 진행하는 업무를 배웠습니다. 지금은 팀을 이루는 직원들을
전체적으로 관리하는데 적정 인원이라고 생각하고 정원을 유지
하고 있습니다.
 하지만 현장에서는 높은 노동 강도의 이유로 인력 충원을 원합
니다. 인건비 문제도 그렇지만 충원을 한들 인력을 어디에다 배
치해야 적재적소適材適所인지 모르겠습니다.
 업무분장은 또 어떻게 해야 하며, 유능한 직원들은 어떻게 관리
해야 할 지 정말 고민입니다. 인력관리에 대한 교육이나 세미나
를 다니며 이론적인 지식은 많이 갖추려고 하는 편인데도 불구
하고 회사마다 특성과 문화가 다르기에 접목하기가 참 쉽지 않
습니다. 차 후 차기 팀장도 발탁해야 되는 상황인데 인력관리가
가장 어려운 것 같습니다.

타이트한 인원보다 여유로운 인력을 갖춘 기업이 낫다.

 기업이 여유롭게 인력을 운영하면 소속 직원, 고객, 투자자에
게 동시에 이득이 된다는 이론은 많은 경영인들과 학자로부터
회자되고 있습니다. 고객의 이득은 명백합니다.
 쉽게 이해하기 위해 최근에 다녀온 대형 마트나 생활용품을
판매하는 판매점을 떠올려 보시기 바랍니다. 매장의 통로에 들
어서기 전에 사기로 마음먹었던 상품을 찾느라 헤매던 적이 있
을 겁니다. 근처 직원의 도움을 원했던 기억이 있을 것입니다.
 이처럼 고객뿐만 아니라 직원의 이득도 있습니다. 업무를 완
료하고 일을 잘 수행하는 능력은 자부심과 즐거움을 안겨줍니

다. 엉뚱한 곳에 있는 제품을 찾아다니고 불만족한 고객을 상대하고 시간이 부족해서 어설프게 일을 할 때보다, 고객을 돕거나 매장 운영 방식을 개선하면서 성취감을 느낄 때 훨씬 더 직장생활이 즐겁고 만족스럽기 때문입니다.

이렇게 여유로운 인력 배치로 직원은 더욱 건강한 직장생활과 균형 잡힌 삶을 살 수 있습니다. 충분히 배치된 직원 덕분에 매장에는 직원이 부족해지는 일이 없고, 자녀의 학교행사나 병원 진료, 그 밖의 여러 가지 중요한 이유로 필요할 때 휴가를 낼 수 있습니다.

다시 말해 고객이 더 나은 서비스를 받고 직원이 좌절하지 않으며, 올바르게 일을 수행하고 문제를 해결할 시간이 있어서 운영 방식이 개선되면 투자자에게도 많은 이득을 제공할 수 있습니다. 이것이 바로 '아크릴의 법칙AHCHReel's Law'입니다.

또한 낭비를 줄이고 프로세스를 개선하고 노동생산성을 높이면 인력에 투자할 수 있습니다. 비용 절감이 더 저렴한 가격으로 이어지면 고객 역시 이득을 누리게 됩니다.

회사가 인력을 여유롭게 운영할 때 대체로 훌륭한 직원을 고용할 수 있는 확률이 높아집니다. 다른 직원들이 업무를 처리하느라 고군분투孤軍奮鬪하는 와중에 직원 한 명이 매장을 떠나버리면, 관리자는 가능한 빨리 신규 직원을 채용해야 한다는 커다란 압박에 시달리게 됩니다.

이런 압박감 때문에 우수한 인력을 찾는 것이 불투명해집니다. 인력을 여유롭게 운영하면 회사는 입사를 희망하는 사람들의 지원서를 신중하게 살펴보고 해당 일자리에 가장 적합한 인력을 찾을 수 있습니다. 그렇게 더 신중하게 이뤄진 채용은 모든 이해당사자인 직원, 고객, 투자자에게 이득이 됩니다.

현 시대에서 여유로운 인력 운영이라고 하면 표면적으로는 그다지 좋게 들리지 않는 것은 사실입니다. 그러나 회사 성공의 중심에 '직원'을 두는 것이 가장 중요하다는 것을 우리는 알아야합니다.

좋은 환경을 위해 막무가내로 사람을 뽑을 필요는 없다.

노동 강도가 높은 부서가 있고 개별적으로 호소하는 근로자가 있을 수 있습니다. 그렇다고 해서 무작정 채용을 늘리는 방안으로 조직을 내버려두면 비대해지는 꼴이 됩니다.

조직을 책임지고 있는 사람이 HR 관리 상 긴장의 끈을 조금이라도 놓게 되면 조직은 그 자체로 저항을 받게 됩니다. 즉, 비적정한 인력관리를 통해 부작용이 발생할 수 있습니다.

이때 조직을 적정하게 계획적으로 키우는 것과 자신의 의도와 달리 무계획적으로 커져버리는 것 사이에는 커다란 간극이 존재합니다.

이런 원칙은 작은 조직이든 큰 조직이든 예외가 없지만, 특히 규모가 작은 기업들의 경우에는 위기 또는 몰락의 주요 원인이 되기도 합니다.

예를 들어 사업 경험이 일천한 벤처기업 경영자들이 범하는 큰 실수 가운데 하나가 조직 내의 인력이 급속히 팽창하는 일을 통제하지 못하는 것입니다.

최고경영자를 제외한 대다수 부서장은 늘 더 많은 일력과 더 많은 자원의 배분을 습관적으로 요구합니다. 부서장이나 임원들 가운데 회사 전체의 입장에서 바라볼 수 있는 사람들이 있다면 도움이 되겠지만 각자가 책임을 지고 있는 사업부서 이외의 영역에 대해 종합적으로 고려하는 사람들은 흔치 않습니다.

쉽게 말해 인력이 비대해져서 문제가 생겨도 내 탓이 아니므로 큰 관심이 없다는 것입니다.

그래서 HR 운영에 책임이 있는 직원이라면, 새로운 프로젝트가 생겼을 때 조직의 인력을 증원하지 않고 기존의 인력과 자원을 최적으로 배분해서 해결할 수 있는 방안을 우선적으로 찾아야 합니다.

하지만 공교롭게도 '좀 더 많은 인력과 자원이 확보된다면 프

로젝트를 빠르고, 충분히 성공적으로 수행할 수 있다.'는 논리가 형성하는 현실입니다.

비대해진 조직은 해고라는 숙제를 만들어 낸다.

경험이 풍부한 경영자라면 조직의 인력이 급속히 늘어나는 일이 얼마나 위험한가를 잘 알고 있습니다. 하지만 경험이 얼마 되지 아니한 경영자들은 이런저런 요구들을 받아들이게 되고 마침내 자신도 통제할 수 없는 상황에 처하게 됩니다. 이런저런 요구들을 받아들인다고 해서 비난할 수는 없습니다.

사실 직원을 더 뽑아달라는 요구에 대해 주인의식을 갖고 철저하게 통제하기가 쉽지 않습니다. 그나마 기업의 규모가 크거나, 수익 창출이 원활하게 이뤄지는 상황이라면 비대해진 조직도 견뎌낼 수 있습니다.

하지만 상황 변화에 따라 수익이 원활하지 않은 상태에서 인건비라는 고정비용은 조직의 생존에 큰 부담을 갖게 됩니다. 이는 크게 표면화되지는 않더라도 작은 기업들이 어려움에 처하게 되는 전형적인 사례에 속합니다.

사업이 잘될 때 지나치게 조직의 규모를 확장시켰는데, 시간이 흘러 예상 밖으로 사업이 어려워지면서 구조조정 차원에서 직원들을 해고하는 일을 겪게 됩니다.

따라서 직원을 더 뽑아달라는 요구의 대응핵심은 업무분장을 우선으로 정비해서 노동 강도를 적절하게 분배하는 것이지 막무가내로 사람을 뽑는 것은 어리석은 짓입니다.

조직관리의 실패는 인력 배치와 관련된 문제들이다

자신을 포함해서 단 2명의 조직을 이끄는 초보 경영자로 설계 사무소를 열어서 이제는 30여 명의 스태프로 구성된 <안도 타다오 건축연구소>를 운영하고 있는 '안도 타다오ぁんどうただぉ'의

경험담은 조직관리의 중요성을 생각하게 해주는 좋은 사례입니다. 공업고등학교 기계과 졸업이 최종 학력인 그는 독학으로 세계적인 건축가로 우뚝 선 보기 드문 인물입니다.

최고의 건축가 반열에 들어설 수 있었던 일본인 안도 타다오는 세계 각국을 여행하고 독학으로 건축을 공부했습니다. 물과 빛·노출 콘크리트의 건축가로 불리며 완벽한 기하학 구조가 절묘하게 자연과 어우러지는 평온하고 명상적인 공간을 창조해냈으며 1995년 프리츠커상Pritzker Architecture Prize을 수상했습니다.

그런데 건축가로서 뛰어난 재능을 갖추는 것과 조직의 경영자로 성공하는 것 사이에는 커다란 간격이 있다면서 사업의 성공을 거두는 데는 조직관리가 얼마나 중요한가에 대해 안도 타다오는 늘 고민했습니다.

조직을 꾸리게 되면 당연히 사회적, 경제적 제약이 따른다는 것을 느꼈으며, 그런 제약 속에서 조직을 얼마나 건강하게 유지해 가느냐? 하는 것은 개인의 예술적 재능하고는 전혀 차원이 다른 문제라는 것을 알았습니다.

조직이란 굴러가는 대로 놔두면 비대해지게 마련이라 나중에는 문득 돌아보면 나를 위해 만든 조직에 나 자신이 휘둘리고 있는 경우가 많다는 점을 겪었으며, 조직에 매몰되면 그 건축가는 이미 끝났다고 판단했습니다.

안도 타다오의 생각을 다시 짚어보면 사업을 시작할 때는 사업을 잘해서 많은 돈을 벌고 사업가로서 성공하기 위해 조직이란 것을 만들어서 조금씩 늘려가지만, 언제부터인가 조직이 성과에 비해 너무 비대해진 나머지 돈을 벌기 위한 조직이 아니라 직원들을 먹여 살리기 위한 조직으로 변모해버린 것을 발견하게 된다는 것입니다.

이런 상황이 발생하지 않도록 늘 주위를 게을리 하지 않고 사전에 예방 조치를 취하는 것이 기업이 할 수 있는 중요한 임무였다는 것을 알려주고 있습니다.

큰 조직의 경우 조직관리의 실패 사례를 찾아보면 대부분 인

적 자원의 배치와 관련된 문제들입니다. 언제, 어떤 일을 누구에게 맡길 것이며, 심혈을 기울여서 임명한 사람이 그 자리나 그 시점에 적합한 인물이 아니라면 언제 누구로 교체해야 할 것인가를 상시 생각하고 있어야 합니다. 기업에서 고위직의 선택은 기업의 운명에 결정적인 영향을 미치는 경우가 종종 있기 때문입니다.

이따금 최고 경영자에 대한 잦은 경질의 문제가 화제가 되는 경우도 있습니다. 언론이나 일반인들의 시각은 처음부터 꼭 맞는 사람을 임명하고 그들이 마음 놓고 일할 수 있을 만큼 충분한 시간을 보장해주는 것이 바람직하다는 시각입니다.

물론 이런 주장이 틀린 것은 아닙니다. 어떤 사람이 이 일에 꼭 맞는 사람일 것으로 판단하여 어렵게 그 자리에 앉히더라도 그 사람이 잘 맞지 않는 경우가 있게 마련입니다.

한 조직의 영업팀장 영입을 예로 들어보겠습니다. 전혀 연관이 없는 다른 분야에서 멋진 성과를 거둔 리더를 영입해서 크게 성과를 거둔 사례도 있지만, 과거의 대단한 성과에도 불구하고 영업 분야에서 제대로 실력을 발휘하지 못하는 경우도 얼마든지 일어날 수 있습니다.

또는 다른 분야에서 큰 성과를 거둔 리더가 이 직무가 자신과 맞지 않는다는 주장을 펼치며 적응에 힘들어 할 수 있습니다. 이런 상황이 발생하면 기업은 손해가 크기 때문에 가능한 한 신속히 적임자로 교체해야 합니다.

완벽한 인력배치란 업무분장이 잘 되어있다는 뜻이다.

조직에서 개인별 직무를 합리적으로 책정 배분하고 과업을 적정하게 부여하는 것은 목표의 달성을 위한 기본수단입니다. 그뿐만 아니라 구성원의 사기와도 직결되는 요소이기도 합니다.

우선 업무분장의 원칙은 '기본과 형평성'입니다. 회사 내부 규정에 정해진대로 해야 하며 직원의 능력, 경력 등을 참고하여

형평성에 맞아야 합니다. '조직인의 사기土氣에 관한 조사연구'에 의하면, 사기 저하 요인 중의 하나가 '남의 일을 자기에게 시키거나' 또는 '자기 일을 남에게 시키는 것'이 있습니다. 따라서 리더는 후배 직원들에게 일을 심도 있고, 귀하게 주어야 합니다.

만약 부득이한 조직 환경으로 그렇게 할 수밖에 없는 사정이 있다면 사선에 실명해서 당사자가 충분히 수용한 후 맡기는 게 합리적입니다. 또 새로운 일이나 돌발적인 업무 등은 일단 총괄부서에 맡기거나 프로세스를 확인 받을 수밖에 없습니다.

아니면 평소에 미리 스팟Spot 업무를 맡는 직원을 선임해 두거나 순환 분담 체계를 마련해두는 것도 하나의 방법이 될 수 있습니다.

참고로 업무를 부여할 때는 '개별, 정확, 방침' 이 세 가지를 꼭 지키시길 바랍니다. 개별적으로 해주는 것이 기본이며, 그 역할 범위와 분량 및 방법을 정확하게 해줄 필요가 있습니다. 그리고 직원이 복잡하거나 막막한 난제를 가지고 왔을 때는 그에 맞는 방침을 명확히 제시해 주어야 합니다. 방침이 없으면 직원은 업무에 대한 공포를 갖게 되며 신규 과제에 대한 불안감을 평생 갖게 됩니다.

이 세 가지는 총체적 조직관리 측면에서 상당히 중요한 부분입니다.

차기 리더 발탁의 큰 핵심은 검증이다.

조직에 인력을 채용하고 활용하기 위해서는 가장 먼저 해야 될 사항이 있습니다. 우선 그 후보가 될 인물이 해당하는 조직에 필요한 전문성과 역량 등을 보유하고 있는지에 대한 검증입니다.

리더 발탁도 마찬가지로 능력 검증이 필요합니다. 보유하고 있는 능력이 소정의 요건에 맞는 수준이면 그 다음에는 됨됨이

를 갖춘 리더십입니다. 앞서 말씀드린 평가를 보통 인물 검증이라고 합니다. 넓은 의미에서는 능력 검증도 이 과정에 포함될 수 있습니다.

검증을 하는 고위층도 사실 쉽게 판단하기 어려운 것은 사실입니다. 그래서 정규로 임용하기 전에 리더 직무대행이나, 시보기간을 두어 개인 능력을 포함한 리더십을 모니터링 하기도 합니다.

하지만 겸임, 시보임용의 적용이 곤란한 직위도 있고, 조직에 따라 현실 여건이 맞지 않을 수 있습니다. 따라서 기업 분위기에 맞는 방법을 강구하여 후보자에 대해 미리 검증을 할 수 있도록 철저한 제도를 만들어 놓아야 하는 수밖에 없습니다.

한편, 인물을 단순한 방법으로 역량과 성향을 조합해서 분류해 볼 수도 있습니다. HR컨설팅에서 흔히 사용하고 있으며 워낙 유명한 '리더의 네 가지 분류 방법'이라 아시리라 생각되는데 참고하셨으면 해서 설명해드리겠습니다.

첫째, 똑부똑똑하고 부지런한 리더 유형이 있습니다. 이 유형은 최고경영층의 비서 또는 하위 기획자로서 적합하나 다른 직무의 리더로서 곤란한 면이 있습니다. 쉽게 자만해지고 조직 전체에 업무강도를 높게 하는 주역으로 될 가능성이 크고 현 시대의 기업이 원하는 인재상이 아니기 때문입니다.

둘째, 똑게똑똑하게 게으른 리더 유형이 있습니다. 이런 자는 리더로서는 그린테크의 리더 인재상으로 최적입니다. 대신 참모업무나, 실무직으로는 부적합한 반면이 있지만 인재 양성에 힘이 필요한 그린테크의 지금 상황에서 선도자 역할을 충분히 할 수 있습니다.

셋째, 명부명청하고 부지런한 리더 유형이 있습니다. 이런 유형은 자칫 조직과 기업, 나아가 지역 사회에까지 앞장서 해를 끼치는 무모한 인력이 될 수 있으므로 리더로 발탁하기 어렵습니다. 우직하고 성실한 것은 좋으나 제대로 된 판단력이 부족한 것은 용납될 수 없습니다.

끝으로 멍게멍청하고 게으른 리더 유형은 조직에 무해무익하다고 할 수가 있으며 앞의 '멍부'보다는 차라리 나은 편입니다.

따라서 이 네 가지 유형 중 크고 작은 조직에서 사람을 채용할 때나 주요 임무를 부여할 때 가장 조심해야 할 인물이 바로 '멍부'입니다. 리더 발탁 심사에 참고하셨으면 합니다.

《Summary》
● 기업이 여유롭게 인력을 운영하면 그 기업에서 근무하는 직원과 고객, 투자자에게 동시에 이득이 된다.
● 반면, 조직이 성과에 비해 너무 비대해지기만 하면 직원이 돈을 벌기 위한 조직이 아니라 사장이 직원들을 먹여 살리기 위한 조직으로 변모해버린다.
● 직원들에게 업무를 부여할 때는 개별적으로 부여하고, 정확하게 부여하며, 기준과 방침을 포함하여야 한다.
● 조직에 리더를 발탁하기 위해서는 그 후보가 될 인물이 해당 조직에 필요한 전문성과 역량 등을 보유하고 있는지에 대한 철저한 검증이 필요하다.
● 크고 작은 조직에서 사람을 채용할 때나 주요 임무를 부여할 때 가장 조심해야 할 인물이 멍청하면서 부지런한 유형의 직원이다.

◆ 워라밸과 보상을 어느 수준까지 정해야 할까요?

《Trouble》
　최근 갓 입사한 사회초년생들이 빨리 직장을 관두고 있어서 인사 실무자가 퇴사 예정자 대상으로 인터뷰를 하는 제도를 만들었습니다. 면담 과정에서 공통적으로 나온 이야기는 '낮은 임금과 업무 과중'이었습니다.
　지난 달 퇴직한 최 사원 역시 면담과정에서 저녁밥을 거르고 야근하는 걸 당연하게 생각하는 회사에서 더는 일하고 싶지 않다는 사유였으며, 개인시간 없이 평일을 꽉꽉 채워서 일만 하는 게 무슨 의미가 있나 싶어서 사직을 했습니다.
　회사가 업무 과중에 대해 당연시하고 잘 인정해주지 않는다는 말에는 공감을 했지만 해결해 주기에는 어렵다는 생각부터 들었습니다. 기성세대가 생각하는 조직문화와 젊은 사회 초년생들이 우선시하는 가치들이 정면충돌하면서 지금의 '대퇴사 시대'로 이어지는 상황 같습니다.
　기업이 '워라밸Work, Life balance과 적절한 보상'에 대해 기피하는 것은 아니지만 단기적 시각으로 이익 추구를 하거나, 직원들의 노력과 희생, 경쟁만을 강요하지 않았는데 현실적으로 어떻게 보상 수준을 정해야 할지 참으로 어렵습니다.

일과 사생활 균형에 대한 좋은 사례를 연구하라.

　일과 개인적 삶의 균형은 중요합니다. 유능한 직원들이 회사를 그만두는 이유 중 하나로 '육아'가 있습니다. 요즘은 남녀 모두 육아휴직을 낼 수 있지만, 여전히 육아는 여자의 몫이 더 큰 경우가 많아 유능한 여성들이 아이와 함께 할 시간이 너무 없어 회사를 그만두는 경우가 많습니다.

제가 아는 어느 회사는 9시부터 출근해서 회의를 하고 점심을 먹고 저녁 9시가 넘으면 슬슬 퇴근하는 직원이 보입니다. 12시간을 꼬박 회사에서 보낸 셈입니다. 그런 식으로 운영하는 회사에서 얼마나 버틸 수 있을까? 하는 의문이 들 정도입니다.

인간은 몸과 영혼을 가진 존재입니다. 단기로 극한훈련을 할수는 있지만 장기적으로 계속되면 분명 문제가 생깁니다. 대부분 기업은 워라밸을 지향하지만, 의도적이든 아니든 직원들로 하여금 일과 사생활의 균형을 취하는 행위에 대해 죄책감을 느끼게 만드는 것이 현실입니다.

기업의 리더는 퇴근을 모르는 일중독 직원을 칭찬하는 대신 일과 사생활 균형에 대한 모범사례를 틈틈이 조사해야 합니다. 더해서 직원들이 불공정함을 느끼는 일이 없도록 해야 합니다.

그러기 위해서는 조직 내 분위기 조성이 필요한데 첫째, 자유롭게 문제를 제기하는 문화로 만들어야 합니다. 보통 조직에서는 문제를 제기하는 직원은 요주의 인물이라고 하지만, 애정이 없다면 비판도 하지 않는 법인 것은 확실합니다.

앞에서도 등장한 세계적인 디지털 기업인 <GE>의 전 CEO '잭 웰치'는 재임 중 가장 잘한 일과 가장 후회하는 일이 무엇이냐는 질문에 이렇게 답했습니다.

"워크아웃 회의를 한 것이 가장 잘한 일이고, 그 회의를 좀 더 일찍 시작하지 못한 것이 가장 후회가 된다." 워크아웃 회의는 쉽게 말해 계급장 떼고 허심탄회하게 진짜 문제점에 대해 논의하고 해결책을 찾는 회의나 같습니다.

권력을 즐기는 사람은 대부분 압력을 행사를 하기 좋아합니다. 공개적인 토론을 제한하고 다른 의견을 제시하지 못하게 합니다. 그들은 브레인스토밍과 같은 활발하고 솔직한 논의를 두려워합니다.

직원을 위해, 변화를 꿈꾸기 위해서는 이제는 반대가 되어야 합니다. 조직 구성원 모두가 함께 참여하며 솔직한 대화가 활발하게 이뤄지도록 해야 합니다. 만약 상사 혼자서 북 치고 장

구 치고 원맨쇼를 하고, 옆에서 직원들은 그 모습을 바라보기만 한다면 그 조직은 비전이 없으며 퇴직률만 높일 뿐입니다.

둘째, 계약직이던 아르바이트생이던 모든 직원의 말에 귀를 기울여야 합니다. 훌륭한 상사가 말을 하면 사람들은 귀를 기울입니다. 앞서 말했던 혼자만 떠들던 상사가 말을 하기 시작하면 직원들은 귀를 막고 딴청을 합니다. 별로 궁금하지도 않고 말을 섞으면 스트레스만 쌓이기 때문입니다.

따라서 상사는 귀를 기울일 줄 알아야 하며, 직원 역시 경청을 잘 할 수 있도록 분위기를 만들어야 합니다. 이야기를 통해 서로간의 니즈Needs가 무엇인지 유추할 수 있기 때문입니다.

2012년 미국 <타임지Time>에서 세계에서 가장 영향력 있는 100인에 선정된 월가의 기업인 '레이 달리오Ray Dalio'는 이렇게 말했습니다.

"나는 나의 생각에 동의하지 않는 똑똑한 직원들을 찾아서 그들의 이야기를 경청하며, 이해하려고 노력한다."

훌륭한 상사는 모든 직원들의 말에 귀를 기울입니다. 다만 자기 확신에 가득 차 누구의 말도 듣지 않고 혼자서 연설만을 즐긴다면 직원들의 니즈 파악은커녕, 독단적인 의사결정 하나로 회사를 부도 직전까지 갈 수 있습니다.

우수한 성과를 내는 세계적인 기업은 다 이유가 있다.

성공적인 조직 내 분위기를 만드는 일은 돈이 많다고 해서 할 수 있는 일이 아닙니다. 좋은 조직문화를 가진 기업의 예로 들었던 <넷플릭스Netflix>의 이야기를 계속 이어서 해드리겠습니다.

사내 규칙이 없는 것이 규율인 넷플릭스의 일하는 모습은 어떨까요? 복장 규정이 없다고 해서 회사에 벌거벗고 출근하는 사람은 없으며, 휴가 규정이 없다고 해서 매일 휴가만 내는 직원도 없습니다.

한번은 직원들에게 휴가를 마음대로 쓰라고 했지만, 크게 달라진 건 없었습니다. 오히려 직원들의 직장 만족도가 올라갔습니다. 성과를 많이 내는 직원들은 스스로 통제할 줄 압니다. 그들에게 경영자의 잔소리는 필요 없습니다. 스스로 통제하고 동료들끼리 피드백하며 일합니다. 딱 넷플릭스가 이런 모습입니다.

그렇다면 규칙은 누구에게 필요할까요? 바로 어리석고 무능한 직원입니다. 공부 잘하는 아이에게 공부하라고 강요하고 지켜볼 필요가 없는 것처럼 능력 있는 직원은 알아서 회사 생활을 합니다. 그러므로 회사는 규칙을 없애는 것이 아니라 규칙이 필요 없게끔 만들어야 합니다. 이 점이 바로 넷플릭스의 경영 가치관입니다.

이를 위해 리더는 인재 채용과 관리를 잘해야 합니다. 넷플릭스는 좋은 인재에 목숨을 걸고 있습니다. 어리석고 무능한 직원은 가차 없이 내보내고, 뚜렷한 성과를 내지 못하는 직원은 두둑한 퇴직금을 지급하고 회사 밖으로 내보냅니다.

업계 최고의 성과를 내지 못하면 언제든 내보내겠다는 규칙이 없는 것 같지만 사실 가장 무서운 규칙이 암묵적으로는 존재하고 있는 셈입니다.

즉, 넷플릭스가 규칙이 없는 문화로 얻은 가장 큰 이익은 바로 좋은 인재영입이었습니다. 보통 능력의 프로그래머를 10명 고용하거나 거액의 스타급 프로그래머 한 명을 영입하는 방법이 있다면 어떤 선택을 할까요?

스타급 프로그래머의 가치는 보통 능력의 프로그래머의 10배 정도가 아니라 100배 이상 가치가 있다고 합니다. 참고로 <마이크로소프트Microsoft>의 기술고문인 '빌 게이츠Bill Gates'는 이에 대해 그 이상이라고 말하기도 했습니다. 그 이상이라는 말은 1만 배 이상의 값어치였습니다.

리더는 규칙이 없어도 알아서 일을 잘하고 규칙을 스스로 만들어 지키는 인재를 영입하고 그 이상의 보상을 지급해야 합니

다.

심리적으로 안전한 조직이 실수가 적다.

 대한민국 기업 중에도 분명 규칙이 없는 회사가 있을 수 있습니다. 하지만 찾기 힘든 아주 소수의 사업체라 생각합니다. 규칙이 너무 많아 외우기도 힘이 듭니다. 그럼에도 우리는 직장생활에서 다양한 규정을 습관적으로 위반하고 있습니다.
 예를 들면 회식금지 기간에 프로젝트 성공을 기원하기 위해 몰래 간담회를 진행하면서 아이디어를 주고받는가 하면, 열람권한이 없는 팀에서 보안문서를 열어 다양한 정보를 습득할 때도 있습니다.
 직장생활을 하기에 앞서 규칙을 따라야하기 때문에 지켜야 하지만 분명 수많은 규정 중에서 그러한 규정들이 왜 나왔는지 아는 사람은 거의 없습니다. 엉터리 같은 규정에 대해 불만만 가득할 뿐입니다.
 기업의 규칙을 어길 때 직원은 개선교육을 받거나, 혹은 해고당할 위험을 감수해야 한다는 것은 마치 수많은 지뢰가 여기저기 묻혀 있다는 사실을 알고서 경치가 좋은 산책을 하는 것과도 같다고 표현됩니다.
 누구도 지뢰가 어디에 묻혀 있는지 알지 못합니다. 하지만 최대한 조심해서 걸어야 한다는 사실은 모두가 알고 있습니다.
 그린테크의 정책수립은 HR담당부서에서 하고 있는 것으로 알고 있습니다. 쉽게 말하자면 그린테크의 HR담당부서가 조직 내에서 호랑이 굴과 같은 분위기를 조성하고 있다고 해도 과언이 아닙니다.
 동시에 오래된 관례와 개선되지 못한 옛날 규율을 통해서 상식을 허물어뜨리는 역할을 하고 있습니다. 현 시대에 맞지 않는 기준과 제도는 기업의 발전과 혁신을 가로막는 역할을 합니다.

직원들의 불편함과 불만을 일으키는 조직문화는 성공할 수 없습니다. 직원들은 규칙 미이행에 대한 두려움과 걱정에 사로잡힐 때, 우리는 최고의 성과를 올리지 못합니다. 오히려 그 반대가 되는 것입니다. 심리적으로 안전하다고 느낄 때 우리는 더 높은 성과를 올리게 됩니다.

하버드 대학의 '에이미 에드먼슨Amy Edmondson' 교수는 심리적 안전이란 거리낌 없이 아이디어나 질문을 제기하고, 실수를 저질러도 처벌받거나 망신당하지 않을 것이라는 믿음이 있는 경우라고 정립했습니다.

기업 내에는 따라야하는 많은 규정이 있음에도 처벌이나 보복에 대한 두려움 없이 일상적인 문제를 솔직하고 거리낌 없이 말하고 행동해야 하는 것이 중요합니다. 더 나아가 '하버드 비즈니스 퍼블리싱Harvard Business Publishing'에서 발간하는 매니지먼트 잡지에서 심리적으로 안전한 환경은 조직이 치명적인 실수를 피하게 해주고 학습과 혁신을 뒷받침한다고 표현했습니다.

한 기업의 예를 들어보겠습니다. 글로벌 디지털기업 <구글Google>은 2012년 '아리스토텔레스Aristoteles'라는 이름의 프로젝트를 시작했습니다. 이를 통해 그들은 180개에 달하는 팀의 성과를 분석함으로써 팀이 성공하거나 실패하는 이유를 확인했습니다.

심리적으로 안전한 직장에서는 어떤 주장을 제기했다는 이유만으로 부끄럽고 당황하게 만들거나, 거부하고, 처벌하지는 않을 것이라는 믿음이 존재하며, 이는 팀원 서로가 신뢰하고 존경하는 분위기라는 사실을 말해준다는 것을 발견했습니다.

덩달아 <뉴욕 타임스The New York Times>는 구글의 분석 결과는 심리적 안전이야말로 팀의 성과를 높이는 결정적인 요인이라는 사실을 말해주는 반면 규칙에 대한 엄격한 준수는 이와는 상반된 영향을 미친다고 덧붙여주었습니다.

윤리 정책은 엄격하게, 성장 정책은 너그럽게 수용하라.

우리나라의 분위기는 공정거래, 부패방지, 정보보호 등 컴플라이언스를 통해 기업이 정부의 법과 글로벌 규제를 따르도록 요구하고 있습니다. 정부의 정책 방향은 시간이 흐를수록 선진화되고 있으며 직원과 기업의 성장을 도모하고 있습니다.

HR부서의 여러 역할 중 직원들의 비윤리 행위를 감시한다든지, 사회통념상 행동해서는 안 될 일들에 대해 규제 정책을 수립할 때는 형평성을 갖추고 엄격하게 이뤄져야합니다.

다만 상식적인 차원에서 왜 있는지 아무도 알 수 없는 정책이라든지, 누구나 해석했을 때 기업이나, 직원에게 유리할 것이 전혀 없는 불합리한 내용을 갖고 있는 정책은 개선하든지 없앨 필요가 있습니다.

시장 확장을 위해 장기적으로 혁신을 추구하고 새로운 아이디어를 낼 수 있는 환경을 조성하는 성장 정책에 대해서는 직원 누구에게나 너그럽게 적용할 수 있는 정책으로 자리를 잡는 기업을 만들어나가야 한다고 생각합니다.

최고의 조직이 최고의 인재를 만들어낸다.

부서에서 유능한 직원이 회사의 불만 때문에 사직서를 제출했다고 가정해보겠습니다. 간절하게 잡을 것인가요? 아니면 내심 안심하면서 사직서를 수리할 것인가요? 사실 한번 마음먹은 직원의 마음을 되돌리기란 쉽지 않습니다.

되돌려놓아도 어느새 다시 사직서를 제출하는 것은 뻔한 일입니다. 사직서를 수리하게 되면 당장 그에게 퇴직금을 주고 내보내야 합니다.

하지만 아쉬움은 뒤로하고 조그마한 장점은 생깁니다. 베스트 플레이어를 모아 시장가치에 맞게 업계 최고 대우를 해줌으로써 조직의 인재 밀도를 높이고 자연스러운 성과에 따라 최고의 매출 향상에 기대할 수 있을 것입니다.

어떤 사람을 정리하고, 어떤 사람을 채용할지를 결정할 때 기준은 하나뿐입니다. 최고의 조직은 최고의 사람들이 만들어 낸다는 말은 결코 틀린 말이 아닙니다.

이는 후배 직원에게만 적용되는 것은 아닙니다. 리더도 예외가 없습니다. 외부 영입을 통해 리더의 역할을 하는 게 회사를 위해 더 좋은 선택인지 생각해야 합니다. 사실 성과를 방해하는 요인에는 리더의 문제도 있습니다.

리더 때문에 성과를 내지 못하거나 좋은 인재가 그만두는 일이 비일비재합니다. 보통 리더는 직원의 결정을 승인하거나 거부하기 위해 존재하는데, 이것이 기업의 성장 혁신을 막고 조직의 발전을 더디게 합니다.

영리한 리더라면 저 근속 사원이 생각해낸 아이디어라도 자신이 옳다고 판단되면, 리더의 비위를 맞추려 들지 말고, 회사에 이익이 된다고 믿고 즉시 실천에 옮기라고 독려해야 합니다.

솔직한 피드백 문화로 눈치 보지 않고 최고의 의사결정을 할 수 있도록 각종 규칙과 통제를 제거해 나가는 모습을 보여줘야 합니다. 규칙이 필요 없다는 건 다른 말로 자유와 책임을 준다는 뜻입니다.

다만, 리더는 직원들이 알아서 결정하되 거기에 대한 책임도 지도록 해야 합니다. 순서는 이렇습니다. 우선 능력 있는 직원을 확보해 인재 밀도를 구축하고, 자기 생각을 있는 그대로 말할 수 있는 솔직한 피드백 문화를 도입합니다.

임시적으로 휴가 규정과 출장 및 지출결의 승인을 없애는 것 등으로 통제를 제거해 봅니다. 그 다음 업계 최고 수준의 보상으로 인재 밀도를 강화하고, 모든 것을 공개하는 투명한 경영으로 솔직한 문화를 장려합니다.

어떤 의사결정도 승인 받을 필요가 없게 함으로써 더 많은 통제를 제거합니다. 마지막은 각종 인재 테스트를 통해 인재 밀도를 극대화합니다. 인재가 많을수록 최고의 조직으로 유지되기 때문입니다. 불가능할 것이라고 생각하지만 기업의 내일을

위해 충분히 해낼 수 있습니다.

사실 최고의 보상이 정답은 아니다.

최고의 조직이 되기 위해 경영층과 많은 리더들이 출중한 비전과 목표를 내걸고 함께 노력하자고 목청을 높이면 전 직원에게 큰 자극이 되어 땀 흘려 노력하게 될까요?

실제로는 그렇게 단순한 일이 아닙니다. 사람을 움직이게 하는 여러 요소 중 하나가 '보상'입니다. 즉, 인센티브의 영향력과 위력을 직시할 필요가 있습니다.

하지만 역사를 돌아보면 의도적으로 인센티브를 지급했더니 효과가 나타나는 기업이 있는 반면, 직원들은 본래의 의도와는 반대로 행동한다는 사례도 많았습니다.

'잭 웰치'는 진정한 동기부여는 사람들에게 경쟁과 긴장감을 부여하는 곳에서 시작한다는 가치관을 갖고 철저한 인센티브를 지향했습니다. 대신 업무가 부진한 하위 10%를 퇴출시켰습니다. 직원들의 업무 집중도는 굉장히 높아졌습니다.

하지만 단기 성과주의 추구와 협업에 장애가 된다는 사유로 2015년도에 폐지가 되었습니다.

일본의 <도요타TOYOTA> 역시 인센티브 제도를 없앤 사례가 유명합니다. 전 CEO '오쿠다 히로시ぉくだひろし'는 파격적인 인센티브는 근로자들의 의욕을 장기적으로 위축시키며 돈이나 승진만이 직원을 움직일 수 있는 유인책으로 자리 잡는 것은 기업의 잘못된 사상이라고 판단했습니다. 실제로 틀린 말이 아니었습니다.

우리나라에도 겉보기에 합리적이어도 결과적으로 실적으로 이어지지 않는 인센티브제도가 도입되어 있는 회사가 곳곳에 많습니다. 쉽게 설명하기 위해 잔업 수당에 대해서 이야기해 보겠습니다.

잔업수당은 업무량이 많고 노동시간이 길어지는 사람들을 시

간마다 책정하여 보상해 주는 제도입니다. 하지만 실체는 이 제도가 효율적으로 일해서 정시에 퇴근하는 동기를 빼앗고 있습니다. 일본기업들의 생산성 저하도 여기에 원인이 있다고 합니다. 또한 특정 제품과 새로운 프로모션 제품 판매에 인센티브를 과다하게 책정했더니 고객은 뒷전이고 판매 실적에만 열중하는 꼴이 발생하기도 했습니다.

인센티브는 사람을 움직이게 하는 데 매우 중요한 무기이므로 명확하게 판단해서 활용해야 합니다. 균형을 잃은 인센티브나 단기 성과주의를 양성할 수 있는 성격으로 변모하지 않도록 중심을 잡아야 합니다.

의도하지 않은 결과가 나타나지 않도록 세심한 모니터링이 필요합니다. 워라밸과 보상은 모순관계로 볼 수 있지만 해답은 직원들과의 커뮤니티를 통해 얻을 수 있기 때문에 소통하는 조직문화를 만들어 가야합니다. 오로지 커뮤니티 활성을 통해 절실한 해답을 얻을 수 있습니다.

《Summary》
● 자유롭게 문제를 제기하는 문화를 만들어야 한다. 문제를 제기하는 직원은 그만큼 회사에 애정이 있다는 증거이다.
● 직원들이 원하는 것을 정확히 얻기 위해서는 함께 조직을 구성하는 모든 직원의 말에 귀를 기울여야 한다.
● 인재를 모아 시장가치에 맞게 최고 대우를 해줄 때 자연스럽게 조직의 인재 밀도가 높아지고, 성과에 따라 최고의 매출 향상에 기대할 수 있다.
● 각종 규칙과 통제를 없애되 리더는 직원들이 알아서 결정한 점에 대해서 거기에 대한 책임도 지도록 해야 한다.
● 워라밸과 보상은 모순관계로 볼 수 있지만 문제를 해결할 수 있는 답은 직원들과의 커뮤니티를 통해 찾을 수 있기 때문에 소통하는 조직문화를 만들어가야 한다.

◆ 직원들이 줄줄이 퇴사할까봐 걱정입니다.

《Trouble》

 우리 회사와 같은 작은 조직은 스펙이 뛰어나거나 면접 때 월등히 뛰어난 말솜씨 있는 지원자들을 보기 힘든 건 사실입니다.
 부족한 부분이 있어도 회사에서 필요한 인재라고 판단되면 취업을 보장합니다. 손 박사님께서 조언을 해 주신대로 취업 확정이 된 인물 대상으로 인재로 육성을 시킨다는 마음으로 보살펴야겠습니다.
 다만, 회사에서 쉽게 채용을 해주었으면 모든 환경에 충성을 하고 열심히 다녀야되는데, 아직은 좋은 인재로 길러놔도 핵심이 되는 인력들이 회사를 떠날까봐 근심걱정이 됩니다.
 어떤 날은 직원들이 단체로 퇴사할까봐 조마조마한 적도 있었습니다. 어떤 직원을 채용해야 오랫동안 다닐 수 있을까요? 오랫동안 정착할 수 있는 직원을 어떻게 만들어할지 모르겠습니다.

직원들은 퇴직 전 회사가 갖고 있는 근본적인 원인을 여러 차례 언급을 한다.

 어려운 질문인데 제가 쉽게 답할 수 있을지 모르겠습니다. 팀장님의 질문에 대해 답변이 어렵다고 느껴지는 이유는 이미 팀장님께서 직원들이 쉽게 떠나는 이유를 이미 잘 알고 있다고 생각이 들기 때문입니다.
 연봉이나 복리후생, 기타 처우가 될 수도 있고, 기업의 비전, 그리고 근무환경 등 개개인이 느끼는 감정은 많을 것이라고 생각을 합니다. 하지만 그린테크 직원들의 의식수준을 우선 파악하고 경영층의 잘못된 가치관을 바로 잡는 것이 시급하다고 말씀드리고 싶습니다.

직원이 갖고 있는 니즈Needs에 대한 집착의 당위성과 의식 수준을 알아야 한다.

전에 커뮤니티를 했었던 홍 대리님과 구 반장님께서 가장 고민하고 있는 문제 중의 하나가 임금 수준이었습니다. 이 부분은 실제로 임금수준이 헌저히 낮아서가 아니라 사업장에 종사하는 근로자라면 모두가 갖고 있는 당위성 때문이라고 말하는 노동학자도 있습니다.

계급적 시각에서 노동운동을 전개하는 근로자들은 투쟁을 부추기기 위해 자본주의 사회에서 근로자들은 종속된 하인으로 처우된다고 의식화합니다.

또한, 그들은 자본주의란 돈이 있는 자가 주인이라는 생각으로 규정하는데 주인이 존재한다는 사실은 은연중 하인으로 속해있다는 것을 전제하는 바, 여기에서 하인은 자본이 없어 각별히 필요한 자로 자연스럽게 은유하고 있는 것입니다.

자본주의의 현시대를 살고 있는 근로자는 수많은 시장 상품에 둘러싸여 살고 있지만 자본이 없어 눈앞의 상품들은 '그림의 떡'이 되고 있으며, 오히려 그것은 비참함과 소외감을 낳게 만들어 심지어 범죄의 원인이 되기도 합니다.

그들은 자본주의의 발전이 필연적으로 상품화의 비율을 높여 전에는 돈을 주고 살 필요가 없던 물건, 예컨대 물 따위를 이제는 돈을 주고 사야 되기 때문에 점차 사람들은 '자본의 노예'로 전락시키며 사회를 살벌하게 만든다고 생각하고 있습니다.

자본주의 사회에서는 돈이 없는 사람은 노동력을 팔아 생을 영위할 수밖에 없어 근로자는 비가 오나 눈이 오나 공장에 나가서 일을 하지 않으면 안 되는데, 결국 노동자들에 의해 만들어진 상품은 누구의 소유가 되는가라고 반문하면서 노동운동을 정당화하고 있는 것이 오늘날의 현실입니다.

예컨대, 그들은 근로자들이 공동으로 만들어내는 상품은 누구

의 소유인가라고 반문하면서도, 두말할 것 없이 근로자들이 분업과 협업을 통해 생산한 물건은 언제나 기업의 소유물이라고 말합니다.

하지만 이 사례는 생산의 사회적 성격과 사적 자본가의 소유 사이에 내재하는 근본적인 모순에 기인되는 것으로 이러한 기본적 모순은 단지 쟁의활동을 통해서만 대응이 된다고 주장하고 있습니다.

그리고 자본이 없는 근로자들은 살아가기 위해 자신들이 갖고 있는 노동력을 기업에게 팔아서 임금을 받지 않고는 절대 생활하기가 어렵다고 믿고 있습니다.

회사를 지망하고 떠나는 것은 근로자의 자유다.

우리는 오래전부터 헌법에서 보장하는 기본권, 즉 헌법에서 보장하는 국민의 권리를 배웠습니다. 초등학교 교육과정에 나오는 『국민의 5대 권리』가 '자유권, 평등권, 참정권, 사회권, 청구권'이라는 것을 외우도록 했습니다.

점차 나이가 들면서 국민의 권리 중 '자유권과 평등권'에 대해 세심히 생각해 볼 필요성을 느끼곤 합니다. 자유권이란 국가의 권력으로부터 개인의 자유를 보장하는 것입니다.

예를 든다면 적법 절차의 원리를 가진 신체의 자유, 개인적인 직업을 선택하거나 재산권 행사를 할 수 있는 사회경제적 자유, 종교와 예술에 대한 선택을 할 수 있는 정신적 자유, 그리고 언론과 출판, 집회를 열 수 있는 표현의 자유가 있습니다.

저는 개인적으로 '자유'라는 단어를 좋아합니다. 민주주의 사회의 기반이 되며, 적법한 행동과 표현이 바탕이 될 때 더욱 값어치가 있는 사회적 패러다임이 바로 자유라고 생각하기 때문입니다.

대한민국에 살고 있는 사람이라면 누구나 직업의 선택의 자유를 누릴 수 있습니다. 팀장님과 같은 사용자는 여러 매체를 통

해 근로조건을 구체적으로 공고를 해서 근로자를 모집합니다. 예비 근로자들은 수많은 채용 공고를 눈으로 보고 자유롭게 선택을 할 수 있습니다.

이력서와 필요한 문건을 제출해서 응모만 하면 됩니다. 자유롭고 간단합니다. 비용도 크게 들지 않습니다. 아니 비용이 전혀 들지 않습니다. 사용자는 응모자들의 학력, 경력, 자격, 인적성, 그리고 기타 자질 등을 심사해서 면접의 기회를 제공합니다.

면접에 참가하게 되면 면접관들은 면접자의 신조를 확인하고 노동조합에 대한 견해, 또는 노조활동 경력 등을 확인합니다. 가까스로 면접에 통과를 하고 채용이 결정됩니다.

근로계약서에는 '갑甲', '을乙'이라는 문구가 눈에 들어옵니다. 근로계약 체결과 동시에 직장 상사들은 갓 들어온 신입사원에게 '갑'의 행동을 시작합니다. '너 아니어도 다른 사람은 많아.' 라는 속마음이 훤히 보이는 것과 마찬가지 입니다.

과연 사용자와 근로자는 평등할까?

<인물과 사상>이라는 월간 문화지에 칼럼을 쓰면서 평론가로 이름이 알려진 유명한 칼럼니스트가 있습니다. 개인적으로는 크게 관심을 두는 인물은 아니지만 우연찮게 본 온라인 영상에서 한 말이 꽤 큰 자극을 받는 기억이 있습니다.

"대기업 회장이 나를 때리면 그 분도 구속돼요. 그렇죠? 그런 의미에서 평등은 가지고 있습니다. 하지만 대기업 회장과 저랑 평등한가요? 결코 그렇지 않습니다. 온갖 갑질들이 바로 거기서 나오는 거예요. 지금의 민주주의가 실질적 민주주의가 안됐다는 겁니다. 사실 생각해 보세요. 이 사람들이 갑질을 하는 것들을요. 땅콩회항 사건을 한번 보세요. 말도 안 되죠. 기업들이 근로자를 머슴처럼 생각하는 거예요. 그런데 원래 노동자와 사용자는 계약관계거든요. 계약관계가 맞아요. 넌 자본을 갖고 있

고 생산수단을 갖고 있네? 나는 노동력을 갖고 있어. 그래 계약을 하자. 대등한 인격끼리 맺는 계약관계인데 왜 대등한 인력의 관계가 아니냐? 라는 거예요. 그건 왜 그건가 하면 사실상 대등한 관계가 아니거든요. 왜냐면 나는 일자리가 급해요. 근데 저 기업 입장에서는 너 말고도 뽑을 애들이 많아. 사실 그거잖아요. 수많은 갑질들이 다 이거잖아요. 열정 노동이니 뭐니 다 이거거든요. 사실상 노동자와 사용자는 이론적으로는 평등한데, 인격적으로 대등하거든요."

<우리는 왜 정치에 관심을 가져야 하는가?> 강연 중에서

빡빡한 직장생활을 벗어나 경제적 자유를 찾는 사람이 늘어나고 있다.

근로자들이 만들어낸 생산액, 즉 국민총생산액은 해가 바뀔수록 상승하고 있는데, 이는 근로자들이 사회의 중심적 위치에 있으며, 역사의 중심축으로 지역사회와 국가의 주인으로 표현되고 있음을 의미하는 것입니다.

하지만 근로자들은 아직도 정부가 제시한 최저임금에 근접한 수주의 처우를 받고 있으며 이토록 괴롭고 힘든 임금노동생활에서 벗어나는 것이 꿈이고 희망이라고 말합니다.

'경제적 자유'라는 문구는 날이 갈수록 인구에 회자가 되어 질어지고 있습니다. 많은 사람들이 원하고 갈망하고 있기 때문입니다. 돈과 투자 그리고 재태크財Tech에 관련된 서적과 매체는 관심도가 깊어지고 있으며, 경제적 자립을 통해 빠른 시기에 노동시장에서 해방하려는 사람을 뜻하는 '파이어족'은 날이 갈수록 연령대가 젊어지고 있습니다.

이처럼 기업은 시대가 변할수록 근로자들이 어떤 생각을 하고 어떤 행동을 추구하는지 빠르게 파악을 해야 합니다. 아직도 기업은 이윤을 획득하기 위해 사업을 운영하는 것이고, 더 많은 이윤을 위해 우선 근로자의 임금을 줄여야 한다고 생각하고

있습니다. 아주 오래 전부터 임금과 이윤과의 관계를 상호 대립적으로 보고 있습니다.

많은 근로자들이 말하기를 노동력의 값의 크기는 최저한도 이상의 생활을 할 수 있는 정도인데, 실제 임금은 이보다 낮은 수준이므로 끊임없이 임금 보전을 위해서 노동 시간 한도를 올리려는 노동자들이 많다는 것입니다.

OECD 국가 중에서 우리나라의 노동시간이 가장 큰 이유 중의 하나라고 말하고 싶습니다.

직원을 하위관계로 보는 기업은 망조의 길을 걷게 된다.

이러한 근로자들의 요구가 집약되어 조직으로 만들어지면 이것이 노동조합으로 됩니다. 그리하여 임금제도 자체의 문제, 즉 구조적 모순의 근본적 해결을 위한 근로자들의 요구가 집중되고 해결 방안이 없이 시간을 끌수록 노동조합의 공세는 더욱 강화됩니다.

근로자의 생활은 한층 어려워짐으로써 노사 간의 갈등과 모순은 심화될 수밖에 없으며, 이는 결국 노동운동의 결속력을 더욱 촉진시키는 요인이 될 뿐입니다.

선진국의 기업들은 근로자의 경영 참여와 성과보상제도 설계에 직접 참여할 것을 권장합니다. 기업이 혼자만이 기업의 주인인 시대를 살고 있다고 판단하지 않기 때문입니다. 자본주의가 발전할수록 더욱 고려하고 있는 상황입니다.

아직까지 근로자를 종속된 하인으로 생각하고, 생산적인 일에만 몰두하게 만드는 체계를 갖고 있는 기업은 분명 깨달아야 합니다.

근로자를 하인으로 여겨 전락시키고 합당한 대우를 해주지 않으면 당장은 노무비가 절감이 되겠지만, 그들을 투쟁의 장으로 끌어올리게 하는 데만 그치지 않고 일할 사람이 아무도 없어 기업이 문을 닫게 되는 일까지 생길 수 있습니다.

직원들의 성장을 돕는 기업이 이직률이 낮다.

1851년 미국 매사추세츠주The Commonwealth of Massachusetts에서 설립되어 인류의 삶을 변화시킨 혁신적 제품들로 명성이 높은 기업 <코닝Corning>이라고 있습니다. '토머스 에디슨Thomas Edison'이 발명한 백열등의 유리전구를 제조한 것을 시작으로 TV 브라운관, 우주선 창유리, 광섬유 등을 개발한 기업입니다.

170년이 넘는 장수기업 코닝도 코로나 팬데믹 이후 몰아닥친 대퇴사 열풍을 피해가진 못했습니다. 그럼에도 불구하고 코닝은 경쟁사는 물론 대부분 기업보다 낮은 이직률로 선방했습니다.

코닝의 수석부사장은 여러 차례 언론과의 인터뷰에서 강조한 말들이 있습니다. 그는 "직원들이 자신의 전문 분야에서 발전하고 성장할 수 있도록 돕는 탄탄한 기업문화가 바로 코닝의 위대한 자산이다."라고 말했습니다.

쉽게 말하면 훌륭한 근무 환경, 좋은 상사와 리더 양성, 경력 개발 등을 위한 기업문화 조성에 노력을 집중해 팬데믹 기간에도 이직률을 낮게 유지할 수 있었다는 것입니다.

수석부사장은 할리데이비슨과 펩시콜라를 거쳐 코닝에서 22년째 재직하며 인적자원HR 부문을 총괄하고 있는 인사 전문가였습니다. 제조업의 미래 인재 확보 전략 방법으로 한 회사에서 오랫동안 근무하면서 다양한 산업에서 의미 있는 경력을 쌓도록 환경을 마련해주는 것이 바람직한 방법이라고 말하고 있습니다.

직원을 채용할 때 장기근속을 목적으로 두지마라.

<좋은 기업을 넘어 위대한 기업으로>의 저자로 유명한 '짐 콜린스Jim Collins'는 채용하는 것을 '버스에 태운다.'라고 비유할

만큼 채용이 조직의 운명을 좌우한다고 주장했습니다.

'누구를 버스에 태우느냐?' 라는 문제는 조직문화에 특히 영향을 미칩니다. 조직문화는 사람들의 행동을 크게 규정하는 이상으로 고객에게 제공할 가치에도 간접적으로 영향을 미치는 매우 중요한 요소입니다. 조직문화가 갖춰지지 않은 기업이 오랜 시간 발전한 예는 거의 없습니다.

제가 예진에 진단을 맡았던 한 스타트 기업의 채용방침을 소개해 보겠습니다. 이 회사는 졸업예정자가 아닌 경력직 사원을 채용하기로 방침을 세웠습니다. 초반에는 인재가 부족한 탓에 기술을 중시하여 즉시 투입할 수 있을만한 인재를 우선 채용했습니다.

그러나 능력은 높지만, 회사가 중시하는 가치관이며 문화와 잘 맞는 사람이 많지 않았습니다. 이런 사람들은 단기간에 주목할 수 있는 실적을 내놓습니다. 하지만 동료들과 잘 어울리지 못하거나 불필요한 내부 갈등까지 조장하며 조직의 분위기를 흐립니다.

결국, 이 회사는 어느 정도 성장한 후에 회사의 가치관에 부합하느냐를 우선으로 하여 채용하기로 방향을 전환했습니다. 물론 개인의 능력도 봅니다. 면접에서 다소 부족한 부분이 있어도 성장 가능성이 예상되면 채용한다는 방침을 세웠습니다. 장기적으로 투자대비 효과가 높다고 판단했기 때문입니다.

하지만 현재 기업이 추구하는 가치관과 조직문화에 잘 맞는 사람, 오랫동안 회사에 다닐 생각만 가진 사람으로만 채용한다면 조직 입장에서는 다양성을 잃고 환경 변화에 대처하지 못할 가능성도 커집니다.

이를 해결하는 가장 빠른 방법은 퇴사를 쉽게 여기는 새로운 세대의 성향과 다양성을 인정하는 것입니다. 퇴사의 사유와 직원들이 추구하는 목적을 분석하고 개선점을 도출해야 합니다.

회사에 큰 역할을 하고 비전을 제시하는 직원이 있다면 분명히 메리트를 제공해야 하는 것입니다. 남겨야 할 것과 변해야

할 것을 잘 구분해야 합니다.

업무분장을 잘해야 하는 것이 핵심이다.

조직에 주어진 가장 큰 책임 중 하나는 인재육성이라고 할 수 있습니다. 인재육성은 국내외 연수를 간다든지, 직장 외 훈련 방법도 있지만, 기본적으로는 업무 지시를 통한 OJT, 즉 현장 훈련이 대부분입니다.

리더들은 직원들이 업무에 잘 적응하고 있는지 관심을 보이며 적절한 피드백과 커뮤니케이션을 제공해야 합니다.

직원들을 다루면서 흔히 하는 실수가 있습니다. 리더들은 처리해야 할 과다한 업무에 몰두한 나머지, 일을 가장 잘하는 사람을 그 자리에 앉히는 실수를 저지르곤 합니다. 실력이 충분한 사람에게 과중 업무를 맡기는 셈입니다.

겉보기에는 고객과의 신용, 경영층 보고 등을 생각하면 당연한 조치라고 여겨지지만, 인재육성이라는 관점에서 보면 꼭 그렇지도 않습니다. 업무분장을 통해 직급이 낮거나 서툰 직원에게 일을 맡겨서 도전할 기회를 주고, 실력향상을 길로 걷게 해야 바람직합니다.

업무분장을 잘하기로 유명한 기업이 있습니다. 일본의 <도요타>가 그렇습니다. 젊은 사원에게 일을 맡기면서도 상사가 이쯤에서 한번쯤 주저앉을 것이라는 시점을 먼저 예상하여 실시간으로 지도를 합니다.

도요타가 꼭 우수한 인재만 채용하는 것은 아닙니다. 하지만 일본 내 1등 시가총액을 자랑하는 기업으로 유지하는데 그만한 비결이 있었던 것입니다.

직원이 회사생활이 즐겁게 할 수 있는 환경을 만들어라.

어느 집단에서나 고객 만족도를 실현하는 직원을 가만히 지켜

볼 필요성이 있습니다. 직장 동료와의 관계도 좋을 것이며 직업에 대한 만족도 역시 나쁘지 않을 것입니다. 본인이 회사로부터 좋은 대우를 받고 있다고 느끼기 때문입니다.

사실 응대 체제와 노하우를 갖춰야 고객 만족도가 실현되어야 하지만, 그만한 체제도 갖추기 전에 고객 만족도를 높이기란 무척이나 어려운 법입니다.

특히 서비스업 중에서도 우리 그린테크와 같이 고객을 접견하는 업종의 고객 만족도를 높이는 가장 중요한 요소는 자사의 직원입니다. 고객 만족도에 기여를 하는 직원이 많다면 더욱 신경을 써서 대우를 해주어야 합니다.

반면 낮은 숙련도는 물론이고 의욕까지 낮은 직원의 서비스에 고객이 만족할 리 없습니다. 고객의 불만족, 내부 직원의 불만족과 같은 악순환이 생깁니다.

직원의 선발과 교육 등을 착실히 이행하는 것도 중요하지만 직원들이 직장생활에 만족하고 즐겁게 생활할 수 있도록 개선점을 찾아야 합니다. 직원들이 직장에 대한 만족도가 높아져야 고객응대에 집중할 수 있습니다. '아크릴의 법칙AHCHReel's Law'이 증명된 셈입니다.

미국에서 매년 실시하는 대기업 고객 만족도 순위에서 상위에 이름을 올리는 <사우스웨스트항공Southwest>이 바로 이런 선순환을 실현한 곳입니다. 사우스웨스트항공은 능력개발을 우선하고 적절한 권한 이양으로 소통에 힘을 더했으며, 즐거운 직장 만들기를 통해 종업원을 대우한 결과 고객 만족도를 높이는 데 성공했습니다.

<야마토 운수ヤマト運輸>의 '오구라 마사오小倉昌男' 전 사장도 택배라는 신사업을 시작하기에 앞서 '서비스가 먼저, 이익은 나중', '사원이 먼저, 화물은 나중', '차가 먼저, 화물은 나중', '안전이 먼저, 영업은 그다음' 등 뚜렷한 가치관 세웠습니다.

이 가치관을 통해 고객 만족도 향상으로 이어지는 구조를 우선적으로 투자하는 전략을 세웠고 이는 시간이 흘러 대성공으

로 이어졌습니다.

'아크릴의 법칙AHCHReel's Law'과 비슷한 맥락으로 고객 만족과 종업원 만족의 선순환을 기대하며 증폭되는 모델을 '만족 거울 효과'라고 합니다. 이는 서비스 매니지먼트의 대가인 '제임스 헤스켓James L. Heskett'교수가 강조한 것으로, 외부 고객을 만족시키기 이해서는 고객을 직접 접촉하는 직원들의 만족을 향상시키는 것이 더 효과적이라는 내용입니다. 서비스업을 운영하는 경영자라면 꼭 되새겨야 하겠습니다.

《Summary》
● '누구를 회사에 채용하느냐?'라는 문제는 기업문화 형성에 밀접한 영향이 있는 만큼 중요하다. 기업문화는 사람들의 행동을 크게 규정하는 이상으로 고객에게 제공할 가치에도 간접적인 효력기 미치기 때문이다.
● 오랫동안 회사에 다닐 생각만 가진 사람을 채용한다면 조직 입장에서는 다양성을 잃고 환경 변화에 대처하지 못할 가능성이 생길 가능성이 높아진다.
● 퇴사의 궁극적인 사유와 직원들이 추구하는 목적을 분석하고 개선점을 도출해야 한다.
● 후배 직원들이 업무에 대한 압박감에 짓눌리거나, 난관에 부딪혔다면 구명정을 띄워줄 수 있는 선배의 역할이 중요하다.
● 직원들이 직장에 만족하고 즐겁게 생활할 수 있을 때 고객응대에 집중할 수 있다.

◆ 친밀한 노사, 건강한 조직문화로 만들고 싶습니다.

《Trouble》

　주위에 다른 리더들을 보면 사장님께 아첨하고 뒤에서는 침묵하거나 반대하는 사람이 많습니다. 사실 저 역시 그렇지 않다고 말하기가 어렵습니다.

　저희 부서도 똑같습니다. 제 앞에서는 직원들이 대부분 제 의견에 동의하고 실시하겠다고 말해도 뒤돌아서면 언제 그랬냐는 듯이 말을 듣지 않습니다. 처우는 바닥 수준인데 일을 시키는 것은 억대 연봉이라도 줄 정도로 많이 시킨다고 합니다.

　저는 "사장님의 지시사항이니 빨리 진행바랍니다!"를 번복하면서 그들이 저를 따르게 만들지만 매우 어렵습니다. 좋은 리더십과 팔로워십followership이 어우러져야 건강한 조직이 된다는 이론을 알고 있어도 직원들이 저를 포함한 회사 자체에 신뢰가 많이 낮아진 상태라 조직관계가 썩 좋지 못합니다.

　현장 직원들과 친밀한 관계, 조직이 강하면서 건강한 분위기를 만들 수 있을까요?

기업의 규모가 작은 경우에는 개선하기 수월하다.

　건강한 노사관계와 조직문화는 만드는 것일까, 아니면 만들어지는 것일까요? 조직문화와 관련해 흥미로운 회사 중 하나인 <더핑크퐁컴퍼니>는 후자에 가깝습니다.

　온오프라인 컨텐츠 제작 엔터테인먼트 더핑크퐁컴퍼니의 '김민석 대표'는 성공적인 조직문화에 관한 물음에 "어떻게 하다 보니 그렇게 됐어요."라고 대답했습니다. 의도한 게 아니라 저절로 만들어졌다는 것입니다.

　그는 원래 아침잠이 많은 사람이라 출근 시간을 따로 정해두

지 않았는데, 그래서 일을 더 잘할 수 있었다고 합니다. 또한 그는 "한 번도 조직문화가 이랬으면 좋겠다하고 생각하거나 직원들과 조직문화에 관해 이야기를 나눈 적은 없어요. 우리 회사가 잘 되기를 바랐고, 가장 잘 될 수 있는 방식으로 일하다 보니 자연스럽게 지금의 자율문화가 자리 잡혔어요."라고 말했습니다.

조직문화는 만들려 하지 않고 자연스럽게 만들어지는 것이 더 나은 방법이긴 하지만, 아쉽게도 회사의 규모가 작은 경우에만 적용이 가능합니다.

스타트업start up이 산업을 이끌면서 생각을 같이하는 몇몇 사람들이 동료가 되어 경영을 하다 보니 조직문화도 자연스럽게 만들어져갔습니다. 하지만 규모가 커지면서 이런 자율문화로는 경영이 힘들 수 있다고 그는 말했습니다.

규모가 커지면 그만큼 일하는 사람들이 많아지고 의견들이 다양해지므로 그에 맞춰 조직문화도 개선하고 바꿔야 한다는 것이 핵심입니다. 기업이 개선에 둔하고 모순을 방치해두면 어떤 일이 생길까요?

구조적 모순의 근본적 해결을 위한 근로자들의 요구가 집중되고, 기업은 해결 방안 없이 시간을 끌면 끌수록 직원들의 불만과 공세는 더욱 강력해 질 것입니다.

직원들의 화는 가라앉지 않고 노사 간의 갈등과 오해는 심화될 수밖에 없고, 이는 결국 노동운동으로 이어지는 요인이 되고 있는 것입니다.

기업과 근로자의 종속관계가 역전되는 시대가 다가온다.

아직까지도 근로자를 종속된 하인으로 간주하여 생산적인 일에만 몰두하게 만드는 체계를 갖고 있는 기업이 대부분입니다. 하지만 2020년 팬데믹 시대 이후로 노동시장이 깜짝 놀라게 될 정도로 급격히 변하게 되었습니다.

미국에서 노동을 거부하는 반노동 운동(또는 안티워크antiwork 운동)이 거세지고 있는데 세계적으로 전파가 되어 일자리를 떠나는 근로자가 대거 발생되고 있어 반노동 운동이 사회적인 문제로 거론되고 있습니다.

자본주의 시대라는 말이 어색할 정도로 노동자체를 거부하는 이유는 다양하지만 가장 큰 이유를 꼽는다면 기업은 근로자의 종신을 보장하는 더 이상의 것도 아니기 때문에 퇴사를 하여 더 나은 기회를 모색하기 위한 것입니다. 머니 파이프라인을 굳이 근로소득에만 의지하지 않겠다는 것입니다.

경제적 자립을 통해 빠른 시기에 노동시장에서 해방하려는 사람, 즉, 파이어족들이 증가하고 있으며, 연령대가 점차 낮아지고 있습니다. 주식, 부동산, 비트코인Bitcoin, 유튜브 크리에이터YouTube Creator, 인플루언서influencer 등 앉아서 돈을 벌 수 있는 궁리를 하는 세대가 많다보니 자연스럽게 스며들고 있는 것입니다.

앞서 말한 이유들을 통해 최근 기업들에게 인력난이 거듭되고 있으며 노동시장이 구직자에게 유리하게 전개되면서 언제든 일자리를 골라갈 수 있는 상황이 초래될 수 있습니다.

일부 서비스업 기업들은 구인난에 벌어지면서 이력서만 제출이 되어도 즉시 채용되는 사례가 속출가고 있으며, 많은 기업이 임금을 인상하고 분기마다 보너스를 제공하는 등 유인책을 내놓는 전략으로 인력이 빠져나가지 않도록 강구하고 있습니다.

조직문화는 리더의 '선장 역할' 그 자체이다

현재도 여전히 전 세계적으로 유행하고 있는 대퇴사 현상은 노동시장에 여러 가지 시사점을 줍니다. 유능한 인재가 유출되는 것을 막기에 급급한 전략을 짜는 것이 중요한 것이 아니라, 모든 구성원들의 니즈에 관심을 기울이고, 회사가 안고 있는

많은 정책과 모순된 제도를 재정비할 필요가 있습니다.

조직문화를 현 시대와 함께 나가지 못할망정 뒤따라가지 못한다면 매출 적자 난에 허덕이는 꼴이 아니라 사업장에 일할 직원이 없어 문을 닫는 일이 벌어지는 일이 생길 것입니다.

그렇다면, 직원들의 니즈 파악을 잘하고 보상을 철저히 하면 노사 관계가 최고로 좋은 회사로 거듭날까요? 사실 어느 정도 직원들의 마음을 돌려놓을 수는 있지만 최상의 조직문화로 되긴 어렵습니다. 뱃사공을 리드하는 선장의 역할이 조직문화 성장의 50%를 좌우하기 때문입니다.

조직 내에서 성공을 하고 열정이 가득 찬 리더들을 많이 만나보면 높이 올라가는 사람에게는 다 이유가 있다는 것을 느낍니다.

리더가 겸손하고 따뜻하면 그 조직에서는 그와 비슷한 분위기가 느껴집니다. 그 사람을 보면 그 사람의 가정을 짐작할 수 있듯이 리더만 봐도 조직문화가 대충 가늠이 됩니다.

리더가 곧 조직문화이자 선장의 역할을 통해 분위기가 좌지우지하기 때문입니다. 인간적이고 겸손한 사람이 이끄는 조직은 비슷한 사람들이 모여 비슷한 분위기를 만듭니다. 반대로 오만방자하고 폭력적인 사람이 좋은 조직을 이끄는 모습은 상상하기 어렵습니다.

반듯한 후배들이 있어야 강하고 건강한 조직을 이룬다.

아주 오래전부터 '강한 자가 살아남는다.'는 말이 유명합니다. 최근 '강한 자가 살아남는 것이 아니라 살아남은 자가 강한 자'라고 의미부여를 달리해서 말을 꾸미고 있지만 본질은 다르지 않습니다.

'강한 자'라는 키워드는 특히 경제위기 상황에서 남발이 되었습니다. IMF 이후 구조조정이라는 칼바람이 일상화 되다시피 한 살벌한 시대이기에 더욱 그러했습니다.

당시 구조조정의 대상이거나 아니면 다른 이유로 인해 좌절했던 기억이 있었다면 강한 의지로 살아남기 위해 내공을 쌓았을 수 있습니다. 조직 역시 강한 조직이 살아남습니다.

강한 조직이란 환경 변화에 탄력적으로 적응하며 목표를 잘 달성해가는 조직입니다. 환경 변화에 잘 적응하려면 면역력이 강해야 하듯이 사회 조직도 평소에 건강해야 합니다.

강하고 건강한 조직이 되려면 '리더가 이끌고 직원이 따르는 형태'의 아주 단순한 조화를 이루는 것만 잘 지키면 됩니다. 아주 쉽고 당연하듯 보이나, 상호 간에 포용적인 조화를 이루는 것은 아주 어렵습니다.

강하고 건강한 조직은 사상이 반듯하여 포용의 원칙에 충실한 구성원들로 조직되어 있습니다. 고지식하거나 경직된 행태에서 곧이곧대로 따른다는 의미가 아니라 리더는 소속감의 욕구를 충족시켜주고, 직원은 정당하고 바른말 할 줄 아는 조직을 말합니다.

정당하고 바른말을 통해 리더의 일처리에 갑자기 제동을 걸 수 있습니다. 하지만 조직을 이끄는 리더는 그 제동이나 반대에 부수하여 항상 대안을 제시할 수 있어야 합니다. 비난은 금물이며 포용의 원칙을 준수해야 합니다. 원칙을 지킬 때 건강한 조직으로 나아갈 수 있습니다.

반면, 그릇이 약한 리더가 '사장님 지시사항이다!'는 식으로 업무를 전달하고, 아무런 가치관 없이 경영층의 시달만 공유하며 일하는 조직은 일면강해 보이긴 하나 실제는 약한 조직입니다.

그릇이 약한 리더가 많고, 정당하고 바른말 할 줄 아는 후배가 없는 조직은 결국 망하게 됩니다. 또한 소신 있는 후배를 배척하는 조직도 반드시 망하게 됩니다.

내실을 갖춘 조직으로 거듭났다면 다음은 밖으로 나아가라.

직원의 니즈를 관철하고 이행하는 기업, 심도 있는 소양을 갖춘 리더, 원칙에 충실한 직원, 이 모든 것들이 뭉쳐 강하고 건강한 조직을 이루었다면 대중과 소통할 수 있는 환경을 만들어야 합니다.

기업이 지역사회와 지역시민, 나아가서 국가에 다가서는 전략을 구사할 수 있어야 합니다. 우호적이고 친근감 있는 기업이 되기 위해서 적극적인 정책을 펼치는 아이디어 창구역할 역시 필요합니다.

소통을 늘리는 일뿐만 아니라 사회적 이슈가 될 수 있는 아젠다Agenda에 대해서도 문제 해결에 힘을 보태고 대중에게 지속적으로 영향력을 보낼 때 기업에 대한 신뢰도가 올라갑니다. 물론 소속된 직원들까지 회사에 대한 자부심과 비전을 갖게 됩니다.

물론 "그렇게까지 할 필요가 있을까?" 또는 "우리는 회사 수익을 내는 의무를 다하는 것만으로 충분하지 않을까?" 이런 목소리가 내부에서 터져 나올 수도 있습니다.

하지만 기업 역시 '시민'으로 간주합니다. 일명 '기업시민'이라고 부릅니다. 기업도 지역사회의 일원으로서 존재하고 사회에 공헌해야 하는 시민이라는 개념입니다.

많은 기업들이 사회의 건전한 발전을 위해 기업시민으로서 환경이나 교육, 문화 등 다방면에 걸친 융화와 소통을 중요한 과제로 삼아 꾸준하게 대중과의 사이에 신뢰를 쌓으려고 합니다.

기업 구성원들 가운데 고객이나 대중과의 소통을 담당하는 사람이나 고위층들은 지역사회와 의견, 생각 그리고 믿음을 이해하기 위해 노력해야 합니다. 왜냐하면 기업이 흔하게 범할 수 있는 실수 가운데 하나는 지나치게 자기중심으로 매사를 해결하는 것이기 때문입니다.

사회를 위해 공헌하고 지역에서 나오는 의견을 경청하면 자기중심적인 판단이나 행동이 가져올 수 있는 폐해를 사전에 방지할 수 있습니다. '존경받는 기업'으로 거듭날 때 가장 행복하고

기쁜 사람들이 바로 조직 구성원들이라는 점 꼭 아셨으면 합니다.

《Summary》
● 기업의 규모가 커지면 그만큼 일하는 사람들이 많아지고 의견들이 다양해지므로 조직문화도 개선하고 바꿔야 한다.
● 직원들의 니즈Needs 파악에 신경 쓰되 개선이 되지 않거나, 보상을 철저히 하지 않으면 직원들은 모두 회사를 떠난다.
● 리더가 겸손하고 따뜻하면 그 조직은 그와 비슷한 분위기가 느껴지는데 리더가 곧 조직문화이자 그 자체이기 때문이다.
● 기업이 살아남기 위해서는 반듯하고, 원칙에 충실한 구성원들로 조직되어 있어야 한다.
● 직원의 니즈를 관철하고 이행하는 기업, 심도 있는 소양을 갖춘 리더, 원칙에 충실한 직원, 이렇게 3박자가 어우러졌다면 이후 기업은 지역사회에 공헌하는 기업시민이 되어야 한다.

To. 그린테크 임직원 여러분께

 짧으면 짧을 수 있고, 길면 길 수 있는 시간이 끝났습니다. 그린테크 직원들과 시간은 저로써 좋은 추억이 될 것 같습니다.
 여러분들 역시 많은 고민들을 저에게 털어주셨는데 근로를 하는 직장인들 중에 고민이 없는 사람은 결코 단 한명도 없을 겁니다. 저 역시도 고민이 많았습니다.
 제가 운영하는 회사가 초기에는 경영 여건이 많이 불완전했었습니다. 고객사와 함께 계약 후 새로운 프로젝트를 진행할 때마다 연구 중간에 클레임claim 들어오는 일이 많았습니다.
 '나한테는 왜 이런 불행만 계속 일어나는 걸까?', '앞으로 우리 회사의 성장은 어떻게 될까?'하며 고민의 연속이었습니다.

 당시 제게는 연구를 지도해주는 멘토가 없었고, 연구를 수월하게 진행할 수 있도록 충분히 역량을 갖춘 직원들 역시 갖추어져 있지 않았습니다. 내가 할 수 있는 거라곤 앞이 보이지 않는 결과에 따른 두려움에 고민만 잔뜩 하는 것이었습니다.
 책임져야 할 회사 직원은 늘어나고, 사업 결과의 두려움에 휩싸여 외롭고 고통스러운 나날을 보내면서 회사 옥상에 올라가 밤하늘을 올려다보면서 혼잣말을 한 적도 많았습니다.

 '난 왜 이렇게 약할까? 뒤돌아보면 지금까지 충분히 잘해왔고, 앞으로도 문제없이 잘 해낼 거야. 아직까지 생기지도 않은 일들 때문에 고민하고 두려워해서는 안돼. 난 아직 젊고, 내게는 내일이 있잖아.' 그렇게 스스로에게 다짐하고, 옥상에서 내려오는 짧은 시간 동안은 내게 더 이상 고통도 외로움도 없었습니다.

시간이 흘러 최근에는 고민들이 생길 때마다 오히려 옥상으로 가는 시간보다는 책이나 영상 컨텐츠를 통해 해결하고 회복하

는데 방법을 찾고 있습니다. 방법은 여러 군데 존재합니다.

시련과 고난이 끊임없이 몰아치는 일은 없습니다. 각자 자신에 맞는 솔루션을 찾아 일상으로 돌아와야 합니다. 물론 행운 또한 영원히 계속되지는 않습니다. 저는 열심히 일하는 사람에게는 행운이 온다는 말을 믿어요. 자만심으로 우쭐대지 말고, 실의에 빠져도 좌절하지 말고, 미래를 담담하게 받아들이고 그것을 이겨낼 수 있는 힘을 키우며, 지속적으로 열심히 일하는 것이 무엇보다 중요하다고 생각합니다.

누구나 실패도 해보고, 원하지 않는 방향으로 흘러가 좌절할 때가 있습니다. 누구보다 열심히 했다고 자부했는데 결과가 좋지 않을 때도 있습니다. 그럴 때 절대로 그런 현실에 끌려 다녀서는 안됩니다. 엎지른 물 때문에 상처는 크겠지만, 그렇다고 그 물을 주워 담을 수 없어요. 오히려 그 실패를 교훈 삼아 더 조심하여야 됩니다. '왜 그렇게 했을까? 그렇게 안 했으면 좋았을 텐데'라고 생각하다 보면 패배감만 커질 뿐입니다. 속상하겠지만, 지나간 일은 지나간 일로 빨리 잊는 것이 좋습니다.

다만, 왜 물을 엎질렀는지, 실패의 연속이 등장하는 지에 대해서는 꼼꼼하게 따지고 반성해야 합니다. 한 번 실수는 이해할수 있지만 같은 실수를 반복해서는 안됩니다. 충분히 반성했다면, 그 일은 깨끗이 잊어버려야 합니다. 가정이든 일터에서든 지난 일을 고민하는 것은 백해 무익하다고 생각합니다.

그것을 계기로 다시는 그런 일이 일어나지 않도록 스스로를 다그치고 개선을 해야 합니다. 실수해도 괜찮습니다. 실패해도 좋습니다. 무조건 성공만 하는 사람은 극소수에 불과합니다. 다만 그런 일이 일어났다면 반성하고, 그것을 교훈 삼아 더 큰 도약을 꿈꾸어야 합니다. 그런 사람만이 어떤 위기에 처하더라도 반드시 성공에 이를 수 있습니다.

조직 내에서 인정을 받고, 많은 프로젝트를 성사시키거나, 사업을 시작하면 손쉽게 목표 도달이라는 결과를 얻는 사람들은 능력 역시 뛰어나지만 자신의 일과 미래에 매우 낙천적입니다. '분명히 잘 될 거야.'라는 말을 혼자 암시하면서 부족한 지금을 노력을 통해 성공으로 이어질 수 있도록 부지런하게 일을 합니다. 실패하거나 실패라는 조짐이 보이면 쉽게 털어내고 다시 시작해보려는 의지 역시 강합니다.

저는 고객사로부터 어려움이 예상되는 새로운 프로젝트를 주문 받거나 한 번도 시도해보지 않았던 연구를 진행할 때, 특별히 주변의 사기를 북돋아줄 것이라고 판단되는 직원을 채용해본 적이 있습니다. 그 직원이 그 분야의 전문가가 아니어도 상관없습니다. 어떻게 보면 그 분야의 전문가가 아니기 때문에 더욱 그러한 직원이 필요할 수 있습니다.

작년에 입사한 이건영 매니저가 그런 케이스였습니다. 조금은 성급해 보일지라도 "그 일을 한번 해보면 참 재미있겠네요. 한번 해보면서 좋은 결과를 낼 수 있도록 해 보겠습니다."라며 긍정적으로 받아들이는 직원이었습니다. 오더를 내리면 그 자리에서 팔이라도 걷어붙인듯한 자세를 보이는 그 직원에게 새로운 일을 맡길 때가 많이 있습니다.

이건영 매니저는 일을 시작하기 전에 상황을 예측하고, 그 일이 가능할지 불가능할지 대략적인 판단을 세웠습니다. 숱한 아이디어들이 내면서 저에게 많은 귀감을 선물했습니다. 자발적인 동기가 강한 직원이었습니다. 자발적인 동기가 매우 강한 직원들은 어느 조직에서나 쉽게 적응하고 직무에 대해 올바른 방향으로 설계할 수 있습니다. 회사 생활을 하면서 생기는 많은 일들에 끈기와 책임감을 보이고, 충분히 성과를 낼 수 있는 노하우를 만들어 되죠. 직무 수행에 대해 올바른 과정을 이해하고 나서 서서히 자발적 동기를 높여간다면 누구나 인정하는

직원이 될 수 있습니다.

 하지만 직원들 중 비관론자들도 있기 마련입니다. "그것은 현실적으로 불가능합니다." 라거나 "그 프로젝트는 회사나 직원에게 이익도 없는 일 같은데 하지 맙시다."라며 지레 포기해버리게 하는 직원들도 있을 거라 생각합니다.
 비관론자의 의견을 들으면 그럴듯합니다. 그들의 말을 들으면, 중간에 적지 않은 문제들이 발생해 곤혹스러워질 게 분명합니다. 그들의 말처럼 오히려 문제만 발생할 것이라면 처음부터 하지 않는 게 낫습니다. 그러다 보면 아무리 좋은 아이디어도 묵살되고 맙니다. 아니, 아이디어를 낼 의지라든지 열정마저 없어져 버립니다.

 낙관론자는 일이 어떻게 진행될지 확신할 수 없지만, 열심히 앞으로 한발 내딛고 있다는 것이 보입니다. 그 앞이 아무리 진흙투성이여도 개의치 않는다는 겁니다.
 오히려 앞에 진흙이 있는 것을 확인했으니 그다음 사람은 조심해서 걷게 되었다며 흐뭇해합니다. 도가 지나친 낙관론은 문제지만, 일의 구상 단계와 사업을 구축할 때는 낙관론자의 추진력이 견인차 역할을 한다는 것을 깨달았습니다. 긍정적인 생각과 행동은 조직의 발전에 큰 힘이 됩니다. 그린테크 역시 많은 변화가 필요합니다.

 '토고납신吐故納新'이라는 사자성어가 있습니다. 옛 것을 뱉어내고, 새로운 것을 받아들인다는 뜻에서 사용하고 있습니다. 호흡할 때 나쁜 이산화탄소를 밖으로 내쉬고 신선한 공기를 안으로 들이쉰다는 말에 유래가 되었는데 최근에는 오래되어 나쁜 것을 버리고, 새롭고 좋은 것을 받아들이라는 의미로 더 많이 쓰입니다. 옛 것에는 시대에 맞지 않는 관행이나 관리체제, 낙후된 사상, 낡은 기술 등이 존재합니다. 새로운 인재, 발달된 기

술, 선진적 사상, 현대적 관리체제 등을 받아들여야 현 시대에 맞는 혁신 전략을 세울 수 있습니다.

혁신은 짐승의 가죽을 아주 다른 형태로 바꾸는 것처럼 낡거나 효용성이 떨어진 것을 새롭게 바꾸는 것입니다. 여기서 그 출발은 바꿔야 할 필요성으로 봅니다. 즉 과연 낡거나 효용성이 떨어졌는지, 무슨 문제가 있는지 등에 대한 분석이라고 할 수 있습니다.

문제가 있다면 어떻게 바꿔야 할지를 생각해야 합니다. 잘 되고 있는 것은 물론 고칠 필요는 없습니다. 혁신을 하기 위해서는 철저히 문제점에 대한 '진단'이 선행되어야 합니다.

기업 전체 조직이나 내부 부서의 혁신이 필요할 경우 현재 문제점이 있는 부분과 제 기능을 못하고 거의 유명무실한 부분이 어디인지, 그리고 효율성이 떨어져 성과가 미흡한 원인이 무엇인지에 대한 진단이 먼저 있어야 합니다.

나아가 새로운 환경 변화에 적응하지 못하고 시대에 뒤떨어진 영역이 어디인지 등에 대한 분석과 평가도 병행되어야 하지요. 하지만 여기서 주의해야 할 부분이 있습니다. 진단하는 업무에 있어서 감정이 개입되지 말아야 하는 것입니다. 아무리 기업의 발전과 조직의 긍정적인 효과 기대가 있다고 하더라도 그에 대처하는 조직 개선에 있어 일시적인 감정이나 개인적인 마음 등이 적용되어서는 안됩니다. 기업은 사람으로 이루어지며, 사람에게는 인권이 있어 이를 존중해야 되기 때문입니다.

그린테크의 직원과의 인터뷰에서 인권 침해가 있는 부분을 짚어드렸는데, 회사 역시 자발적으로 조직 내 인권침해가 사례가 있는지 살펴봤으면 합니다. 계속적으로 많은 기업에 종사하는 직원 대상 인권침해 사례가 빈번하게 일어나면서, 최근 지자체 또는 사외 위탁교육시설에서 노동 인권교육을 권장하고, 교재 개발 연구에 관심을 보이고 있는 추세입니다. 특히 젊은 나이

에 신규로 취업하는 사람들과, 기간을 정해놓거나 짧게 일하는 단시간 근로자들 모두에게 인권교육을 시행했으면 합니다.

인권교육이 중요한 이유는 직원이 어떤 상황에 처했을 때, 그것이 문제일 수 있다고 인식하는 계기가 되고, 또 권리를 침해당했다고 느끼고 이의제기를 할 때 기업은 개선하고 대처할 수 있는 길잡이가 되기 때문입니다.

한 번의 교육으로 모두 이해하거나 숙지할 수는 없지만 교육을 통해 문제를 인식하고, 이를 해결할 능력을 기를 수는 있습니다. 직장 내 모든 구성원들이 지속적으로 함께 참여해서 바람직한 근로생활에 대한 이해도가 높아질 때 기업과 조직은 객관적으로 돌아볼 수 있는 계기가 되며, 형평성에 맞고 평등하며 민주적인 조직문화를 만들 수 있는 계기가 됩니다. 또한 안전하고 합리적인 일터를 만드는 토대가 될 수 있습니다.

그린테크의 최종목표는 친밀한 노사관계, 건강한 조직문화라고 말씀하셨습니다. 조직을 운영하는데 있어 최종 목표로 두지 않고, 새로운 출발지점이라 생각해보시길 바랍니다.

새롭게 무장한 조직 분위기를 토대로 회사는 이 후 더 발전하고, 직원들은 성장하리라 생각합니다. 다만 많은 노력이 필요합니다. 직원들 모두 함께 다짐하는 시간을 만들어야 합니다.

우리 모두 초심으로 돌아가서 내 옆에 있는 동료를 존중하며, 사랑하며, 함께 앞으로도 땀 흘리며 일할 것이라고 다짐하세요. 그리고 그 다짐을 잊지 않기 위해 힘쓰셔야 합니다. 그린테크의 앞날은 끝까지 응원하겠습니다.

out(에필로그)

이 책에 등장하는 새롭고 다양한 도구를 통해서 직장생활을 보다 행복하고 즐겁게 할 수 있도록 도움을 주는 개념들을 다루었다. 필자가 전하는 핵심 메시지는 동일하다.

독자들 모두 자신의 삶을 스스로 창조하는 디자이너다. 매일 똑같이 주어지는 24시간을 어떻게 보내는지가 당신의 인생을 결정한다. 그 어떤 고민을 통해서 일요일 밤을 지새우거나 힘들고 어려운 직장 생활에 발목을 잡히지 않게 해주리라는 마음가짐으로 글을 써 내려갔다.

나에게도 인생의 선배이자 월요병 등이 원인이 되는 고민을 들어줄 멘토가 있다. 오래전부터 그와 함께 자택 인근 호프집에서 맥주 몇 잔을 기울이며 이야기를 주고받았는데 사회 초년생 때 들었던 의미심장한 멘트가 아직도 기억이 난다.

'직장생활을 하면서 간질히 바라는 것들이 존재한다면 나만의 직장 철학을 우선적으로 세워라'

우리는 대개 직장에서 경험하는 좌절과 직무 스트레스, 번 아웃 등을 개인의 문제라고 여긴다. 무언가 잘못되면 그것이 자신의 성격이나 직장 상사 또는 회사의 잘못된 정책 잘못이라고 생각하는 사람도 있다. 이런 문제들은 개인만의 문제가 아니라 사회와 세계의 문제다.

직장에 비상식적으로 행동하는 사람들이 확산되고 조직문화가 더 이상 집단 사회적으로 비정상적인 개념을 가질 때 생산성과 성과, 나아가 나라의 큰 손실이 아닐 수 없다.

이로 말미암아 쓸데없고 목적의식마저 결여된 일이 무척 많다. 해결하고 직면해야 할 문제가 도사린다면 우리는 개인과 조직, 사회에 기여하기 위해 개선을 해야 한다. 개인들이 정직하고 올바른 직장 철학을 가짐으로써 조직을 재구성하고 그 재구성 개념을 공유함으로써 더 큰 의미와 영향력을 창조하는 데

이바지해야 한다.

'간절히 원하면 반드시 이루어진다.'는 말이 있듯이 어떻게 해서라도 직장 내 스트레스 제공 요소를 떨쳐버리고 행복한 직장 생활과 높은 성과를 간절히 바란다면 '꼭 달성하고야 말겠다.'는 강한 의지와 다짐이 분명 좋은 성과로 이어 질 것이다.

먹고 자는 것을 잊을 정도로 간절하게 바라며, 하루 종일 그 것을 마음 속 깊이 새기면 그 생각은 잠재의식으로 들어간다. 잠재의식은 의식이 접근할 수 없는 정신영역, 스스로가 알지 못한 채 활동하고 있는 정신세계와 같은 인간의 의식 깊은 곳에 숨어 있는 의식을 말한다.

잠재의식은 생각하지도 못한 어느 순간 불현듯 자기도 모르게 놀라운 힘을 발휘하기도 한다. 그런 잠재의식을 어떻게 활용하느냐에 따라 내가 원하는 직장생활 이라는 그림을 그릴 수 있으며 그런 행복을 통해 많은 성과창출 아이디어를 낼 수 있다. 간절함이 강할수록 목표를 이룰 수 있는 길로 나를 인도해주는 것이다. 따라서 자신의 직장 철학을 기본으로 삼아 간절히 바라는 모든 간절함이라는 이 잠재의식을 유용하게 활용해야 한다.

예를 들자면, '우리 조직의 높은 생산성을 위해 어떠한 상황을 이런 환경으로 개선하고 싶다.'고 간절하게 바라고 있으면 어느 순간 놀라운 아이디어가 떠오를 때가 있다. 이것 또한 잠재의식의 결과다. 열심히 생각을 하면 이 생각이 잠재의식에까지 번지게 된다. 그렇게 되면 특별히 의식하지 않더라도 생각하지도 못한 순간에 잠재의식이 가동되어, 생각지도 못한 아이디어를 얻을 수 있다. 게다가 이런 순간적인 아이디어는 정확한 목표를 도달토록 하는 놀라운 힘을 갖고 있다.

나 역시 그런 경험이 있었다. 다른 팀원들과 프로젝트 사업을 진행한 적이 있었는데 프로젝트 리더와 잦은 마찰이 있었다.

처음에는 그 리더의 거친 말투와 후배직원을 막 대하는 행동을 원인으로 삼았었다. 이러한 환경이 지속되면 프로젝트 성과는 커녕 다른 부서로 이탈할 조직원이 생길 수 있었는데 그 리더의 성향을 고치기보다는 리더를 완전한 우리 편으로 만들자는 간절함 때문에 조직분위기를 긍정적으로 바꿀 수 있었다. 지금은 어느 누구보다도 필자와 해당 리더는 친한 동료사이로 지내고 있다.

이런 일이 단순히 우연이라고 할 수도 있다. 하지만 나는 내가 항상 그 일에 몰두하고 있었기 때문에 필연적으로, 그리고 자연스럽게 그렇게 된 것이라고 생각한다. 만약 나의 바람이 잠재의식에 도달할 정도로 간절하지 않았다면, 그 프로젝트의 결과를 보지도 못하고 이탈하거나 현재 다른 직장에서 또 다른 스트레스를 받고 있을지도 모른다.

이처럼 자신의 직장 철학을 이행하면서 높은 목표를 달성하려면 간절한 바람이 잠재의식에까지 미칠 정도로 곧고 강해야 한다. 주위의 시선에 우왕좌왕하지 말아야 한다. 하고 싶다면, 하고자 한다면 무슨 일이 있어도 그 길을 가겠다고 굳게 다짐하며 해결방법을 찾아보자. 그리고 반드시 이룰 수 있다고 굳게 믿어라. 그런 간절함이 없다면 절대 불가능한 길을 걷게 될 수 있다.

우리 주위의 많은 '월요병 컴퍼니'가 사라졌으면 하는 간절함이 생겼다. 대한민국 직장인을 돕고 싶다. 그리고 여러분들은 더 큰 삶의 즐거움과 목적 그리고 더 많은 부를 찾을 것이다. 각자의 철학이 있든 필자가 아무리 많은 사람을 돕더라도 한 개인이나 집단으로서 나의 임무는 결코 끝나지 않을 것이다. 부디 여러분들도 이 책을 통해 행복한 인생으로 거듭나고, 나아가 많은 사람을 도울 수 있기를 바란다.

◆인용 및 참고문헌

♤대한민국 기업흥망사·해냄(공병호)·2011.11
♤말이 되는 소리하네·명랑한지성(박정훈, 장귀연)·2017.4
♤좋은 일자리의 힘·행복한북클럽(제이넵 톤, 최성옥)·2020.8
♤이 회사에서 나만 제정신이야?·랜덤하우스(앨버트 번스타인, 전미옥, 이영아)·2010.7
♤회사가 괜찮으면 누가 퇴사해·바틀비(천주희)·2019.11
♤최강의 조직·한국경제신문(벤 호로위츠, 김정혜)·2021.4
♤고장난 회사들·어크로스(마틴 린드스트롬, 박세연)·2021.4
♤나는 직장인으로 살기로 했다·베이직북스(샤오란, 홍민경)·2017.5
♤사장으로 산다는 것·흐름출판(서광원)·2005.12
♤일의 철학·갤리온(빌 버넷, 데이브 에번스, 이미숙)·2021.8
♤투잡하는 김대리는 취업규칙을 위반했을까·비전코리아(노정진)·2021.5
♤카르마경영·서돌(이나모리 가즈오, 김형철)·2005.9
♤못된 상사 밑에서 살아남기·북폴리오(마릴린 하이트, 서영조)·2007.4
♤너 때문에 내일 회사 가기 싫어·사계절(이남석)·2021.4
♤아, 보람 따위 됐으니 야근수당이나 주세요·오우아(히노 에이타로, 이소담, 양경수)·2016.5
♤하루 10분 MBA·비즈니스랩(글로비스, 시마다 츠요시, 이정은)·2021.4
♤이 세상에서 가장 오래된 기업은 무엇이 다른가·국일미디어(김혜성)·2018.10
♤무엇이 최고의 조직을 만드는가·미래의창(한근태)·2022.7
♤왜 일하는가·서돌(이나모리 가즈오, 신정길)·2010.3
♤알아두면 쓸모있는 신박한 조직생활 가이드·무한(전충렬)·2020.6